반미주의로
보는
한국
현대史

주한 미국 외교관이 바라본 한국의 반미 현상

반미주의로 보는
한국 현대史

데이비드 스트라우브 지음

김수빈 옮김

박태균 해제

ANTI-AMERICANISM IN DEMOCRATIZING SOUTH KOREA

산처럼

| 일러두기 |

1. 이 책은 David Straub의 *Anti-Americanism in Democratizing South Korea* (Shorenstein Asia-Pacific Research Center, 2015)를 번역한 것이다.
2. 외래어 인명과 지명은 국립국어원의 외래어 표기법에 따라 표기했다.
3. 본문에 설명이 필요한 부분에는 괄호 처리해 옮긴이 주나 편집자 주를 달았다.
4. 원서에는 영문으로 번역되어 있으나 한국어로 발행된 신문을 포함해 한국어 자료는 원 자료를 확인해 옮겼다.

한국어판 머리말

한국 독자들은 이 책을 읽는 데 드는 시간과 돈이 그 값어치를 할까 의아할지 모른다. 그런 생각을 이해할 수 있다.

이 책에서 나는 1999년부터 2002년까지 서울의 미국 대사관에서 고위 외교관으로 일했던 경험에 대해 썼다. 당시 나는 왜 한국인들이 그때 미국에 그렇게 화가 나 있었는지를 이해하고 그러한 감정을 달래보려고 상당한 시간을 보냈다. 그때 많은 심고를 겪은 나머지 국무부를 떠난 이후에도 당시 사건들로 제기된 이슈들을 연구했다. 여기에는 스탠퍼드 대학에서 한국학 프로그램의 부소장으로서 연구한 것도 포함된다.

이 책은 영어로 출간된 지 1년이 지났다. 이 책에서 다루는 사건들이 벌어진 지는 10년도 더 흘렀다. 한국인들은 대체로 1999년부터 2002년까지 한국이 반미주의에 사로잡혀 있었다는 내 견해에 동의하지 않겠지만 설사 동의한다 하더라도 오늘날 한미 관계가 최고의 상태에 있다는 것은 틀림이 없다. 두 나라의 행정부 수반들은 긴밀히 협조해왔고 여론조사 결과(2016년 한 미국 대선 후보의 독특한 생각에도 불구하고) 미국인과 한국인 모두 압도적으로 동맹을 지지함을 보여준다. 그렇다면 독자의 소중한 시간을 이제는 오래전에 지나가버린 불편한 시기를 돌이켜보는 데 쓸 이유는 무엇인가.

전직 미국 외교관이 이 책을 썼다는 사실이 과연 이 책이 얼마나 유용할까 하는 의구심에 더 불을 지필지도 모른다. 그저 자기 합리화를 위한 노력이 아니겠는가. 게다가 영문판 서문에서도 볼 수 있듯이 책은 주로 미국인을 위해 썼다. 미국인 대부분은 한국에 대해 거의 아는 게 없다. 한국인은 대체로 한미 관계에 대해 미국인보다 훨씬 더 많이 알고 있기 때문에 독자는 이 연구가 너무 기초적이라거나 심지어는 한국인이 읽을 필요가 없을 것이라고 생각할 수도 있다. 그런 생각도 충분히 이해할 수 있다.

그럼에도 불구하고 도서출판 산처럼에서 이 책을 출판하기로 하고 김수빈 씨가 훌륭히 번역하여, 적어도 몇몇 한국인 독자들은 이 책을 읽고 싶어 할 것이라고 희망해본다. 그러한 희망에서 이 책이 시간을 아깝게 만들지 않을 것이라는 이유를 제시하고자 한다.

미국이 한국에게 중요하다는 데 (그것이 좋든 나쁘든 간에) 동의한다면 이 책은 유용할 것이다. 미국의 지도자들과 미국의 대중이 한반도에 대해서 실제로 어떻게 느끼고 어떻게 생각하는지를 더 잘 이해할 수 있게 해줄 수 있기 때문이다.

특히 미국에 대한 한국인의 분노가 극에 달했던 1999년부터 2002년까지 미국 관료들이 이를 어떻게 생각했는지 '내부 정보'를 읽고 싶다면 이 책은 큰 도움이 될 것이다. 당시 미국의 생각을 알게 되면 십중팔구 깜짝 놀랄 것이다. 한국 언론은 이를 이해하지 못했고 거의 보도하지 않았기 때문이다. 미국의 관점에 동의하지 않을 수도 있다. 그러나 여전히 미국의 관점을 아는 것이 유용하리라 생각한다.

좀 더 과감하게 말해보자. 만일 한국의 정부, 정치, 언론, 그리고 사회를 더 잘 이해하고 싶다면 이 책을 읽어야 할 것이다. 나는 8년 동안 한국에서 살았고 한국어를 할 줄 알며, 40년 넘게 한국을 긴밀하게 관찰해왔다. 외국인으로서 나는 물론 한국인들이 한국을 아는 것만큼 한국을 잘 알지는 못한다. 그러나 나는 한국을 다른 관점에서 본다. 우리는 모두 각자의 문화에 종속되어 있기 때문에 때로는 시간을 들여 상대방이 우리를 어떻게 바라보는지를 배울 필요가 있다.

이 책을 읽게 될 한국인들 중에는 미국 정부에서 오랫동안 일을 했던 내가 일종의 자기 합리화에서 이 책에 미국 정부의 공식 입장을 무비판적으로 반영했다고 생각할 사람도 있을 것이다. 그렇지만 독자들은 내가 조지 W. 부시 행정부의 재앙과 같은 외교정책을 공개적으로 비판하기 위해 2006년에 미국 외교관직에서 조기 은퇴했다는 사실을 알았으면 한다.

물론 이 책에서 나는 한국에 대해 비판적인 태도를 취했다. 그러나 내가 결코 한국을 싫어하지 않는다는 것을 알아줬으면 한다. 오히려 한국인에 대해 커다란 애착과 감사한 마음을 갖고 있으며, 미국인으로서 내 나라가 한국의 민족 분단을 가져온 역사적 실수를 평화적으로 바로잡아야 하는 절대적인 책임을 갖고 있다고 생각한다. 이 책을 한국인 독자들이 읽어보기를 바라는 내 마음은 근본적으로는 이러하다.

2016년 4월 12일

미국 캘리포니아 스탠퍼드

데이비드 스트라우브

머리말

이 책은 나의 첫 책이다. 첫 책을 쓰기란 쉽지 않았다. 2002년에 한국 생활을 마감하고 미국으로 돌아왔는데 이미 그때부터 1999년 주한 미 대사관의 정치과장으로 부임하면서 경험하고 관찰했던 반미 현상에 대해서 책을 써야겠다고 생각했다. 2006년 국무부에서 은퇴하고 이듬해에 스탠퍼드 대학 쇼렌스틴 아시아태평양연구소의 한국학 프로그램에서 팬택 객원 연구위원으로 일할 수 있었다. 연구원 임기가 끝나는 2008년이 되자, 프로그램의 부소장직을 제의받았다. 그동안 이 책을 썼다.

그 과정에서 어떻게 하면 내가 한국인을 특별히 감정적이고 비이성적이라고 여긴다는 인상을 주지 않으면서 한국인들이 1999년부터 2002년까지 미국에 대해 표출한 분노를 연구할 것인가 고민했다. 솔직히 말해, 당시 한국이 미국에 대해 표현했던 태도나 행동들의 많은 부분이 잘못된 생각에 기반했으며 감정적이었음을 알았다. 그러나 그러한 태도와 행동에는 그럴만한 이유가 있었음을 알 수 있었다. 그 이유는 한국인들 스스로가 생각했던 것과는 달랐지만 온전히 이해할 수 있는 것이었다. 과거에 일본과 독일에서 미국의 직업 외교관으로 근무하면서 다른 나라의 사람들 또한 자신들의 언어로는 설명이 되지 않는 자기들만의 집착을 갖고 있다는 것을 배웠다.

다른 나라들을 직접 관찰하면서 미국이라는 나라를 새롭게 다시 볼 수 있었으며 미국인들도 물론 이와 다르지 않음을 확인할 수 있었다. 예를 들어 1980년대와 1990년대 두 차례 일본에서 근무하면서, 일본이 미국을 앞질러 세계 1위가 될 것이 두려운 미국인들이 일본의 경제적 성공은 '불공정한' 무역 행위 때문이라고 성급하게 결론 내리는 걸 보았다. 물론 일본이 무역에서 불공정 행위를 했던 것은 사실이지만 편견과 감정이 나를 비롯한 미국인들의 눈을 가려 1980년대 일본의 경이로운 경제성장의 많은 부분이 신기루였다는 분명한 사실을 보지 못하게 했다. 일본의 경제성장은 실상 거대한 부동산 및 주식시장의 거품 때문이었고 이 거품이 꺼지자 일본 경제는 20년 이상 정체기를 겪었다. 불행하게도 우리 미국인들은 당시 일본에 대해 가졌던 비참할 정도로 잘못된 생각과 감정들을 제대로 성찰하지 못했다. 그러지 않았더라면 우리 경제를 어떻게 더 잘 관리할 수 있을지를 배우고, 2008년 금융위기와 같은 재앙도 피할 수 있었을지 모른다.

이 책은 기본적으로 미국인들을 위해 쓰여진 것이지만 한국인들을 소외시키는 책을 쓰고 싶진 않았다. 내 삶의 상당 부분은 한국을 중심으로 펼쳐져왔고 현재도 그렇기 때문이다. 외교관으로서 처음으로 독일에 부임한 이후, 나는 아직 젊을 때 어려운 언어를 배울 수 있는 다른 지역의 국가로, 그중에서도 특히 중국, 일본, 또는 한국으로 전출시켜주기를 요청했다. 한 해는 워싱턴 DC에서, 그리고 다른 한 해에는 서울 연세대학에서 풀타임으로 한국어를 배울 수 있었다. 이는 유쾌한 놀라움이었다. 한국어 코스를 끝내고 나면 서울의 미 대사관에서 1년을 영사관에서 일하고 이후 2년을 정치과에서 일하는 조건이었다. 내 삶의 5년을 투자하는 것이었지만 즉각 수락했다. 1951년 한국전쟁에서 미 해병대로 복무했던 아버지 덕분에 한국이라는 먼 나라에 대한 이야기들이 켄터키의 작은 언덕에서 자란 나의 가장 어린 시절 기억들을 차지하고 있었다. 게다가 대한민국은 가혹한 독재자 박정희 대통령이 일구어낸 '한강의 기적'으로 연일 뉴스를 장식하고 있었다.

서울에 도착했던 1979년 7월, 한국은 경제적으로 매우 빠르게 발전하고 있었지만 한국인들은 대개가 미국의 기준에서 볼 때 여전히 많이 가난했으며 정치체제는 비민주적이었다. 인터넷이라는 건 아직 꿈꿀 수도 없었고, 소중한 외화를 낭비하는 걸 막기 위해 한국인들에게는 해외여행이 금지되어 있었다. 한국이 생각하는 세계란 매우 작고 어려운 곳이었다. 여기서 모두 열거하기 어려울 정도로 많은 부분에서 오늘날의 한국은 그때의 한국과 문화적으로나 사회적으로나 매우 다르다. 1980년대 초의 한국을 이해하기란 세계에 대해서 많이 알지 못하는 한 젊은이에게는 큰 도전이었다. 때론 좌절할 때도 있었다. 그러나 그러한 차이점을 맞닥뜨리고 이해해야만 하는 상황에 놓이면서 나는 단지 한국과 한국인뿐만 아니라 나와 내 나라에 대해서도 배울 수 있었다. 한국인들이 자기 아이들과 자기 나라를 위해 너무 많은 것을 희생해야 했던 그 어려운 시기에도 그들이 내게 보여준 친절함과 관대함, 그리고 인내심에 매번 놀라고 겸허해졌다. 나는 첫 한국 부임기에 서울 출신의 아내를 만났고 세 아이 중 첫째를 가졌다.

　나는 워싱턴의 국무부 한국과에서 1984년부터 1986년까지 일했다. 이후 1996년부터 1998년까지 국무부 한국과에서 다시 일했으며, 마지막으로 2002년부터 2004년까지는 한국과장으로 일했다. 그러나 이 책은 1999년부터 2002년까지 서울의 미 대사관에서 정치과장으로 일하던 시절의 경험에 초점이 맞추어져 있다. 1999년, 15년 만에 서울로 돌아오면서 보다 풍요롭고 민주화된 한국에서 생활하며 일할 것을 기대하고 있었다. 그러나 이번은 행운의 여신이 날 버렸다. 나의 임기는 반미 정서가 치솟고 있던 시기와 겹쳤다. 나는 이 책에서 반미 정서가 치솟은 원인에 대해 제시하고자 했다. 당시의 경험은 지난하고 불쾌한 것이었지만 한편으로는 한국뿐만 아니라 나 자신과 내 나라를 더 잘 알 수 있게 만들었다.

　40년 동안 한국은 내 가족의 일부였고 나의 두 번째 집이었으며 내 커리어의 주요한 부분이었다. 워싱턴과 일본에서 일본 문제를 다루던 10년 동안과, 국무부 정무차관으로 일할 때처럼 내가 한국에 관한 일을 하고 있지 않을 때에도 한국 문제를 꽤 면밀하게 살피곤 했다. 2007년부터 나는 스탠퍼드 대학에서 한국과 미국의 젊은 세대들이 서로를 더 잘 이해할 수 있도록 하고 한미 관계에 대한 나의 지식을 더욱 심화시키는 데 매진할 수 있었다.

　이 책을 쓰면서 나는 무엇보다도 스탠퍼드 대학 쇼렌스틴 아시아 태평양연구소의 소장이자 연구소의 한국학 프로그램 국장이며, 한국의 정체성과 한미 관계에 관한 세계적인 권위자인 신기욱 교수에게 감사를 전한다. 내가 처음에 스탠퍼드 대학에 오게 된 것은 그의 초대 덕분이었다. 그의 연구가 나의 개인적 경험이나 직업적 관심과 긴밀히 조응하는 것이 기뻤으며 그의 작업에 대한 나의 연구는 나로 하여금 한미 관계의 현안들을 보다 깊게 이해하는 데 도움이 됐다. 또한 쇼렌스틴 아시아태평양연구소의 연구부소장인 다니엘 C. 슈나이더에게도 이 출판물에 대한 지원과 무엇보다도 좋은 친구가 되어 준 데 감사를 표한다. 한국학 프로그램의 매니저인 헤더 안은 누구나 동료로서 바랄 만한 모든 것과 그 이상을 갖춘 사람이었다. 쇼렌스틴 아시아태평양연구소의 출판 매니저인 조지 크롬패키는 처음으로 책을 쓰는 사람의 원고를 편집하는 과정을 매우 끈기 있게 감독했다. 카피 에디터인 낸시 허스트는 이 책을 보다 깔끔하고 정확하며 읽기 쉽게 만들어주었고, 교열을 담당한 페이어 메이키그는 내가 저지른 수많은 실수에서 벗어날 수 있도록 도와주었다.

특히 2007년에 서울대학 국제대학원에서 나의 지도를 받았던 존 슬랙에게 감사의 마음을 전한다. 석사 학생이었던 존은 내 수업에서 가장 좋은 에세이를 써냈으며, 2002년 유타 동계올림픽에서 한국인들이 왜 미국에 그렇게 화가 났는지에 대해 내 눈을 틔워주었다. 그 에세이는 약간의 보완을 거쳐 이 책의 제6장을 이루고 있다.

미국 정부에서 함께 일했던 동료이자 친구들인 도널드 W. 케이저, 앨로이시어스 M. 오닐 3세, 에번스 J. R. 레버리, 로버트 T. 마운츠는 이 책의 여러 장을 읽고 진솔하고 건설적인 비평을 (때로는 여러 번) 해주었다. 그들의 지적·도덕적 지원이 없었더라면 이 책을 끝맺을 수 없었을 것이다. 나의 학생인 제인 최와 데이비드 구(스탠퍼드 대학의 한국사 교수인 문유미 씨의 아들이기도 한)는 한국어·영어의 두 언어로 연구를 도와주었다. 내가 스탠퍼드 대학과 존스홉킨스 고등국제학대학, 그리고 서울대학 국제대학원에서 가르쳤던 대학생과 대학

원생들의 통찰에도 많은 도움을 받았다. 특히 대한민국 교육부의 재정 지원AKS-2007-CA-2001으로 한국학중앙연구원이 이 작업을 지원해 준 데에 깊은 감사를 표한다.

여기에 모두 열거하기에는 너무 많은 이에게 감사를 느낀다. 그럼에도 불구하고 시간 순서로 몇몇을 열거하고 싶다. 따로 명기하지 않은 많은 사람에게 진심으로 용서를 구한다. 나의 부모님께 나는 모든 것을 빚진 셈이다. 나를 위한 부모님의 희생은 내가 처음 한국에 발을 딛었던 1979년 한국 부모들의 희생을 떠올리게 한다. 초등학교부터 대학원까지 내가 만난 많은 선생님을 나는 존경과 애정, 그리고 고마움을 갖고 기억하고 있다. 특히 루이스빌 대학 정치학과의 필 램플과 고 제임스 L. 오설리번 교수는 내게 외교관의 길을 권유했으며 가능한 모든 지원을 아끼지 않았다. 1982년 서울의 미 대사관 정치과장이었던 데이비드 블레이크모어는 어떻게 글을 논리적이고 간결하게 쓰는지 가르쳐주었다. 서울에서 정치과 일을 처음으로 시작하던 때에 정치과 차장이자 거친 해병대 예비역인 스펜스 리처드슨은 내가 나를 보는 것보다 나를 더 높이 사고 많은 기회를 (때로는 그 기회들로 날 밀어넣기도 했다) 주었다. 서울의 미 대사관에 두 번째로 부임했을 때 나는 미국 최고의 직업 외교관인 스티븐 W. 보즈워스와 토머스 C. 허버드 밑에서 차례로 일하는 행운을 누렸다. 국무부를 떠난 직후 『워싱턴포스트』의 저명한 국제부 기자인 돈 오버도퍼가 내게 존스홉킨스 고등국제학대학에 갓 설립된 한미연구소의 겸임교수직을 제안했다. 이듬해 박태호 학과장과 백진현 교수가 서울대학 국제대학원에서 한 학기 강의를 해달라고 나를 초빙했다. 처음으로 공무원이 아닌 시민으로서 한국에서 살며 훌륭한 학교에서 일한 것은 재미있으면서도 보람된 경험이었다. 처음에 내가 스탠퍼드 대학에 와서 일하게 된 계기를 만들어준 것은 팬텍 펠로십 프로그램으로, 이 프로그램을 지원해준 팬텍 그룹의 박병엽 회장에게도 깊은 감사를 표한다.

이렇게 해서 이 작은 책이 독자의 수중에 들어오게 된 것이다. 이것이 1999년과 2002년 사이에 한미 관계에서 무엇이 발생했는가에 대한 최종적인 연구라고 주장할 생각은 없다. 그러나 내가 알기로는 당시 사건들을 직접 겪었던 전직 미국 관료가 이 주제에 대해 쓴 것으로는 이 책이 유일하다. 때문에 이 책이 미국인들에게 미국 정부가 한국에서 무엇을 했는지를 알려주고, 당시 한국에 있던 미국인들이 당시의 사건들을 어떻게 느꼈는지 설명하는 데 미력하게나마 도움이 되길 바란다.

그리고 전 국무부 관료는 자신이 했던 일을 내용으로 담아 출판을 할 경우 그 원고를 국무부로 보내어 기밀 사항이 담겨 있지 않은지 확인받아야 한다. 이 책의 원고를 검토한 후 국무부는 이 책을 그대로 발표하는 데에 이의가 없다고 통보했다. 다만 다음과 같은 통상적인 단서를 달아줄 것을 요청했다. "이 책의 의견과 묘사는 저자의 것이며 미국 정부의 공식적인 입장을 대변하는 것이 아닙니다." 국무부 담당자의 신속한 검토에 감사를 표한다.

반미주의로 보는 한국 현대사

차례

제1장

제2장

제3장

연대표

연도	사건
1980년 5월 18~27일	광주 항쟁.
1987년 6월 29일	한국의 민주화 개혁안 발표.
1988년 9월 17일~10월 2일	한국 하계올림픽 개최.
1997~1998년	아시아 금융위기('IMF 위기')가 한국 강타.
1999년 9월 29일	AP가 노근리 사건에 대한 첫 기사 발행.
1999년 9월 30일	한국 참전용사들이 에이전트 오렌지의 미국 제조사들 고소.
1999년 11월 15일	한국 언론이 DMZ에서 에이전트 오렌지가 사용됐다고 보도.
2000년 5월 8일	매향리 사격장 사건.
2000년 6월 14일	시민 단체가 주한 미군이 서울의 상수원에 포름알데히드를 방류했다고 폭로(사건 발생일은 2000년 2월 9일).
2000년 6월 15일	최초의 남북정상회담.
2000년 8월 1일~2001년 1월 18일	한미 주둔군지위협정(SOFA) 회담 재개, 성공적으로 마치다.
2001년 1월 11일	미국이 노근리 사건 조사 결과를 발표.
2001년 5월 7일	김대중 대통령이 부시 대통령을 만나다.
2001년 9월 11일	미국에서 9·11 테러 발생.
2002년 1월 29일	부시 대통령이 북한을 '악의 축'의 일원이라고 발언.
2002년 2월 20일	솔트레이크시티 동계올림픽에서 쇼트트랙 사건 발생(오노 사건).
2002년 5월 31일~6월 30일	대한민국과 일본이 월드컵 공동 개최.
2002년 6월 13일	56번 지방도 주한 미군 교통사고(미선이 효순이 사건).
2002년 11월 18~22일	56번 지방도 사고로 주한 미군 병사들이 군사재판에 회부, 첫 번째 병사는 11월 20일 무죄판결, 두 번째 병사는 11월 22일 무죄판결.
2002년 11월 27일	부시 대통령이 미 대사를 통해 56번 지방도 사고에 대해 한국 국민에게 사과하다.
2002년 11월 30일	56번 지방도 사고에 대한 군사재판의 무죄판결로 서울에서 촛불집회가 시작되다. 다음 주인 12월 토요일부터 전국에서 집회 발생.
2002년 12월 19일	대선 결과 노무현 후보가 승리하다.

제1장

한국 반미주의의 기원

❖

　2002년 후반, 수십만 명의 한국인이 수도 서울과 각 지역의 거리로 쏟아져 나와 미국에 반대하는 시위를 지속적으로 벌였다. 그해 여름, 군사훈련을 하던 두 명의 미군이 장갑차를 운전하다가 한국 여중생 두 명을 압사했다. 같은 해 11월, 미국의 군사법원은 해당 미군 병사들이 여중생들의 죽음에 형사상 책임이 없다고 판결했다. 다른 미국 국민이나 미군 관계자들과 마찬가지로 미국의 군 판사들에게 이 사건은 끔찍하고 비극적인 사고였다. 그러나 한국인들에게 이것은 단순한 사고 이상의 것이었다. 그들에게 이 사건은 주한 미군뿐만 아니라 미국이라는 나라 그 자체와 한국과의 역사적 관계에 대한 의미로 가득한 것이었다.

　미국에 대한 분노와 좌절감이 분출됐던 이때를 당시 3년 동안 점증하고 있던 한국 언론의 미국 비판이 정점에 달했던 시기로 기억하는 한국인들은 오늘날 많지 않을 것이다. 1999년 가을부터 한국 언론은 주한 미군을 가능한 한 최악의 모습으로 묘사하기 위해 경쟁하는 것처럼 보이는 보도들을 쏟아냈다. 주한 미군의 범죄에 대한 것들이 보도될 때마다 여론을 자극했고 그러면서 언론들은 미국인들이 한국인들을 멸시한다는 사례들을 찾아내고 과장했으며, 어떤 경우에는 그런 사례를 지어내기까지 했다. 여중생들의 죽음은 과거 3년 동안 반미 감정이 쌓여 있던 화약고에 도화선을 달았고, 주한 미군 군사법원의 무죄판결은 여기에 불을 댕겼다.

　1999~2002년 동안 미국에 대한 한국의 감정은 점차 쌀쌀해졌다. 처음에는 비난의 초점이 주한 미군과 미국 정부의 정책에 맞추어

졌다. 그러나 2000년 중반에 이르자 미국인은 위협과 조롱을 받았고 공공장소의 출입을 거부당했으며, 때로는 폭행까지 당했다. 북한의 남침으로 한국전쟁이 발발한 지 50년이 되는 2000년 6월 25일, 반미 정서에 영향받은 것으로 보이는 한 정신질환자가 거리에서 젊은 미군 소아과 의사를 이유 없이 공격하여 살해하는 일이 벌어졌다.[1] 미군에 대한 한국인들의 집단 공격도 발생했다. 끔찍한 예로는, 한국인들이 한 미군 병사를 인질로 잡아 대학 캠퍼스로 끌고 간 다음 미군들이 했다는 범죄를 공개적으로 대신 사과할 것을 강요하기도 했다. 다른 외국인들도 한국인들이 자신을 미국인이라고 오인하고는 공격했다고 항의했다. 한국의 대미 감정에 대한 여론조사 결과도 계속 악화되어 2002년에는 부정적인 태도가 역사적인 수준까지 떨어졌다. 특히 젊은이 대다수가 미국을 혐오한다고 응답했다.[2]

2002년의 대규모 반미 시위들에 대해 미국 대중들이 처음으로 보인 반응은 어리둥절함이었다. 한국은 미국이 제2차 세계대전 이후에 수행한 대외 정책 중 가장 성공한 사례가 아니었던가. 1950년 한국전쟁으로 폐허가 됐던 한국은 자력으로 빠르게 일어섰다. 북한에 대한 미국의 군사적 보호와 미국의 원조, 무역, 투자로 한국은 경제적으로 급성장했고 민주주의를 이룩했으며 경제개발의 글로벌 모델이 됐다.

미국인들은 한국인들이 미국의 지원에 감사해하고 있으며 미국에 가장 우호적인 국가들 중 하나라고 여겼다. 물론 끔찍하고 비극적인 사고이기는 하지만 근본적으로는 미국과 한국 모두에서 매년 수만 건씩 발생하는 교통사고와 다르지 않은데, 왜 한국은 이토록 미국에 화가 났을까? 미국 언론은 한국인이 설명하는 이유들을 미국 대중들에게 보도했다. 보통 이런 식이었다.

주한 미군들은 살인을 저지르고도 피해자가 한국인이면 항상 도망
갈 수 있었다. 미국 군사법원은 분명히 사고를 일으킨 미군들을 편들고
있다. 미국인들은 우리가 더는 가난하고 약하고 제대로 교육받지 못한
나라가 아니라는 걸 모르나? 우리나라의 경제력, 성공적이었던 민주화
투쟁, 그리고 올해 월드컵 경기까지 개최한 걸 보란 말이다! 그 미군들
은 주한 미군 군사법원이 아닌 한국 법원에서 재판받았어야 했다. 우리
나라 법원이 미국 법원보다 못한가? 다 똑같다. 미국인 특히 주한 미군
은 항상 그랬듯이 한국인을 얕잡아보고 있다. 우린 존중을 원하고, 평
등을 원하고, 정의를 원한다.

그러나 한국인들이 이런 설명을 하면 할수록 미국 대중들은 더더
욱 알 수가 없었다. 대부분의 한국인들은 자신들이 미국을 잘 안다
고 생각했으며 미국에 대해 강한 의견을 갖고 있는 사람이 많았다.
일부는 대체로 호의적이었지만 다른 일부는 매우 비판적이었다. 반
면에 미국인들은 대부분 한국에 대해 거의 아무것도 몰랐다. 한국은
미국에게 중요한 여러 나라 중 하나였을 따름이다. 많은 한국인은 주
한 미군 인사가 관련된 사고 소식들에 깊은 관심을 기울였으나 미국
언론은 이런 소식을 거의 다루지 않았다.[3] 한미 관계가 어떻게 운영
되는지 미국 대중은 관심도 없었고 그에 대한 정보를 제대로 제공받
지도 못했으며 아무런 관여도 하지 않았다. 한미 관계에서 발생하는
문제들은 미국의 민간, 군 관계자들에게 내맡겨졌다. 일차적으로는
서울에서 일하고 있는 관계자들이 처리했으며 오직 문제가 심각해졌

을 때에만 워싱턴 DC의 정책 결정자들이 처리했다. 한국 대중은 미국 대중의 감정에 대해 들은 바가 거의 없었다. 미국 대중은 한미 관계에 거의 관여하지 않았기 때문이다. 수십 년간, 한미 양측의 대중이 한미 관계를 바라보는 관심의 비대칭은 한국인들이 미국에 대한 자기들만의 해석을 갖고 있었으며, 그 해석은 대체로 미국 대중과의 아무런 진솔한 교류도 거치지 않은 것이었음을 의미했다.[4] 미국 대중이 관여했더라면 어떻게 느꼈을까를 설명하려 했던 미국 정부의 노력이 대부분의 한국인들에게 (정부 관계자든 기자든 일반 시민이든) 설득력이 없었다는 점은 놀라운 일이 아니다.

2002년 한국의 반미 시위에 대한 미국의 당혹감은 곧 실망감으로 바뀌었고, 마침내 분노로 변했다. 대규모 촛불 시위는 과하고 감정적이며 심지어 위선적으로 보이기까지 했다. 미국인들은 이렇게 생각했다. 미군의 과실에 대한 확증도 없었고, 의도성은 더더욱 없었다. 한국에서도 교통사고가 일어나지 않는가? 한국의 군인들도 민간 법정이 아닌 군사법원에서 재판을 받지 않는가?

복잡한 한미 관계를 조용히 처리하는 데 익숙했던 미국 관계자들조차 피로감과 혼란한 기색을 보이고 있었다. 미국 CBS의 「60분」에 출연한 한 주한 미군 장성은 인터뷰를 하다가 눈물을 글썽였다. 그와 마찬가지로 많은 미국인은 생각했다. 젊은 미군 군인들이 집과 가족을 떠나 한국을 지키기 위해 복무하고 있는데 왜 그들은 고마워하지 않는 것인가? 왜 주한 미군들은 비난을 받고 있나? 한국의 몇몇 언론은 점점 부상하고 있는 미국의 반응을 두고 '반한 감정'이라는 표현을 썼다.

그러다 반미 감정의 극을 보여주었던 촛불 시위는 시작했을 때처럼 급작스럽게 끝났다. 2002년 12월, 한국의 유권자는 차기 대통령으로 노무현을 뽑았다. 노무현은 '진보' 성향으로 미국에 대해 매우 비판적인 것으로 이름 높았다.[5] 그는 단 한 번도 미국에 발을 붙인적이 없다는 걸 자랑으로 여기는 것 같아 보였다.[6] 많은 전문가는 반미 감정이 노무현의 신승辛勝에 결정적인 요인이었다고 여겼다. 그럼에도 불구하고 취임식 전부터 노무현은 미국과의 우호 관계에 대한 열의를 공개적으로 드러냈다. 대규모 시위는 곧 잦아들었고 2003년 여름부터 전문가들은 미국에 대한 우호적인 태도가 회복되기 시작했다고 보았다.[7]

이후 몇 년 동안 한국의 여론조사 결과는 미국에 대한 강한 반감을 지속적으로 보여주었다. 특히 젊은층에서 그런 경향이 심했으며 한국의 보수층과 미국 관계자들의 한미 관계 악화에 대한 우려는 노무현 대통령의 임기가 끝날 때까지 높게 지속됐다. 2003년 초, 한국 언론은 미국의 지도자들이, 반미 시위에 대한 응답 혹은 어쩌면 그에 대한 언짢음으로, 주한 미군의 규모를 축소하고자 한다고 보도했다.[8] 2002년 이후 한국의 반미 감정은 노무현 대통령과 조지 W. 부시 대통령의 대북 정책에 대한 큰 차이와 미국의 이라크 전쟁 수행에 대한 한국 대중의 반대 때문에도 악화됐다. 그러나 역설적이게도 한국의 대미 감정은 노무현과 부시가 모두 현직에 있을 때 극적으로 개선되기 시작했다. 2008년 보수가 다시 대선에서 승리하면서 한국 대중의 한미 동맹 지지는 정상적인 수준으로 돌아왔으며, 이후 수년 간 역사적으로도 높은 수준으로 유지됐다. 분명 1999년에 시작된 반미 감정의 급부상에는 부시 대통령과 그의 정책에 대한 낮은 인기나 노무현 대통령의 성격과 정책 그 이상의 무언가가 자리하고 있었다.

그렇다면 한국 대중의 반미 감정 표현이 1999년에 급증한 것을 무엇으로 설명할 수 있을까? 그리고 그것은 왜 그렇게 빠르게 사라졌을까? 그렇게 빨리 사라질 수 있었던 것이라면 정말 심각한 것이긴 했을까? 다시 발생할 수 있을까? 이것이 공식적·통속적 한미 관계에 대해 밝혀주는 것은 무엇일까? 한미 양국이 서로에 대한 이해를 증진시키고 향후 이러한 일이 다시 일어나는 걸 막기 위해서는 무엇을 할 수 있을까? 미국의 외교정책에 주는 교훈은 무엇일까?

이 장의 나머지 부분에서 나는 1999년 이전 한국 반미 감정의 역사적 근간을 살핌으로써 이러한 질문들에 답하고자 한다. 나는 이미 반미 감정의 주요한 원인들을 개략적으로 설명했다. 열강의 손에 희생양으로 전락하고 있다는 한국인들의 감정, 한국전쟁 이후 세대의 부상, 한국의 선거정치, 언론의 역할, 그리고 한미 양국 대중들의 서로에 대한 관심의 근본적인 비대칭성이 그것이다. 이 장에서는 이후 제2장에서 제7장까지 다루게 될 1999년과 2002년 사이에 한국 언론과 여론의 관심을 불러온 한미 관계의 주요 이슈들을 개략적으로 소개할 것이다.

당시 1999년 주한 미 대사관의 정치과장으로서, 그리고 2002년부터 2004년까지 워싱턴 DC의 국무부 한국과장으로서 나는 당시의 이슈들을 미 정부가 처리할 때 긴밀하게 관여했다. 이 책의 사례연구는 그 이슈들이 어떻게, 그리고 왜 논란이 됐는지를 그리고 있다. 그리고 어떻게 그 이슈들이 미국에 대한 한국인들의 의식 속에서 점차 눈덩이처럼 불어났는지 추론한다. 대부분의 이슈가 주한 미군과 관련되어 있다. 한 사례(제6장)는 스포츠 경기에 대한 것이었으며, 다른 하나(제5장)는 한국 대통령을 분노하게 만들었고 그리하여 한국 대중의 반미 감정에도 불을 붙이는 데 일조했던 부시 대통령의 대북 정책이었다. 마지막 장은 이 시기 한국 반미 감정의 중요성과 의의를 성찰하면서 이것이 단지 오늘날의 한미 관계뿐만 아니라 보다 넓게는 미국의 외교 및 안보 정책에 어떠한 의미에서 중요한지를 파악하고자 했다.

한국의 민족 정체성과 반미주의

한국 반미주의의 역사적 기원과 1999년에 일어난 반미 감정 폭발의 기폭제가 된 주변 정황을 살펴보기에 앞서, 내가 말하는 '반미주의'의 뜻과 한국인들이 미국을 바라보는 관점을 형성하는 데 일정한 역할을 한 한국 민족주의와 한미 관계의 특정한 측면에 대해 기술하고자 한다.

반미주의라는 단어는 미국과 미국인에 대한 비판적 태도에서부터 노골적인 적대감까지 모든 것을 지칭하는 데 쓰일 수 있는 모호하면서도 격론을 몰고 다니는 개념이다. 이에 대한 이론, 역사, 비교연구를 포괄하는 학적·정책적, 그리고 대중 문헌들이 많다. 그러나 반미주의를 연구하는 이들의 경험, 정체성, 그리고 이념의 차이로 인해 이에 대한 연구가 많아지면 많아질수록 그 정의에 대한 합의의 폭은 더 좁아진다. 그럼에도 불구하고 반미주의적 태도는 전체로서의 미합중국 또는 미국의 정책이나 문화의 특정한 측면만을 향할 수 있다는 데에 대부분 동의한다. 그러나 이는 별로 유용한 사실이 아니다. 미국인들 상당수도 자기 자신의 나라에 대해 매우 비판적이지만 그들이 미국인들을 두고 반미주의자라고 부르진 않기 때문이다. 외국인들이 이런 미국인들을 반미주의자라고 부를 일은 더욱 없다.

한국인들도 반미주의자라는 표현이 자신들에게 적용되는 걸 좋아하지 않는다. 한국인들이 미국에 가장 비판적이던 시절에도 스스로를 반미주의자로 규정할 사람은 극히 소수에 불과했다. 한국에서 반미주의란 표현은 편견과 감정 과잉의 뉘앙스를 갖고 있다. 미국에 비판적인 한국인들은 일반적으로 자신들이 단지 변명의 여지가 없는 미국의 정책이나 부당한 태도 또는 불쾌한 가치관과 관례에 대해 비판적이라고 생각한다. 그들은 자신들이 전혀 감정적이지 않고 이성적이며 사안을 잘 알고 있고, 자신들이 미국에 비판적인 이유는 적개심 때문이 아니라 공정함과 평등함을 원하기 때문이라고 생각한다. 일부 한국인들은 '반미주의'라는 표현보다는 한국에서 반미 감정이 다소간 표출된 시기가 있었다는 것 정도만 인정할 것이다.

이 책에서 나는 단지 더 나은 표현이 없기 때문에 '반미주의'라는 표현을 썼다. 이 책에서 다루는 반미 시위에 참가했던 사람들 대부분은 미국 또는 미국이 상징하는 것에 대해 전면적 또는 항구적으로 반대하는 것과는 거리가 멀었다. 한 예로 몇몇 미국인들은 종종 내게 시위에 나온 사람들 중 많은 이가 여전히 미국 여행이나 유학을 위해 비자를 원한다고 일러주었다. 이 미국인들은 이 사실이 시위에 참가한 사람들의 진정성 또는 일관성에 문제가 있음을 보여준다고 여겼다. 그러나 사실은 다르다. 그들은 완벽한 진정성을 갖고 시위에 참가했다. 미국에 대해 그들이 갖고 있던 감정은 미국이 한국을 업신여기며 한미 관계가 불평등하고 부당하다고 느끼는 데에 따른 분노뿐만 아니라 미국이 성취한 많은 것과 가치관에 대한 고마움까지 포함한 복잡하고 상호 모순된 것일 따름이었다.

여러 의미에서 한국의 반미주의는 한국인들의 자아상과 연관되어 있다. 역사적으로 한국인들은 '순수'하고 단일한 민족국가인 한국과 대비하여 미국과 미국인을 '잡종' 국가라고 경시했다. 이런 태도는 (전부는 아니나) 대부분 미국 흑인들을 향한 것이었다. 40여 년 전 내가 처음으로 이에 대해 한국인들에게 물어보았을 때 많은 이가 한국인들이 원래부터 인종주의적 감정을 갖고 있던 것은 아니라고 대답했다. 오히려 백인 미군들로부터 인종주의를 '학습'했다는 것이다! 과거에 많은 백인 미군이 좋지 않은 선례를 남긴 것은 사실이지만 이는 물론 앞뒤가 맞지 않는 변명이다. 다행스럽게도 시간이 지나면서 한국인들은 전 세계를 여행할 수 있게 됐고 인터넷을 통해 간접적으로도 세계를 경험할 수 있게 됐다. 그러면서 인종주의적 고정관념은 사라졌다. 그럼에도 불구하고 이러한 편견은 미국 특히 주한 미군에 대한 한국인의 태도를 형성하는 데 기여한 수많은 요인 중 하나일 따름이다. 그리고 이러한 편견의 영향은 아직까지도 지속되고 있다.[9]

이와는 대조적으로 한국이 처음 문호를 개방했던 1880년대에 미국을 포함한 서구의 한국에 대한 인종차별은 매우 두드러졌다. 미국인들 사이에서 인종주의가 정치적으로 올바르지 않은 것으로 인지되기까지는 100년의 시간과 시민 평등권 운동의 성공을 필요로 했다. 오늘날 동아시아 출신의 사람들에게 큰 편견을 갖고 있는 미국인들은 거의 없다. (미국 백인들의 미국 흑인에 대한 편견은 아직도 상당히 강하게 남아 있다.) 그럼에도 불구하고 한국인은 근래 미국 사회에서 인종주의에 대한 인식이 얼마나 크게 변했는지 잘 모른다. 한국인은 과거에 미국의 인종주의를 겪고서 미국의 부당한 대우와 모욕에 매우 민감해졌다. 이는 놀라운 일이 아니다.

한국인들이 미국을 바라보는 방식에 영향을 미치는 또 다른 요인은 민족이라는 범주로 생각하는 문화적 경향이다. 이것이 가장 두드러지게 나타난 것은 정신이상을 겪고 있던 버지니아 공대 학생 조승희가 2007년 캠퍼스에서 총기를 난사하여 32명을 살해하고 17명을 다치게 한 사건이리라. 조승희는 한국에서 태어나 사건 당시까지 한국 국적을 유지하고 있었으나 8세 때부터 미국에서 자랐다. 한국 정부와 언론, 대중은 이 비극적인 사건에 경악했을 뿐 아니라 미국 대중이 총기 난사에 대해 모든 한국인을 비난할지도 모른다는 불안에 사로잡혔다. 노무현 대통령은 자신이 받은 충격을 성명으로 발표했고, 한국의 미국 전문가들조차도 미 정부가 한국인에게 여행비자 발급을 제한하거나 미국인들이 거리에서 한국계 미국인이나 한국인들을 공격할지도 모른다고 우려했다.[10] 한 촛불집회에서 주미 한국 대사는 한국계 미국인들이 "회개해야 한다"며 한국인이 "미국에서 가치 있는 소수인종"임을 증명하기 위해 희생자 한 명당 하루의 단식, 즉 32일의 단식을 제안했다.[11] 한편 몇몇 한국 언론은 조승희의 행동이 성장 과정에서 미국인들에게 괴롭힘을 당해 벌어진 것일지도 모른다고 추측했다. 그가 어릴 적부터 (십중팔구 그가 한국을 떠나기 전부터) 정신질환을 앓고 있었기 때문이 아니라 단지 그가 한국인이라 다른 미국인들과는 달랐기 때문이라는 것이다.

당시 나는 국무부에서 은퇴하고 서울에 있는 한 대학에서 강의를 하고 있었다. 한국계 미국인들을 비롯한 몇몇 미국인들은 한국인들에게 그런 사건을 인종적 관점에서 생각하는 미국인은 극히 소수에 불과하다는 걸 설명하려 노력했다. 그러나 대부분의 한국인들은 그렇게 생각했기 때문에 다른 사람들이 자신들과 다르게 생각한다는 것을 받아들이기 어려워했다.[12] 그래서 한국인들은 그러한 설명을 무시하거나 거부했다. 몇 주가 지나고 우려했던 상황이 벌어지지 않게 되자 한국인들은 안도의 한숨을 내쉴 수 있었다. 한국의 몇몇 전문가들은 이를 두고 한국과 미국의 문화적 차이를 설명했고 심지어 일부는 이러한 문화적 차이가 과거 한국인들의 대규모 반미 시위의 원인을 제공했을 가능성도 제기했다.

미국 대사관과 주한 미군 사령부의 관계자들은 1999~2002년 시기에 이러한 문화적 차이를 이해하고자 애쓰고 있었으며 미 대사관에 근무하는 한국인 직원이 공저한 학술 논문이 이들 사이에서 많이 읽혔다.[13] 논문의 저자들은 1998~1999년에 한국과 미국의 대학생들을 상대로 한 설문에 기반하여 자국이 역사적으로 겪은 피해로 인해 한국 학생들이 국가적 수치심을 강하게 느끼고 있다는 걸 발견했다. 가장 크게 수치를 느끼는 건 일제강점기였고 그다음에는 당시에도 지속되고 있던 아시아의 금융위기와 한국전쟁이었다. 반면 미국 학생들은 흑인이나 아메리카 원주민 등 소수인종에 대한 처우에 특히 국가적 수치심을 느끼고 있었다. 저자들은 (가해자가 아닌) 피해자들이 그러한 수치심을 느끼는 게 필연적인 건 아니라고 지적했다. 이들은 슬픔, 분노, 원한 등으로 다양하게 번역되는 '한恨'이라는 한국적 개념이 국가적 수치심과 강하게 연결되어 있음을 시사했다. 다르게 말하자면, 한국인들은 피해자가 된 것에 깊은 수치심과 함께 가해자로 인식된 상대에 강력한 원한을 동시에 갖고 있었다고 할 수 있었으리라. 1999~2002년에 미국은 한국의 모든 역사적 가해자를 상징하는 것 같았다.

한국의 민족주의, 그리고 한국 민족주의와 반미주의의 연관성을 이해하기 어렵게 만드는 요인은 한국의 깊은 정파적·이념적 분단의 존재다. 대한민국 역사에는, 비록 그 이름을 어지러울 정도로 자주 바꾸기는 했지만 크게 두 개의 정당이 있어왔다. 하나는 보수적이고 다른 하나는 진보적이다. 보수 세력의 근거지는 군부 지도자였던 박정희, 전두환, 노태우의 고향인 경상도 지역이며, 김대중 대통령을 비롯한 지도자들의 고향인 호남 지역은 진보 세력의 보루다. 선거에서 볼 수 있는 이 두 지역의 분단은 오늘날 미국의 북동부와 남동부의 그것보다 더 심하다. 진보파 후보들은 호남 지역에서 종종 80~90퍼센트의 득표율을 보이며 보수파 후보들은 경상도 지역에서 60~80퍼센트 정도의 득표율을 기대할 수 있다.

경험적으로 통상 한국인의 3분의 1은 보수이고, 다른 3분의 1은 중도 또는 무당파無黨派며, 나머지 3분의 1은 진보다. 그럼에도 진보 세력은 청와대를 단 두 번, 즉 1998년 2월에 김대중이, 2003년에 노무현이 접수했다. 1988년 이전에 진보 세력이 선거에서 승리하지 못했던 것은 일차적으로 군부의 지원을 받는 정부의 억압 때문이었다. 노무현이 대통령직에서 물러난 2008년, 보수 세력은 청와대를 연속으로 두 번(2007년에 이명박, 그리고 2012년에 박근혜 대통령) 차지했다. 진보 세력은 한국의 유권자들에게 자신들이 경제를 관리하고 삶의 질을 높이는 데(이 둘은 거의 모든 한국 대선에서 주된 이슈였다)에 보수 세력보다 더 잘할 수 있음을 확신시키기 위해 분투했다. 1997년 김대중의 승리는 두 명의 중도보수 후보가 보수 표를 분산시켰기 때문에 가능했다. 노무현의 승리는 진보 후보가 보수 후보를 일대

일로 싸워 이긴 유일한 사례였으며, 앞서 언급했듯이 2002년의 반미 감정이 그의 승리에 많은 기여를 한 것으로 여겨진다.

이러한 지역적 분단에 더해, 진보와 보수는 뚜렷한 이념적 차이도 갖고 있다. 진보는 사회복지 문제를 강조하는 편이고 보수는 친기업적 정책을 강조하는 편이다. 그러나 가장 결정적인 이념적 차이는 북한에 대한 것이다. 진보는 북한의 지도자들이 강력한 한국과 초강대국 동맹인 미국에 위축되어 있다고 확신하면서, 한국이 북한을 해칠 의도가 없음을 대규모의 원조 등과 함께 보여주어야 한다고 여긴다. 보수는 평양의 정권이 태생적으로 남쪽을 위협하게 되어 있다고 확신하면서, 정권을 유지시키고 대량살상무기의 개발을 돕는 일방적인 지원을 해서는 안 된다고 여긴다.

진보와 보수 모두 서로를 민족의 배신자라고 하는 경향이 있다. 진보는 보수 세력의 근원을 일제에 부역했던 민족 반역자들에게서 찾는다. 보수는 진보를 북한에 동조하는 세력이라고 표현하며 대한민국의 '자유민주주의' 가치를 배반했다고 주장한다.

한국 역사에서 보수와 주류 진보 모두 대체로 미국과의 동맹을 지지해왔다. 그렇지만 진보는 미국의 외교정책을 신제국주의적이라고 간주하고 보다 비판적인 시각을 견지하곤 했다. 이들은 종종 보수가 너무 '친미적'이라며 지적하곤 했다. 사실 많은 미국 관계자는 진보와 보수 모두 너무 민족주의적이라 대하기가 어렵다고 여겼다. 좌우를 막론하고 모든 한국인은 보통 '한국'이라고 말하지 않고 '우리나라'라고 말한다. 1999년부터 2002년까지 주한 미국 대사관에 두 번째 부임했을 때, 한미친선협회의 유력 보수 지도자 한 사람이 대사관과 주한 미군 지도부를 위한 연회를 열었다. 그가 연회에 초청된 손

님들 앞에서 연설을 하면서 미국이 과거 여러 차례 한국을 실망시키고 배신했다며 책망하여 미국 관계자들은 크게 놀랐다. 그는 1866년 한 미국 상선이 조선의 통상을 개방하기 위해 일으킨 제너럴셔먼호 사건부터 카터 대통령이 한국에서 주한 미군을 철수시키려 했던 것까지 포함된 기다란 목록을 열거했다. 그는 미국이 다시는 그러지 말아야 한다는 요청으로 연설을 끝맺었다.

수십 년 동안 미국의 협상가들은 한국의 보수 지도자들이 미국인들에게 '굽신거린다'며 한국의 언론과 대중이 혹독하게 비난하는 것을 보고 어리둥절해왔다. 불과 얼마 전까지만 하더라도 한국은 미국 관계자들 사이에서 그들이 상대해본 협상가들 중 가장 완고하고 노골적인 것으로 악명 높았다. 이 책이 다루는 사례들이 일어난 시기에는 『조선일보』, 『중앙일보』, 『동아일보』와 같은 보수, '친미' 언론들도 한국에 있는 미국인들이 보기에는 때때로 『한겨레』와 『경향신문』 같은 진보 언론 못지않게 미국에 비판적이었다. 사실 신기욱의, 당시 한국 언론의 보도에 대한 양적·질적 연구 결과에 따르면 보수 언론인 『조선일보』도 대체로 미국에 대해 부정으로 일관된 논조를 유지했다.[14]

세계를 보는 다른 '렌즈들'

한국이 미국과 한미 동맹을 바라보는 방식은 언제나 극소수를 제외한 미국인들이 이해하는 것보다 훨씬 복잡했다. 1945년 이전까지는 미국이 한국과 상대적으로 연관이 거의 없었음에도 불구하고 한국은 1882년 외교 관계를 정상화시킨 이후 수십 년이 지나자 이미 미국에 대한 다섯 가지 고정관념을 만들었다. 여기에는 '문명화되고 부유하며 강력한 국가'라는 미국에 대한 지배적인 고정관념도 포함되어 있었지만 '교양 없는 야만인과 도둑들의 나라', '제국주의 침략자', '인종주의 국가', '고대 로마 제국의 현대판'과 같은 네 가지의 부정적인 고정관념도 포함하고 있었다.[15] 1945년 전후로 한국인들은 한미 관계에 대해 그들이 보기에 가장 바람직한 형태의 관계부터 실제 관계까지 여러 가지 용어들을 만들었다. 단지 '친미'나 '반미'뿐만 아니라 '연미聯美(미국과 연대하기)', '용미用美(미국을 이용하기)', '숭미崇美(미국을 숭배하기)', '항미抗美(미국에 저항하기)', '판미判美(미국을 비판하기)', '혐미嫌美(미국을 혐오하기)' 같은 용어도 있다. 이누이트인의 언어에는 '눈'을 뜻하는 백 가지의 각기 다른 단어가 있다는 출처불명의 이야기가 떠오른다.

미국에 대한 이토록 복잡한 시각은 한국 현대사에서 미국의 역할과 한국인들이 미국을 포함한 세계와 그 안에서의 한국의 위치를 바라볼 때 사용하는 민족주의의 '렌즈'가 얼마나 큰지를 보여준다. 물론 세계를 바라보는 방식이 똑같은 나라는 세상에 없다. 모두 각자의 지리적 특성, 역사, 문화, 그리고 국가 활동에 의해 갈고 닦인 렌즈를 통해 세계를 바라본다. 한국과 미국은 지리적·인구학적·전략적, 그리고 경제적으로 다음과 같은 면에서 크게 다르다.

- 미국은 캐나다와 멕시코라는 자신보다 더 약한 이웃 국가를 두고 있다. 이들은 미국의 국가 안보에 위협이 되지 않는다. 반면 한국은 북한뿐만 아니라 중국, 러시아, 그리고 과거 식민 지배국인 일본과

같은 세 강대국에 둘러싸여 있다.

- 미국은 3억 명이 넘는 인구를 갖고 북아메리카 대륙의 상당 부분을 점유하고 있지만 한국은 겨우 5천만 명의 인구가 인디애나 주의 크기와 형태를 가진 반도에 절반 정도 밀집되어 있다.

- 미국은 스스로를 '이민자들의 나라'로 여긴다. 반면 한국이 1910년 일제의 식민지가 되기 전까지 소수의 외국인(대부분 중국인)들만이 한반도에 살았다. 이 경험으로 인해 대한민국은 스스로를 '단일민족국가'라고 정의한다.[16] 한국인이 다문화주의를 포용하기 시작한 것은 불과 10여 년 전부터다.

- 미국인들이 흔히 오해하는 바와는 달리, 미국은 세계에서 가장 안전한 국가다. 반면 한국은 분단국가로 전체주의 국가인 북한(조선민주주의인민공화국)과 국경이 닿아 있다. 북한은 남쪽을 1950년에 침략했으며 지난 60년간 그보다는 훨씬 약하지만 여전히 위험한 군사적 도발과 테러를 반복하여 저질러 왔다. 가장 최근에는 2010년 천안함 침몰 사건이 있다.

- 한국은 이미 핵무기를 보유하고 있거나 핵무기를 신속하게 개발할 수 있는 국가들로 둘러싸여 있다. 북한은 백만 대군을 유지하고 있으며 핵무기와 장거리 미사일을 개발하고 있다. 한국의 핵무기와 장거리 미사일 개발은 대량살상무기의 확산을 제한하려는 미국에 의해 사실상 금지되어 있다. 한국의 다른 이웃 나라들 중 러시아와 중국은 대규모의 핵무기를 보유하고 있으며 전문가들은 일본 또한 원한다면 순식간에 핵무기를 개발할 수 있다고 본다.

- 50년간의 급격한 개발에도 불구하고 한국의 경제 규모는 미국의 10분의 1에 불과하다.[17] 게다가 세계에서 가장 낮은 출산율(여성 1

명당 1.2명)로 한국은 수십 년 내로 세계에서 가장 고령화된 국가가 될 전망이다. 이는 한국의 성장 가능성을 크게 제약하고 있다.

따라서 수십 년 동안 경이로운 경제 발전을 이룩하고 세계적인 규모의 군사력을 보유하고 있음에도 불구하고, 한국은 오늘날에도 미국에 비해 매우 약하다. 국가적 취약성에 대한 한국인들의 전략적 감각은 과거 외침에 의한 피해를 강조하는 성향 때문에 더욱 민감하다. 한국인들은 중국의 경제 발전으로 얻게 된 기회를 고맙게 생각하지만 한편으로는 미래에 사실상 중국의 속국으로 전락하는 역사를 반복하지 않을까 걱정하고 있다.[18] 여론조사에 따르면 한국인들은 과거 자국을 식민 지배했던 일본이 전체주의 국가인 북한 다음으로 안보에 위협이 된다고 인식하고 있다.[19] 그래서 대부분의 한국인들은 북한의 남침을 피하고 주변의 열강들로부터 주권과 자주성을 지키기 위해서는 미국에 의존하는 수밖에 없다고 느낀다.

한국 반미주의의 역사적 기원: 1945년 이전

역사적으로도 한국과 미국처럼 서로 다른 두 나라를 찾기란 어렵다. 적어도 현대사를 비교해보면 그러하다. 한국인이 미국을 바라보는 복잡한 시각을 이해하기 위해서는 한국의 긴 역사, 그중에서도 20세기에 겪은 트라우마들에 대한 기본적인 지식이 필수다. 1945년 이전의 한국에 대한 미국의 이권이나 개입은 미미한 수준이었음에도 불구하고 한국인들이 오늘날에도 여전히 초기 한미 관계에 상당한 중요성(보통 부정적인)을 부여하고 있다는 것은 특기할 만하다.

한국인들이 자기 나라에 대해 갖고 있는 근거 없는 믿음 중에는 한국이 '5천 년'의 역사를 갖고 있으며 셀 수 없을 정도로 강대국들의 침략을 많이 받았다는 것이 있다. 사실 우리가 오늘날 인지하고 있는 한국이란 나라는 동북아시아에서 살고 있는 수많은 사람 중 한반도에 정착한 사람들이 1천 년 동안에 걸쳐 조금씩 형성된 것이다. '현실적이며 신뢰성 있는 사료로 뒷받침되는, 한반도에서 가장 오래된 정치적 실체'라고 하는 고구려의 역사는 단지 기원전 1세기 정도까지만 거슬러 올라갈 뿐이다.[20] 그럼에도 불구하고 한국은 서기 936년에 현재와 비슷한 영토를 갖추고 통일이 되어, 대부분의 유럽 국가에 비해 국가로서의 역사가 훨씬 긴 편이다. 이후 1910년 일본에 의해 식민 지배를 당할 때까지 단 두 개의 왕조가 한국을 지배했었다. 처음에 고려 왕조가 있었고, 1392년 별다른 유혈 사태 없이 쿠데타에 의해 조선 왕조로 교체됐다. 일제의 식민 지배를 겪기 전까지 500년 역사에서 한국이 겪었던 가장 파괴적인 전쟁은 1592~1598년 도요토미 히데요시가 이끈 일본군의 침략으로 시작된 임진왜란이었다. 암스트롱이 지적한 바와 같이, "만일 외세의 침략을 겪은 횟수가 한 국가의 '피해자화'의 정도를 결정한다면, 20세기 전까지 한국보다 훨씬 더 잦은 외침과 복속을 겪은 중국이 더 큰 피해자가 됐을 것이다."[21] 영국과 다른 여러 유럽 국가에 대해서도 비슷하게 말할 수 있으리라.

한국이 20세기 전까지 다른 국가들에 비해 상대적으로 평화로운 역사를 가졌던 것은 대체로 중국과의 속국 관계로 설명이 가능하다. 한국은 중국의 속국이었음에도 불구하고 대체로 국내 문제를 다루는 데 자주성을 유지했으며 동아시아와 남아시아의 다른 나라들과의 관계는 매우 제한됐다. 한국 세계관의 중심에는 중국이 있었으며 중국은 한국에 문화적으로 거대한 영향력을 행사했다. 한국과 중국의 언어와 문화는 상당히 달랐지만 한국의 엘리트층은 중국 문화에 숙달되어 있음을 자랑스럽게 여겼고 심지어 글을 중국어로 썼다. 한국의 위대한 군주인 세종대왕이 15세기에 경이로운 문자인 한글을 창제했음에도 불구하고 한국의 엘리트는 20세기 전까지 한글 사용을 거부했다. 많은 한국인은 스스로가 중국의 기예와 덕목을 중국인들보다 더 훌륭하게 구사한다고 여겼는데 이는 오늘날 한국인들이 자신의 아이들을 미국 명문대에 보내는 걸 중요하게 여기는 것과 비슷하다.

다른 국가들에 비해 한국의 긴 역사에는 별다른 사건들이 없었으나, 20세기에 한국이 겪은 사건들은 중국과 유럽이 겪었던 것보다도 더욱 참혹했다. 오늘날 한국의 국가적 민감성을 이해하는 데 가장 중요한 것은 바로 한국 현대사다. 중국에 복속되어 전통적인 농경국가로 살아온 지 천 년가량이 지난 19세기 말, 한국의 지도자들은 서구 제국주의의 도전과 위협을 인지했지만 그에 대한 대응은 충분하지도 빠르지도 못했다. 그들의 정책은 전통적인 중국 체제의 일부로 머무르려는 것이었으며, 자국을 새로운 세계 질서에서 계속 유리시키고자 했다. 문호를 개방하고자 하는 모든 시도를 거부하면서 한국은 '은자의 왕국'이라는 별명을 얻었다. 역설적이게도 한국의 크기는 상대적으로 작았기 때문에 서구 열강에게 덜 매력적이었고, 그 때문에 쇄국정책을 오랫동안 유지할 수 있었다. 한편, 중국과 일본은 서구 제국주의 국가들과 불평등조약을 맺도록 강요받았으나 그로 인해 기술적·경제적 발전을 가속화시킬 수 있었다. 특히 일본이 빠르게 발전하고 있었던 반면, 한국의 국력은 점점 쇠퇴하고 있었다.

한국에는 불행한 일이었으나, 1854년 미국이 일본으로 하여금 서구식의 외교 관계를 수립하도록 강요하면서 일본은 서구의 기술과 그 제국주의적 방법론을 빠르게 도입했다. 결국 일본은 1876년 한국으로 하여금 자국과 서구식 외교 관계를 수립하게끔 강제했으며, 중국은 한국으로 하여금 일본과 다른 제국주의 열강들에 맞서기 위해 다른 국가들과도 외교 관계를 수립하도록 조언하는 것으로 일본의 행보에 대응했다. 몇몇 중국 관리들은 특히 미국에 의지할 것을 권했다.[22] 서구 열강 중 다른 국가들에 비해 영토 확장의 야욕이 덜하다고 보았기 때문이다. 그리하여 한국은 1882년 처음으로 미국과 서구식 외교 관계를 수립했으며 뒤이어 다른 주요 유럽 국가들과도 외교 관계를 맺었다.

한미 관계는 처음부터 오해들로 고통을 받았다. 외교 관계를 수립한 조약의 이름은 영어로는 '평화, 우호, 통상, 항해의 조약Treaty of Peace, Amity, Commerce, and Navigation'이었으나 한국에서는 이것이 종종 '조미**수호**통상조약朝美修好通商條約(강조는 저자)'으로 번역됐다.[23] 조약의 내용은 미국이 19세기에 다른 나라와 외교 관계를 수립할 때 쓰던 내용과 대동소이했으며 동맹으로서의 의미는 전혀 없었다. 이에 관련된 조항은 영어로는 "만일 타국이 한쪽의 정부를 부당하거나 억압적으로 대할 경우 다른 쪽의 정부는 해당 문제에 대해 인식하고 원만한 합의책을 마련하여 우호적인 감정을 표현하는 데 **노력을 경주한다**(강조는 저자)"라고 쓰여 있다.[24] 그러나 한문으로 써진 한국판 조약에서는 보다 단호한 "필수상조必須相助(반드시 서로 도울 것)"

라는 표현을 쓰고 있다.[25]

외교 관계가 수립되고 얼마 지나지 않아 한국에 입국한 미국 공사관 직원들과 선교사들 중 일부는 한국인들에게 강한 공감을 느꼈으며 한국인들이 미국을 높이 사는 것에 대해 고마워했다.[26] 이들은 좋은 의도였겠지만 현명하지 못하게 한국인들에게 제국주의 세력에 대항하여 미국이 도움을 줄 것이란 희망을 부추겼다. 북아메리카 대륙을 이제 막 통합시키고 있던 신생국가였던 당시의 미국은 오늘날과 같은 세계 초강대국과는 거리가 멀었다. (사실 당시에는 영국이 세계 초강대국이었으며 영미 관계는 독립전쟁으로 악화되어 1895년까지 크게 개선되지 않았다.) 미국인들은 민주주의와 자유에 대한 고매한 수사를 사용했지만 미국의 지도자들은 여전히 대외 정책에서 '동맹으로 인해 발 묶이기'를 거부하고 있었다. '유럽이 아메리카 대륙의 국가를 식민지화하거나 전쟁을 일으키려고 한다면 이를 미국에 대한 전쟁으로 규정하고 대응하겠다'는 먼로 독트린의 영향으로 오직 아메리카 대륙만이 미국의 대외 정책에서 예외였다. 미국인들의 초점은 그 대신 통상에 맞추어져 있었다. 미국은 미국의 무역업자와 사업가들이 동아시아에서 탈 없이 사업을 벌일 수 있도록 보장하고자 했다. 이러한 '문호개방' 정책은 한국뿐만 아니라 중국과 일본에도 적용됐다. 미국이 동아시아를 전략적으로 바라볼 때, 한국은 제국주의 열강들과 경쟁하며 독립국으로 남아 있기에는 너무 '시대에 뒤떨어져 있다'고 여겨졌다.[27] 시어도어 루즈벨트와 같은 미국의 지도자는 근대화되고 있는 일본이 한국을 근대로 '이끌어'주는 데에 가장 적합한 국가라고 보았다.

당시는 제국주의 시대의 절정이었다. 특히 중국, 일본, 러시아가 한반도의 주도권 장악을 위해 치열하게 경쟁하고 있었다. 한국 문제에 대한 개입은 노골적이었으며, 열강들은 한국에서 자신들의 지지자를 찾아내는 데 능숙했다. 지지자들 일부는 정말로 자신들의 후원자가 자국의 주권을 지키고 발전시키는 데 적합한 동맹이라고 생각했다. 1894~1895년에 발생한 제1차 중일전쟁은 한국을 두고 벌어진 것이었으며, 전쟁의 상당 부분이 한국 영토에서 벌어졌다. 서구의 무기와 전술을 구사한 일본은 빠르게 중국군을 패퇴시켰고, 중국은 한국이 전통적인 속국 관계에서 벗어났기에 한국의 '독립'을 강제로 인정해야 했다.

1904~1905년, 일본은 한국을 통제하기 위해 또 다른 전쟁을 치렀는데 이번에는 러시아를 상대로 한 것이었다. 러일전쟁에서의 충격적인 군사적 승리로 일본은 이제 서구 열강의 제국주의 게임에서 서구 열강까지도 쓰러뜨릴 수 있음을 보여주었다. 시어도어 루즈벨트 대통령은 전후의 평화협정인 포츠머스 조약을 중재하여 나중에 노벨 평화상을 받았다. 협정에서 러시아는 한국이 일본의 영향권 아래에 있음을 인정했다. 그보다 몇 개월 전, 그러나 이미 일본이 러시아를 군사적으로 제압한 상태에서, 루즈벨트의 전쟁부 장관은 일본 총리에게 일본이 한국의 보호국이 되면 역내의 안정화에 도움이 될 것이라는 자신의 믿음을 표현했다. 한국인들은 이후에 이를 (이는 종종 가쓰라-태프트 '밀약'이라고 오도된다) 미국이 배신한 증거로 지목했다. 미국의 관점에서는 이미 일본이 한국을 두고 벌인 두 차례의 전쟁 이후에 만든 현실을 미국 관료들이 받아들였을 따름이었다.

한편, 오늘날 한국인들 중에는 러일전쟁 이전부터 당시 미국보다 훨씬 강력했던 영국이 1902년 일본과 공식적인 군사동맹을 맺었다는 사실을 기억하는 사람이 거의 없다. 이 군사동맹은 1905년 더욱 강화됐다. 조약은 일본이 공격을 받을 경우 영국이 일본을 지원하는 전쟁에 뛰어들게끔 되어 있었으며, 한국에서의 일본의 이권을 분명하게 인식했다. 점차 일본은 한국에서 일어나는 일들을 통제하기 시작했고, 1910년 공식적으로 한국을 식민지로 만들었다. 제1차 세계대전 때 일본은 영국의 동맹으로서 연합군으로 참전했지만 우드로 윌슨 미국 대통령이 반대하는 등 전후 협상에서 원하던 것을 얻지 못했다. 그로 인해 일본은 이후 제2차 세계대전 때까지 제국주의적 활동을 벌였다.

일본의 식민 지배(1910~1945)는 한국인들에게 트라우마였다. 한국의 대중의식에 아직까지 남아 있는 국가적 치욕이기도 하다. 어떤 한국인들은 일본을 경제개발과 범아시아주의의 전범으로 보고 적극적으로 일본에 협력했다. 다른 한국인들도 일본에 협력했지만 대부분은 하루하루 살기 위해 다른 선택이 없었던 탓도 있었다. 그럼에도 불구하고 한국인들은 이런저런 방법으로 저항했다. 대부분은 시위 등의 평화로운 방법이었지만 일부는 일본의 요인 암살과 같은 게릴라 공격을 감행했다. 제2차 세계대전 이후에 두드러진 한국의 민족주의는 일부분 식민 지배의 치욕에 대한 반응이었다. 해방 이후 좌파는 기성의 보수 세력을 일제에 부역했다고 고발했다. 이로 인해 좌우파 사이에서 누가 더 반일적인지를 보여주기 위한 경쟁이 시작됐다. 이는 현대 한국의 정체성에 반일적 색채를 더욱 가중시켰다.[28]

일제는 1919년 3월 1일에 전국적으로 시작된 평화로운 대중봉기를 잔혹하게 억압했다. 미국을 포함한 국제사회에 한국의 독립을 청원하는 목소리는, 이 목소리가 일부는 우드로 윌슨 대통령의 민족자

결주의에서 영감을 얻은 것임에도 불구하고 무시당했다. 오늘날 두 개의 국가가 서로 반목하고 있는 한반도의 분단과 한국 내부의 진보-보수 갈등의 기원 중 일부는 이 시기로 거슬러 올라간다. 3·1운동 실패 이후 "한국의 진보 지식인은 민족해방의 대안적 이념으로 마르크스주의로 돌아섰다." 그리하여 "마르크스주의는 1920년대와 1930년대 한국의 국가적 담론을 지배했으며 … (1945년) 일제로부터의 독립은 한국 지식인들 사이에서의 이념적 분화를 끝내기는커녕 오히려 심화시켰고 결국 국가의 분단으로 이어졌다."[29]

한국은 일본 제국의 신민이 됐지만 이등시민이었으며 한국인 대부분은 일본인이 되고 싶지 않았다. 일본어는 공식 언어가 됐으며 한국인은 강제로 일본식 이름을 가져야 했다. 1930년대에 일본 군부가 한국뿐만 아니라 일본의 통제권을 강화하고 중국, 그리고 궁극적으로는 미국에 공격을 감행하면서 상황은 더욱 악화됐다. 수백만의 한국인이 군수공장에서 일하거나 일본군의 졸병으로 복무하는 등 일본의 전쟁을 강제로 지원해야 했다.

이성윤 교수는 일본의 식민 지배 경험이 한국에 얼마나 끔찍한 것이었는지를 미국이 일본을 점령했던 1945년부터 1952년까지 미국이 일본에, 마치 일본이 한국에 했던 것처럼 했다면 어땠을지 상정하여 솜씨 있게 표현한 바 있다. 학교의 수업은 영어로 진행됐을 것이고 일과는 미국의 국가를 부르는 것으로 시작됐을 것이며 일본 역사는 미국 역사의 일부로 편입됐으리라. 일본인들은 미국의 성姓을 따라야 했을 것이며 개신교가 그들의 종교가 됐으리라. 미국인들이 "정부, 산업, 사회의 모든 부문을 영주 또는 부재지주不在地主처럼 지배"하고 있었을 것이다. 일본인들은 미국의 공장과 광산에서 강제로 노동했을 것이다. 일본인 남성들은 한국전쟁에 징용되어 미국을 위해 싸워야 했을 것이며 일본 여성들은 사창가에서 강제로 미군 병사들을 상대했을 것이다. 미국은 일본의 주권을 회복시킬 의도는 추호도 없이 일본을 미국의 식민지로 영구 지배하기 위해 일본인들을 자국의 이등시민으로 만들었으리라.[30]

미국은 한국의 식민지화를 막기 위한 공식적인 노력을 한 적이 없음에도 불구하고 1910년부터 1945년까지 식민 통치 동안 많은 한국인에게 중요한 나라로 남아 있었다. 이후에 한국의 초대 대통령이 되는 이승만과 같은 보수반공 지도자들은 한국의 해방과 독립을 성취하고 해방된 한국이 공산국가가 되지 않도록 만드는 데 미국이 필수적이라고 여겼다. 수적으로 열세였음에도 불구하고 이들은 미국의 지지를 얻기 위해 열심히 노력했지만 미국이 일본과 전쟁을 벌이고 있던 기간 중에도 워싱턴은 이들을 대부분 무시했다.

식민 통치 기간의 대부분에도 규모는 작지만 영향력 있었던 미국의 기독교 선교사들 집단이 한국에 머무르고 있었다. 이들은 인도적 지원을 꾸준히 제공하고 서구식 교육을 실행했으며 일제의 억압에 제한적이나마 보호를 제공했다. 일부는 세계에 일본의 제국주의적 야욕과 한국에 대한 가혹한 통치를 알리고자 노력했다. 인도나 프랑스령 인도차이나 등지에 있었던 서구 선교사 다수와는 달리 한국의 미국 선교사들은 식민 지배자보다는 피지배자들에 동화됐다.[31] 그들의 노력 덕택에 미국 선교사들뿐만 아니라 미국 또한 1945년 전쟁이 끝날 때 많은 한국인의 호의를 얻었다.

광복과 전쟁: 한미 관계의 모든 것이 변하다

1945년에는 세계 지정학적 질서의 판이 새로 짜졌다. 전쟁에서 승리한 소련, 그리고 특히 미국이 국제정치를 지배하게 됐다. 한반도의 경우 특히 그러했다. 1945년 미국은 한반도의 남쪽을 점령하고 있었지만 당시 미국의 관점에서 한반도는 특별한 가치가 없었다. 그러나 1953년 소련과 중국의 지원을 업은 북한이 한반도를 통일하기 위해 남쪽을 침공했을 때, 미국은 좋든 싫든 한국에 지극하게 헌신하게 됐으며 그리하여 한반도에 '올인'하게 됐다.

불운하게도 한국에 대한 미국의 첫 군사적 개입은 매우 문제가 많았다. 한국인들은 1945년 미국이 일본을 패망시켰을 때 기뻐했다. 식민 지배로부터의 해방을 의미했기 때문이다. 그러나 기쁨도 잠시, 한국이 '적절한 때에' 스스로를 다스릴 수 있도록 준비시키기 위해 국제연합UN의 신탁통치하에 한반도의 남쪽과 북쪽을 미국과 소련이 각기 통치하기로 합의했다는 사실을 알게 되자 기쁨은 실망과 분노로 바뀌었다. 한국은 자유를 얻기 위해 40년 가까이를 기다려왔다. 이제 와서 며칠을 더 기다리길 원치 않았다.

미국의 관점에서 상황은 매우 다르게 보였다. 1945년 일제의 패망 이후 소련이 한반도 전역을 점령하는 걸 막기 위해 초조해하던 미국은 한반도를 분할하여 소련이 38도선 이북을, 미국이 38도선 이남을 신탁통치하는 안을 제안했다. 이 안은 수도 서울을 미국의 편으로 둔 것이었다. 한국의 북쪽에 짧은 국경을 갖고 있으며, 일본에 원자폭탄이 두 개가 떨어졌을 때 일본에 선전포고를 하고 대규모의 지상군을 남파했던 소련은 미국이 오키나와에서 배를 타고 도착하기 전에 충분히 한반도 전체를 점령할 수 있었다. 때문에 소련은 한반도 전역의 점령을 기정사실화할 수 있었는데도 놀랍게도 미국의 제안에 찬동했다. 미국은 한국의 분할을 항구적으로 만들 의도가 없었다. 일정 기간만 한국의 국제적 신탁통치를 주장하면서 미국은 그동안에 한반도의 상황이 안정되고 평화롭고 풍요로우며 민주적인 통일 한국의 미래 기반을 만들 수 있으리라 생각했다. 무엇보다도 한국인들은 한 번도 민주정부를 가져본 일이 없었다. 한국은 전통적인 농경 왕국에서 곧바로 35년 동안 식민 지배를 받았다.

1947년 냉전의 시작은 38도선을 기점으로 한반도를 영구히 분단시킬 위협이었다. 미국과 소련의 이념적 차이는 남한의 국내 정치에도 일부 반영되어 남한의 기성 보수 세력과 좌익 세력 간의 양극화를 악화시켰다. 소련에 대한 미국의 의심이 심화되면서 미국은 점차 남한의 보수 세력 편을 들기 시작했다. 미국은 1948년 유엔 보호하의 남한 단독정부 수립을 지지했으며, 한국인들은 이후 초대 대통령으로 권위주의자 이승만을 선택했다. 얼마 지나지 않아 소련 스타일로, 소련의 지원을 받고 있는 조선민주주의인민공화국이 젊은 김일성의 지도로 북녘에 자리잡았다.

이 시기와 1950년의 한국전쟁 동안에 남한이 북한의 지원을 받는 게릴라 공격으로 고통받았다는 것을 아는 미국인은 오늘날 드물다. 빨치산, 한국군, 그리고 무고한 시민을 포함한 수만 명이 살해당했다. 이 중에는 한국군에 의해 살해된 사람들도 전국적으로 많았는데 특히 제주도에서 극심했다. 오늘날까지도 많은 한국인은 미국이 남한을 1948년까지 점령하고 있었으며, 이후에도 미군 고문관들이 한국에 남아 있었다는 점을 들며 당시의 살육에 미국도 어느 정도 책임이 있다고 비난한다. 한편 이북에서는 새로운 정권이 스탈린주의적 방법을 사용하여 대중을 통제할 수 있었다.

1948년부터 1950년까지 남한에서 발생했던 게릴라 공격과는 달리 한국에 대해 미국인들이 알고 있는 것은 바로 한국전쟁이다. 1950년 6월 25일, 김일성은 소련과 중국의 지원을 받아 한반도를 통일하여 자신의 치하에 두려고 기습 남침했다.[32] 그는 거의 성공할 뻔했으며 만일 미국이 이끄는 유엔의 대규모 참전이 없었더라면 충분히 성공했을 법했다. 몇 가지 이유로 김일성은 이를 예견하지 못했다. 미국은 남한을 3년 동안 점령하고 대한민국의 성립을 지원했음에도 불구하고 남한에 별다른 전략적 이해관계를 갖지 않았기 때문이다. 제2차 세계대전이 끝나고 난 1948~1949년, 미국 대중은 이제 젊은이들이 다시 집으로 돌아오길 간절히 원하고 있었고 미국은 한국에서 병력을 철수했다. 그리고 1950년 초 미국 국무장관은 연설에서 한국을 미국의 '방위선'에 포함시키지 않았다. 많은 한국인과 외국인은 이후에 이것이 북한의 남침 결정에 크게 영향을 미쳤다고 (전반적으로 잘못) 해석했다.[33]

이미 유럽에서는 미국과 소련 사이의 냉전이 보다 격렬하게 진행 중이었다. 소련은 한국뿐만 아니라 서유럽과 남유럽 등지에서도 영향력을 확장하고 있었다. 때문에 트루먼 대통령과 그의 측근들은 북한의 남침을 소련의 음모라고 받아들였다. 북한의 남침은 여전히 미국의 점령하에 있던 일본에도 잠재적 위협이 됐다. 또한 트루먼은 이 침공을 신생 기구였던 유엔의 중요성을 부각시킬 수 있는 기회로 여겼다. 그는 만약 북한이 유엔에 의해 배양된 국가인 대한민국을 절멸시켜버리면 갓 생겨난 국제기구인 유엔은 치명상을 입을 것이라고 판단했다. 유엔이 다시는 재기하지 못할 수도 있었다. 트루먼은 더 심각한 재앙이 다른 곳에서 발생하는 것을 막기 위해 미국이 한국에서 소련에 맞서야 한다고 굳게 믿었다. 한국전쟁의 민족주의적 기원은 워싱턴에서 별달리 이해되지도 고려되지도 않았다.

미국이 이끄는 유엔군의 개입은 전황을 빠르게 뒤바꾸었다. 한반도를 대한민국의 치하에 통일시킬 수 있는 기회를 잡기 위해 맥아더 장군의 유엔군은 북한군을 거의 완전히 몰아낼 뻔했다. 1950년 말 유엔군이 중국 국경을 향해 전진하고 있을 때 중국은 북한 편에 참전했다. 압도당한 유엔군은 서울에서 철수했고, 이후 다시 주도권을 되찾아 1951년 3월 중순 중국군과 북한군을 서울에서 몰아냈다. 한 달 후, 트루먼 대통령은 한반도를 대한민국 주도로 통일시키고자 압박하고, 중국의 개입 가능성을 무시했던 맥아더를 명령 불복종과 전략적 무모함을 이유로 해임시켰다. 많은 한국 보수파에게 맥아더는 남한을 구한 미국의 영웅으로 남아 있다. 반면 한국의 강성 좌파들은 맥아더를 전쟁광으로 여긴다. 때때로 그들은 인천항에 세워져 있는 그의 동상을 철거하려고 했다. 인천항은 맥아더가 공산군의 초기 진격에 성공적인 역공을 구사했던 곳이다.

전쟁은 교착상태에서 1953년 7월 27일, 평화협정이 아닌 정전협정으로 끝났다. 이 정전협정은 오늘날까지 유효하다. 200만 명의 민간인이 살해당한 것으로 추정된다. 양측의 군인 사망자는 100만 명이 넘을 것이다. 여기에는 3만 3,686명의 미군 전사자와 8,176명의 전투 중 행방불명자도 포함되어 있다.[34] 부상자와 살던 곳에서 쫓겨난 이의 수는 막대했다. 수십만 명의 북한 사람은 남한으로 넘어왔다. 이보다는 적지만 상당한 수의 사람이 남에서 북으로 향했다. 전쟁 전보다 더욱 황폐해진 남과 북은 인프라의 많은 부분이 파괴됐다.

많은 경우에 남한 사람들은 전쟁 중 미국이 대한민국에 제공한 인도적 지원과 방어를 고마워했다. 그러나 한국전쟁은 이를 상쇄하는 영향 또한 남겼다. 기성 보수 세력의 집권을 반대하며 미국이 한반도의 분단에 행한 역할에 비판적인 한국인들은 자연스럽게 미국의 행위들에 대해 복잡하고 때로는 적대적이기까지 했다. 그러나 한국전쟁 후 그들은 공개적으로 그런 입장을 표현할 수 없었다. 한국 정부의 정책에 반할 뿐만 아니라 한국인들 대다수가 갖고 있던 감정과도 반했기 때문이다. 억압된 논의와 감정은 오직 친밀한 사이에서만 공유될 수 있었고, 이러한 감정들은 이후 수십 년에 걸쳐 곪아터지기 시작했다.[35]

한국전쟁은 미국이 한국을 어떻게 보는지에 대한 의문스러운 관념들을 한국인의 마음속에 심어 놓았다. 어떤 한국인은 미국의 참전을 대한민국과 한국인들에 대한 미국의 지지로 받아들였다. 그러나 실상 미국의 개입은 공산주의가 전 세계로 퍼져 나가는 것에 대한 두려움에 기인한 바가 컸다. 한국인들은 한반도가 미국에 전략적으로 매우 중요하다고 믿게 됐다. 보수파들은 자신들이 필수적이라고 여겼던 미국의 지속적인 지원과 보호를 보장할 것이기에 이를 중요하게 여겼다. 그러나 좌파는 한국인들이 주한 미군을 필요로 하지 않게 됐을 때에도 미군이 결코 한국을 떠나지 않을까봐 우려했다.

역설적이게도 한국전쟁 전까지 한국은 미국에게 전략적 중요성이 없었으며 아시아 본토에 미국의 병력이 존재할 경우 미국에 과도한 리스크만 안길 뿐이라는 것이 워싱턴 정가의 일치된 견해였다. 오늘날 한국에 대한 미국의 헌신은 매우 깊은 것이나 이는 전략적 필요

못지않게 미국 국내 정치와도 연관되어 있는 것이다. 미국은 한국전쟁으로 4만 2천 명에 이르는 미국 시민이 사망하거나 행방불명되는 등 큰 희생을 치렀다. 때문에 역대 미국 대통령들에게는 남한을 '잃어버려서', 그런 희생을 헛된 일로 만들지 않는 것이 정치적으로 중요했다.

한국인들이 한국을 경제와 정치 발전에 대한 세계적인 모범 사례로 만들었기에, 미국은 대한민국을 보호하는 것이 정치적으로 중요하다는 것을 스스로에게 다시 한번 각인시켰다. 한국은 단지 미국의 대외 정책이 의로울 뿐만 아니라 효과적이기도 하다는 걸 보여주는 상징이었기 때문이다. 일례로 미국의 이라크 침공 전후로 조지 W. 부시 행정부의 고위 관료들은 한국에서 미국이 성공한 사례를 들어 미국의 이라크 정책을 변호했다.[36] 따라서 미국의 한국에 대한 관여 방식이 근본적으로 바뀌려면 한반도가 동맹 외의 방법으로 스스로의 안보를 유지할 수 있는 민주국가로 통일되거나 남한 국민들이 스스로 미국을 거부해야 한다.

한국전쟁은 내전의 측면을 갖고 있었는데 이는 독일과는 다르게 분단을 장기화시켰을 뿐만 아니라 절대적인 것으로 만들었다. 독일 또한 미국과 소련에 의해 분단됐지만 독일인들끼리 서로 싸우지는 않았다. 서로 상반된 가치관과 다른 지배층을 대변하는 한반도의 남쪽 정권과 북쪽 정권은 서로 자신만이 유일하게 합법적인 국가라고 여겼다. 그 결과, 분단 독일과는 달리 서신이나 여타 방법을 통한 교류가 심지어 가족들 사이에서도 불가능했다. 60여 년이 지나고 21세기가 된 오늘날도 상황은 근본적으로 다르지 않다. 두 국가가 장기간의 제로섬 경쟁을 벌이고 북한이 여러 차례 지치지 않는 공격성을 표출하면서 또 다른 전면전의 위험이 있어왔다.

남한의 전후 경제 및 정치 발전에서 미국의 역할

한국전쟁이 끝난 뒤 폐허가 되고 궁핍해진 남한은 전후 복구를 위해 분투했다. 굶주림이 만연했으나 미국의 대규모 식량 지원 덕택에 아사를 면했다. 전쟁 직후부터 1962년까지 남한의 전체 수입액의 69퍼센트를 미국의 원조에 의존했다.[37] 이승만 대통령의 정부는 부패했고 무능했으며 독재적이었다. 이승만은 결국 1960년에 학생들의 반대 시위와 미국의 압력으로 하야했다. 불행히도 이듬해 박정희 소장이 쿠데타를 일으켰고, 그는 1963년 대통령으로 선출됐다. 박정희도 독재자였으나 그는 국가 경제개발에 집중했으며 그의 행정부는 유능했다. 미국은 대한민국의 경제 기획을 돕고 조언했다. 한국은 몇 년이 지나자 눈에 띌 정도로 발전을 이루었다. 한국 정부는 일본의 수출주도형 경제를 참고하여 국가개발계획을 시행했고, 정부 주도의 대출과 미국 시장 접근권의 혜택을 받은 한국의 재벌들은 급속히 성장하여 한국 경제를 뒤바꾸어 놓았다.

1970년대가 되자 남한은 북한의 계획경제를 추월하기 시작했다. 그러나 박정희의 독재적 태도에 대해 대중은 불만을 가졌고 박정희는 반대자들을 억압하기 위한 더욱 가혹한 조치를 제도화했다. 사실상 박정희를 영구 독재자로 만든 유신체제는 그의 집권에 대한 저항만 가중시켰다. 박정희의 유신 조치는, 해방 이전부터 남한 정치체제 내에 존재했으나 한국전쟁의 종전 이후 가라앉았던 대립을 심화시켰다. 1970년대 남한의 많은 지식인, 학생, 종교 지도자, 노동 운동가, 언론인들이 박정희의 집권에 대항하여 들고일어나 미국을 비롯한 국제사회에 지지를 호소했다. 1979년 10월 26일, 대중봉기를 어떻게 다루어야 할지에 대해 의견 대립이 계속되는 와중에 박정희 정권의 중앙정보부장 김재규가 대통령 박정희를 총으로 쏘아 살해했다.

미국은 박정희와의 관계가 껄끄러웠다. 그가 권력을 잡았을 때 미국은 처음에 그가 공산주의자일지 모른다고 우려했다.[38] 박정희는 미국인들을 어느 정도 경멸하고 있었다. 그러나 미국과 박정희는 동일한 이해관계를 갖고 있었다. 북한으로부터 남한을 보호하고 경제를 발전시켜야 한다는 것이었다. 공공의 안녕은 물론이고 남한의 군부에게 산업 기반을 제공하기 위해서이기도 했다. 그러나 미국은 유신 조치를 비판했으며 박정희와 (처음으로 전 세계의 인권 문제에 대한 미국의 지원을 강조했던) 지미 카터 대통령은 정치적으로나 개인적으로나 큰 차이가 있었다.[39] 그리하여 박정희가 오랫동안 가혹한 통치를 했음에도 불구하고 대부분의 한국인들은 박정희의 독재에 대해 미국을 책망하지 않았다. 적어도 박정희의 후계자를 두고 미국을 탓하는 정도만큼은 아니었다.

광주, 그리고 새로운 한국의 반미주의

박정희가 사망한 지 두 달이 채 안 된 1979년 12월 12일, 군 장성 전두환이 또 다른 쿠데타를 일으켰다. 초기에는 전두환의 궁극적인 의도가 무엇인지 불확실했지만 그는 거의 즉시 한국에서 가장 강력한 인물이 됐다. 직업 외교관 출신이던 대통령 직무대행은 전두환의 그늘에 완전히 가려졌다. 1980년 봄, 학생들이 전두환에 반대하는 대규모 시위를 벌이자 계엄령을 전국으로 확대하고 자신의 가장 유력한 정치적 반대자 두 사람 중 하나인 김대중을 투옥하면서 권력을 완전히 장악했다. 이후 군 병력과 젊은이들이 김대중의 정치적 고향인 광주에서 충돌했다. 군부의 잔혹한 탄압은 충돌을 격화시켰다. 일반 시민들이 젊은 세대들을 보호하기 위해 모였다. 결국 상황은 매우 심각해져서 군부가 한 발 물러서야 했다. 초반의 언론 보도는 2,000명이 살해당했다고 추정했다. (가장 조심스럽고 객관적인 후속 보도 중 하나에서는 사망자 및 실종자가 500명 정도 되는 것으로 추정했다.)[40] 광주 항쟁은 한국의 모든 젊은 세대의 생각을 깊이 바꾸어 버린 비극이었다. 많은 젊은이가 미국에 대해 극히 비판적이 됐다.

당시 미 대사관의 영사과에서 일하고 있던 젊은 외교관인 나는 엘리베이터를 타고 정치과에 갔다가 정치과장이 광주에서 무슨 일이 '벌어지고 있는지' 알아내기 위해 필사적으로 전화통을 붙들고 있던 모습을 봤던 기억이 있다. 그의 주요 정보 창구 중 하나는 사태가 발생하자 광주시 외곽에 위치한, 다른 미국 소유 시설이 입주해 있던 한국군 부대로 피신한 광주의 미 공보관이었다. 광주의 비극이 끝나자 대사는 최대한 빠르고 조용하게 정보과의 한 직원을 광주로 파견했다. 광주에서 무슨 일이 벌어졌는지 난무하는 억측들 가운데 무엇이 사실인지 광주 사람들을 직접 만나서 들어보기 위해서였다. 내가 목격했던 이 모습은 미국이 광주 항쟁에 대해 다 알고 있었을 뿐만 아니라 전두환의 행동을 지원했을 것이라는 이후 많은 한국인이 갖고 있던 믿음과는 판이하게 달랐다.[41]

며칠 후 미국인 선교사들이 미 대사관을 방문하여 광주에서 벌어지고 있는 상황에 대해 무엇이라도 해달라고 애원했다. 이때쯤엔 대사관 직원들도 광주에서 무슨 일이 벌어졌는지를 대강이나마 알고 있었고, 한국군은 광주에서 철수했으며, 한국 정부는 다음 행보를 생각하고 있었다. 선교사들의 간청은 열정과 선의로 가득한 것이었지만 비현실적이기도 했다. 전두환과 그의 군부 실력자들은 이미 미국의 지시를 따르기에는 너무 많은 위험부담을 짊어지고 있었다.

어떤 경우에도 선교사들이 요청하는 식의 개입은 미국을 난감한 상황으로 몰아넣을 것이었다. 사실상 이는 대한민국에 대한 미국의 통치권 행사에 해당할 것이었다. 미국은 자신의 임무가 북한의 또 다른 공격을 억제하는 것이라고 여겼다. 한국전쟁이 끝난 지 겨우 27년밖에 되지 않았고, 북한은 그 이후에도 줄곧 전쟁 위협을 일삼았으며, 심지어 몇 차례 남쪽을 공격하기도 했었다. 미 대사관과 주한미군의 관계자들은 북한이 한국전쟁을 일으켰을 때 이미 성인이었으며, 전쟁의 재앙은 그들의 마음속 깊숙이에서 여전히 생생했다. 이들은 미국이 1945년에 했던 것처럼 한국의 통치를 재개할 준비가 되어 있지 않았다. 대신 그들은 한국 정부와 광주를 점거한 시민들에게 대화를 통해 상황을 평화적으로 해결하도록 노력할 것을 장려했다. 별다른 진전이 없이 며칠이 지나고, 한국 당국이 미국 관계자에게 광주시를 수복하기 위해 군을 움직일 의사를 알려왔다. 미국은 이에 동의했다.[42]

앞서 말했듯, 이후 한국에서는 미국이 광주 항쟁을 비롯한 당시 전두환의 행위에 공모했다는 이야기가 만들어졌다. 이 이야기를 뒷받침하기 위해 나중에 다양한 주장과 증거들이 제시됐다. 가장 단순한 주장은 다음과 같이 터무니없었다. 미국은 한국에서 벌어지고 있던 모든 일을 알고 있었을 뿐만 아니라 당시 발생한 모든 것을 통제할 수 있을 정도로 강력했고, 그래서 미국이 원하기만 했다면 광주 학살을 막고 심지어 전두환이 권력을 쥐는 것도 막을 수 있었으리라는 것. 보다 정교한 주장은 이러했다. 주한 미군 사령관이 한국군의 작전통제권을 갖고 있기 때문에 전두환의 행동에 미국의 책임이 있다는 것. 이는 군령권과 작전통제권에 대한 근본적인 이해가 부족한 탓이다. 미국이 작전통제권을 가지고 있다고 하여 미국이 한국군에게 통치권을 행사할 수 있는 것은 절대 아니다. 미국은 한국의 대통령이 지정한 일부 한국군 부대(전부가 아니다)에 대해 전술적으로 통제만 가능할 뿐이었다.[43] 한국 대통령은 미군 장교의 작전 통제를 받도록 설정된 부대를 포함한 모든 한국군 인원에 대한 궁극적인 통제 권한을 가졌고, 지금도 여전히 그러한 권한을 보유하고 있다.

한국 대중의 상상 속에서 미국은 거의 전지전능했을지 모르나 박정희는 1961년에 그게 사실이 아님을 알았고, 박정희를 가까이서 관찰해왔던 전두환은 최소한 그가 권력을 장악했던 1980년에 이를 알고 있었다. 그렇지 않았다면 둘 중 누구도 쿠데타를 벌일 생각조차 하지 않았을 것이다. 박정희와 전두환 둘 다 자기 자신을 위해 한국 국민뿐만 아니라 미국도 속였다. 미국과 한미 관계에는 불운한 일이었으나 1980년의 한국 사람들 대부분 특히 젊은이에게는 상황이 이렇게 보이지 않았다. 미국이 자국 내 정치적 문제로 인해 한국에서의 공공외교를 서투르게 수행하면서, 한국 젊은이들은 미국에 대해 더 나쁜 인식을 갖게 됐다.

많은 한국인은 레이건 대통령이 전두환 대통령과 친하며 그를 지지하는 것처럼 보였던 것으로 회상한다. 그러나 전두환이 지미 카터 대통령의 임기에 대통령이 됐다는 것은 잘 기억하지 못한다. 카터 행정부의 미국이 전두환의 행동에 단호하게 대응하여 전두환을 비판하는 성명을 발표했으며, 심지어 여전히 한국전쟁을 생생하게 기억하는 사람들이 미국의 한반도 정책을 운영하던 시절에 한국과의 안보 협력을 감축하겠다고 위협했던 것을 기억하는 사람은 많지 않다. 전두환은 국내 언론을 통제하고 있었으며 미국 정부의 비판적인 성명에 대한 보도를 일절 금지했다. 극도로 좌절한 미국 대사는 한번은 대사관 직원들에게 한국 언론사들의 사무실에 직접 성명을 배달하라고 지시했다. 물론 한국 기자들은 여전히 미국 정부의 비판 성명을 기사로 쓸 수 없었다. 전두환이 한국 기자들에게 미국 정부가 그의 정권을 전적으로 지지한다고 여기게끔 새빨간 거짓말을 했다는 걸 아는 한국인들은 별로 없다.[44]

전두환이 권력을 잡을 당시 주한 미 대사였던 윌리엄 H. 글라이스틴 주니어는 2000년 당시 사건에 대한 회고록을 냈다. 『알려지지 않은 역사Massive Entanglement, Marginal Influence: Carter and Korea in Crisis』라는 날카로운 제목이 붙은 회고록이었다. 같은 해 글라이스틴의 주한 미군 파트너였던 존 A. 위컴 주니어 대장도 당시 한국의 사건들에 대한 회고록 『12·12와 미국의 딜레마Korea on the Brink: A Memoir of Political Intrigue and Military Crisis』를 출간했다.[45] 둘 다 민간인으로서, 어떠한 이득에 대한 기대 없이 자신들의 관점을 설명하기 위해 상당한 시간을 들였고, 두 책 모두 한국어로 번역이 됐다. 그렇지만 한국인들은 그들이 무슨 말을 했는지 들어보는 데 관심이 없었던 것 같다. 이 책들의 한국어판이 나왔을 때 나는 서울에서 가장 큰 서점에 가서 직원에게 그 책들이 잘 팔리고 있는지 물었다. 거의 팔리지 않았다는 대답을 들었다. 1999~2000년의 한국 사람들은 1979~1980년대에 있었던 중요한 사건들에 대해 알아야 할 것들은 이미 다 알고 있다고 생각하는 듯했고, 그래서 당시 한국에 있었던 미국의 최고위 관계자들이 그 사건들에 대해 무슨 말을 하는지 별로 듣고 싶어 하지 않았던 것 같다. 몇 년 후, 나의 스탠퍼드 대학 동료인 다니엘 C. 스나이더가 다독가로 유명한 김대중 전 대통령을 만나 당시 사건에 대한 글라이스틴 전 대사의 기록이 어떤지 의견을 물었다. 김대중도 글라이스틴의 책을 읽어본 적이 없다고 털어놓았다.[46]

그러나 레이건 대통령의 행정부가 전두환이 어떻게 권력에 오르게 됐는지 신경을 쓰지 않았고, 전두환의 인권 탄압을 공개적으로 거의 비판하지 않았다는 한국인들의 지적은 맞다. 영화 업계에서 노조 지도자로 활동했을 때부터 열렬한 반공주의자였던 레이건은 지미 카터가 미국의 대선을 한 해 앞두고 있던 1979년 말 아프가니스탄을 침공한 소련에 대해 무력하고 순진했다고 비판하면서 대선에서 승리했다. 후보 시절 레이건은 미국의 우익 동맹국들이 인권을 존중하지 않는다며 공개적으로 비판하던 카터와는 달리, 소련과 그 동맹들에 대항하는 것에 초점을 맞출 것임을 분명히 했다. 잘 알려진 대로 레이건은 공산주의자들이 한 국가를 장악하면 절대로 민주화를 허용하지 않기 때문(그러나 10년 후, 이것이 틀린 가정이었음이 입증된다)이라고 자신의 입장을 설명했다. 반면에 그는 우익 정부들이 자본주의적 경제 발전을 추진할 수 있도록 보호받으면 결과적으로 민주화될 수 있다고 주장했다. 레이건은 미국의 동맹국에게 인권 문제에 더 많은 관심을 촉구할 것이라고 맹세했다. 그러나 그 방식은 카터 행정부가 했던 것처럼 외국의 파트너를 공개적으로 위협하는 것이 아닌, 보다 근본적인 반공 투쟁의 맥락에서 더욱 효과적이며 동맹에게 적합한 '조용한 외교'라는 게 그의 주장이었다.[47]

1982년 초 미국 대사관 정치과의 신입 직원으로서 나는 많은 한국인이 '조용한 외교'에 얼마나 회의적으로 반응했는지, 그리고 얼마나 미국인과 한국인이 서로를 오해하기가 쉬웠는지 직접 목격했다. 조지 H. W. 부시 부통령의 서울 방문 동안, 미국 대사는 자신의 공관에서 성직자와 학자들을 포함한 전두환 정권의 대표적인 비판자들을 조찬에 초대했다. 부시 부통령은 한국에 대한 미국의 정책을 내빈들에게 몇 마디 남겼다. 통역을 통해, 그는 미국이 인권에 매우 관심이 있다고 강조했다. 우리는 공산주의 국가에 대해서는 공개적으로 비판하나 우리의 동맹국에 대해서는 조용한 외교를 구사한다고 그는 말했다. 왜냐하면 그게 더 효과적이기 때문이다. 우리는 동맹에게 인권 문제를 두고 가슴을 치면서 한탄하지 않지만 (이 대목에서 그는 자신의 몸통을 살짝 두드렸다) 이것이 결코 우리가 인권 문제에 진지하지 않다는 뜻은 아니라고 그는 강조했다.

끝나고 나서 나의 상관들과 나는 행사가 잘 마무리됐다는 데 의견을 같이했다. 미국의 정책에 비판적이었던 주요 민주화 운동가들 상당수가 미국 부통령과의 조찬에 참석했고, 부통령은 그들에게 한국 인권 상황의 개선에 대한 미국의 진솔한 관심을 보여주었다. 그는 전두환 정부가 강력히 반대했음에도 불구하고 조찬 모임을 강행했다. 그러나 그날 우리는 한국 내빈들이 부통령의 태도에 화가 났다는 소문을 들었다. 당혹과 우려를 동시에 느낀 우리들은 여기저기에 문의했고, 결국 한국 내빈들이 가슴을 치는 부통령의 제스처를 그들과 민주화에 대한 그들의 우려에 크게 실망했다는 표시로 해석했다는 걸 알 수 있었다. 이 의미심장한 오해는 한국인들이 대개 실망을 표현하면서 가슴을 여러 번 치기 때문만은 아니었다. 조찬에 참석한 한국 내빈들이 한국의 민주화에 대한 미국의 관심에 매우 회의적이었기 때문이기도 했다.

혼란과 악감정으로 가득했던 한 해를 보내고 남한 정부와의 우호 관계를 회복하기 위해, 새로 취임한 레이건 대통령은 1981년 초 첫 공식 외빈으로 전두환 대통령을 맞이했다. 그 대신 전두환은 1980년 5월 광주에서 벌어진 비극적 사건들에 대한 책임을 물어 비밀리에 부당하게 내렸던 김대중의 사형선고를 감형하는 데 합의했다.[48] 이후 수년간 미국과 한국의 고위 관료들은 협력을 과시했으며 전두환 정권은 한국 언론 보도에서 미국의 지지를 강조하도록 지시했다. 누가 봐도 알 수 있는 전두환의 의도와는 달리, 이는 국내에서 자신의 인기를 높이는 데 별다른 효과가 없었다. 그러나 남한에서 특히 젊은이들 사이에서 미국의 이미지를 영원히 심각하게 망가뜨렸다.

전두환 정권은 지극히 인기가 없었다. 광주를 비롯한 호남 지역의 지식인과 대학생들에게는 더욱 그랬다. 많은 사람은 한국이 민주화되는 것을 미국이 원하지 않았다고 결론지었다. 민주화가 될 경우 미국이 직접 한국 민중을 상대할 것이기 때문이라는 것이다. 많은 한국인 특히 젊은이들은 이렇게 느꼈다.

자신들의 이기적인 이권을 위해 한국을 조종하고 착취할 수 있으려면 미국은 정당성 없이 미국의 지지에 의존하여 아첨하는 정권이 필요했다. 문제를 복잡하게 만들 수 있는 민주적 제도가 한국에 없으면 미국은 한국 정부에게 원하는 걸 말하고 바로 얻을 수 있다. 미국인들은 자신들의 패권적·신제국주의적·전략적 이익을 위해 한국에 있는 것이다. 미국의 군산복합체는 한국의 상황을 이용하여 미국에 더 많은 무기를 팔고 한국으로 하여금 미국제 무기를 사도록 강요할 수 있다. 남한과 미국의 정부는 북한의 위협을 과장하거나 심지어 지어내기도 하고 남한의 지도자들은 '매카시즘'을 이용하여 민주화를 위해 투쟁하는 사람들을 억압한다. 북한 사람들은 우리의 형제자매이고 비록 북에서 자유는 제한되어 있지만 최소한 그들은 충분한 음식을 갖고 있다. 미국은 오직 미국의 이익을 위해서만 남한에 있으며 그들의 이익은 우리의 이익과 다르다. 미군은 우리 한국인들이 무엇을 원하든 결코 우리나라를 떠나지 않을 것이다.

각 지방에 있는 미국 문화원들을 반복하여 불태우려고 했던 이들이 바로 이런 젊은이들이었다. 한 사건에서는 당시 문화원을 방문했던 무고한 한국 학생을 사망하게 했고 다른 피해자에게 화상을 입혔다.⁴⁹ 1985년에는 일군의 대학생이 서울 미국문화원을 점거하고 불을 지르겠다고 협박한 일이 있었다.⁵⁰ 많은 수의 학생이 투옥됐고 출소한 이후 일부는 나중에 진보계의 정치 지도자가 됐다. 이 시기의 많은 한국 학생은 이념적으로 상당히 급진적이었다. "주도적인 학생 단체는 민족해방과 인민민주주의 혁명의 필요를 선언하면서 (북한의) 주체사상을 노골적으로 차용했다."⁵¹

남한의 인권 상황에 대해 레이건 행정부가 카터 행정부에 비해 신경을 덜 쓴 것은 사실이나, 레이건 행정부의 관료들은 적어도 초반에는 결코 전두환의 독재적 태도와 인권 탄압을 용납하지 않았다.

1981~1986년까지 레이건 대통령의 주한 미 대사를 역임했던 리처드 L. '딕시' 워커는 중국 학자이자 독실한 반공주의자였으며 냉전의 용사였다. 서울에 부임하고 처음 몇 해 동안은 레이건 행정부(그 자신도 포함하여)가 전두환 정권을 포용하는 듯 보이는 게 한국에서의 미국의 이미지를 얼마나 손상시키는지 이해하지 못했던 것 같다. 그러나 그조차도 전두환의 잔혹함에 분노했다. 진보계 지도자였던 김근태가 고문을 받았다는 확실한 증거를 입수하고 나서 그는 한국 외교부에 강력하게 항의했다.[52]

전두환 정권의 문제점과 미국 정부를 조종하려는 전두환 정권의 시도에 대한 워커 대사의 인식이 점차 높아지고 있었음을 보여주는 또 다른 일화가 있다. 한국전쟁이 끝나고 수십 년 동안 남한 관료들은 남한을 방문하는 미국인들에게 남한에는 반미주의가 '전혀' 없다고 말하곤 했다. 심지어 대학생들의 반미 시위가 점차 빈번해지고 있던 1980년대 중반에도 고위 한국 관료들은 이 주문을 반복했다. 1983년 어느 날 나는 워커 대사와 함께 노태우의 집무실을 방문했다. 당시 내무부 장관이었던 노태우는 전두환을 권좌에 오르게 하는 데 공모했던 전직 장성이었으며 전두환의 후계자로 낙점된 인물로 널리 알려져 있었다. (그는 실제로 1988년 대통령이 됐다.) 큰 학생 시위가 최근 발생했음에도 불구하고 노태우가 한국에는 반미주의가 전혀 없다고 말하자, 대사는 자신의 노트에 무언가를 적어 노태우에게 보여주었다. '우물 안 개구리'를 뜻하는 한자어로, 시야가 너무 좁아 현실을 제대로 보지 못하는 사람을 의미했다. 이 표현은 시야와 상상력이 환경에 의해 제약되는 것을 뜻하지만 노태우는 틀림없이 한국의 내부 상황을 잘 알고 있었다. 그는 워커 대사와 워싱턴에 있는 그의 상관들을 별 의미 없는 소리로 달래려고 했던 것이다.

1983년 당시 한국 지도자들은 물론 국내에서 상당한 수준의 반미주의가 오래 지속되어왔음을 잘 알고 있었다. 그들이 정말로 의미했던 것은 그들은 반미주의를 정당한 것으로 여기지 않으며 용납하지도 않을 것이기 때문에 미국의 관리들은 이를 (또는 남한 정부가 이를 억압하기 위해 사용하는 가혹한 방법을) 걱정하지 않아도 된다는 것이었다. 전두환 대통령은 반미주의를 자기 자신의 통치에 대한 위협으로 여겼을 것이다. 시위대는 미국이 전두환 정권을 지지하고 있다고 보고 미국을 비판하고 있었기 때문이다. 미국은 전두환에 대한 반대를 국내와 국제사회에 표현하기 위해 시위대가 택한 대상이기도 했다.

1982년부터 1984년까지 미 대사관의 정치과에서 일하면서 나는 전두환 정권에 가장 극렬하게 반발하는 대학생과 기독교 및 노동 운동가, 그리고 블랙리스트에 오른 야당 정치인들에 대해 워싱턴에 보고해야 했다. 후자의 정치인들에는 야당 지도자인 김대중과 김영삼의 최측근 다수가 포함되어 있었다. 아직 서른이 되지 않았고 한국어 능력도 한참 모자랐던 나 같은 사람에게는 벅찬 도전이었다. 블랙리스트에 오른 정치인들은 나를 통해 자신들의 견해를 대사관의 내 상관들과 워싱턴의 미국 관리들에게 전하고자 했으나 전두환 정권은 이들을 쫓아다니면서 미국 관료를 못 만나게 했다. 반면 운동가들은 미국에 깊은 의심을 갖고 있어 만나기가 어려웠으며 유용한 정보를 얻는 것은 더욱 힘들었다.

나는 한국의 민주화 운동가들에게 큰 공감을 갖고 정치과 생활을 시작했다. 전두환 정권에 대한 혐오 때문이었다. 전두환 정권이 권력을 잡은 방식뿐만 아니라 정권을 쥐고 나서 하는 행동들도 혐오스러 웠다. 미국인으로서 나는 특히 전두환 정권이 대한민국에 대한 미국 의 지지를 자신과 자신의 정권에 대한 지지로 묘사하는 뻔뻔한 행동 때문에 분노를 느꼈다. 나는 내가 대면하는 한국 민주화 운동가들이 갖고 있는 관점과 염려를 이해하는 동시에 그들에게 미국 정부가 민 주화를 지지하며 전두환의 인권 탄압에 비판적임을 전달하려 애썼 다. 후자의 이야기를 운동가들이 귀담아 듣지 않은 것도 놀랄 일은 아니었다. 민주화운동 단체였던 한국기독교교회협의회(한교협)의 본 부에서 국제 연락 담당이었던 한 젊은이와 처음 만났던 기억은 아직 까지 생생하다. 나는 그에게 나를 소개하면서, 한교협의 민주화 지지 에 대해 잘 이해할 수 있게 되면 워싱턴의 정책 결정자들에게 한국 시민들의 걱정과 희망을 더 정확하게 전달할 수 있을 것이라고 분명 하게 설명하고자 애썼다. 또한 진보계에서 미국의 한국 정책에 약간 의 오해가 있는 것 같다는 나의 인상도 덧붙였다. 그는 눈에 띄게 발 끈했다. 그는 아무런 오해도 없다고 퉁명스럽게 말했다. 전두환 정권 이 노골적으로 한국인들의 정보 출처들을 조작하고 있으며, (내가 알 기로) 한교협은 미국 관계자들과 다른 접촉이 없었음에도 불구하고, 그는 자신의 대답을 통해 미국의 정책에 대한 스스로의 적대적인 이 해에 만족하고 있으며 더 고려할 것도 더 배울 것도 없다고 했다.

　내가 한국을 떠날 때인 1984년쯤 나는 내가 접촉하고 있던 민주 화 운동가들에게 덜 공감하게 됐다(그렇다고 내가 전두환 정권과 그 지 지자들에게 공감을 조금이라도 더하게 된 것은 아니다). 아마도 내 직업 의 특성 때문이었겠지만, 내가 만난 거의 대부분의 진보 인사는 천 편일률적으로 전두환은 나쁘고 미국은 상황을 바꿀 수 있는 힘이 있는데 그렇게 하지 않기 때문에 비난을 받아야 하며, 이제 상황을 바꾸든지 아니면 더욱 극렬한 반미주의와 맞닥뜨려야 할 것이라고만 말했다. 내가 만났던 많은 사람이 진보 운동권의 지도자들이었기 때문에 그들의 주장은 미국에 대한 위협과 마찬가지였고, 이는 대부분 그들이 의도한 바였다고 확신한다.

미국은 물론 내가 만난 운동권 인사들이 주장한 것보다 훨씬 더 작은 영향력을 갖고 있었으나 워싱턴이 전두환 정부와 좀 더 거리를 두고 더 잘하도록 압력을 줄 수 있었던 것은 사실이다. 그렇긴 하지만 레이건 행정부도 전두환의 집권 연장을 어렵게 하기 위해 7년 단임만 하고 물러나겠다던 전두환의 맹세를 꾸준히 강조한 것은 평가할 만하다. 1985년 4월, 전두환이 두 번째로 미국을 방문했을 때 그는 여전히 한국 사람들에게 미국 정부가 자신을 개인적으로 지지한다는 인상을 심어주기 위해 노력하고 있었다. 그는 자신의 관료들에게 무슨 수를 써서라도 한국에서 보기에 레이건 행정부가 자신의 비민주적 체제를 지지하는 것으로 여겨지게끔 공동선언의 초안을 만들어 미국의 합의를 얻으라고 지시했던 것으로 보인다. (당시 방문 중이었던 한국의 고위 외교관은 미국 외교관에게 미국의 합의를 얻지 못하면 해고당할 것이라고 말했다.) 나는 수 시간 동안 협상하면서 나의 상관들에게 이것이 미국이 전두환 정부를 지지하는 것으로 비쳐질 것이라고 주장했고, 결국 상관들이 한국의 공동성명 초안에 합의하기를 거부하여 안도감과 고마움을 느꼈다.

7년간의 철권통치가 끝난 1987년, 전두환 정권은 대통령 직선제 등을 포함한 민주화의 주요 조치에 합의했다. 이 놀라운 결정은 진보파 운동가들의 압력이 계속되고 1987년이 되자 평범한 중산층까지 가두시위에 참가하면서 일어난 결과다. 1988년 서울 올림픽이 다가오는 가운데, 전두환과 그가 낙점한 후계자 노태우는 민주주의를 요구하는 시민들의 동의 없이는 올림픽을 성공적으로 개최할 수 없을 것이라 여긴 것 같다. 필리핀에서와 마찬가지로 레이건 행정부는 한국의 민주화에 단지 도덕적 지지만 제공하지 않았다. 제임스 R. 릴리 주한 미국 대사는 중대한 순간에 미국은 계엄령 선언이나 시위대에 대한 군사력 사용을 지지하지 않을 것임을 전두환에게 분명히 전했다.[53]

어쩌면 한국인은 민주화를 성취하기 위해 많은 한국 사람이 노력하고 위험을 감수했기 때문에 미국이 보여주는 한국의 민주화 지지를 별로 인정하지 않는 것일 수도 있다.[54] 이는 이해할 만하다. 그러나 당시 몇 년 전만 해도 미국이 전두환의 권력 찬탈을 묵인했다는 믿음이 세간에 널리 퍼져 있었던 것을 고려할 때, 미국은 적어도 1987년의 민주화를 반대하지 않은 것에 대해 인정을 받아야 한다. 그러나 1979~1980년 사건들 이후 발생한 반미주의 내러티브는 결코 사라지지 않았으며 1987년에도 한국인들은 미국의 행동을 과거와 똑같은 렌즈를 통해 보고 있었다. 이 반미 내러티브는 계속 살아남았으며, 심지어 오늘날까지도 특히 소위 '386세대'라고 일컬어지는 당시 대학생이었던 세대 사이에 남아 있다.[55]

역설적이게도 1987년 12월 대선에서 대중의 지지를 받은 것은 1979~1980년 사건들에서 전두환과 공모했으며 전두환이 후계자로 낙점한 노태우였다. 역전의 야당 지도자들이자 서로 라이벌 관계였던 김영삼과 김대중은 누구도 서로에게 양보할 의사가 없었다(마치 1980년, 전두환이 권력을 강화하고 있을 때 전두환의 손에 놀아나는 것을 피하기 위해 서로 협력해달라는 당시 미국 대사 글라이스틴의 요청을 둘이 거절했을 때와 같았다). 김영삼과 김대중은 둘 다 출마하여 야당 표를 갈라놓았고, 노태우는 겨우 36.6퍼센트를 득표했음에도 불구하고 당선될 수 있었다. 당시의 경험은 3년 후 김영삼으로 하여금 깜짝 놀랄 만한 전술적 행보를 보이게 만들었다.

한국의 민주화와 반미주의의 징후

한국의 민주화 직후 시기를 보면 1999~2002년의 반미 정서가 어떻게 폭발했는지 미리 알 수 있다. 발생 조건도 1999~2002년의 경우와 일부 비슷했다. 보수파인 노태우가 청와대에 들어갔음에도 불구하고 몇 개월 후 한국의 유권자들은 진보파 야당에게 단원제 국회에서 다수석을 주었다. 대통령으로서 노태우의 수동적 리더십 스타일은 그에게 별로 달갑지 않은 '물태우'라는 별명을 주었다. 진보파는 급진적으로 변한 상황에서 기회를 놓치지 않고 그들의 의제를 밀어붙이고 그들의 관점을 표현했다. 여기에는 미국에 대한 것도 포함됐다. 특히 1988년의 서울 하계 올림픽은 미국에 대한 대중의 분노를 표출하는 창구가 됐다.

당시 서울의 미 대사관 정치과에서 일하고 있던 미국의 직업 외교관 앨로이시어스 '앨' 오닐은 서울 올림픽 개최 동안에 발생했던 반미 사건들 중 몇몇에 대해 이렇게 회고했다.

88 올림픽은 '반미주의의 대잔치'였다. 운동선수들이 개회 퍼레이드

를 벌였을 때부터 한국 언론은 틈만 나면 미국을 공격했다. 미국 팀이 카메라를 향해 손을 흔들고 웃는다는 이유로 악한 취급을 하기도 했다. NBC 스포츠 채널에서는 한국 문화와 역사, 경제 발전 등을 (미국 시청자들에게 많은 도움이 됐을 게 틀림없는) 매우 긍정적으로 소개해 보도했었는데 한 보도에서 미군 부대 주변의 술집과 사창가를 다루자 한국 사람들은 격노했다.

88 올림픽 기간 중 가장 최악의 사건은 미국의 남성 릴레이 수영 선수단에 쏟아졌던 비난이었다. 당시 미국 팀은 대회에서 일찍 메달을 땄다. 팀원들은 기념의 의미로 밤에 호텔 바에서 술을 마셨는데 한 명이 술을 많이 마시고는 벽에 걸린 석고로 된 사자머리상을 들고 나갔다. 호텔 종업원은 경찰에 신고했고 경찰은 신속하게 이를 언론에 알렸다. 시민들의 분노는 전국적으로 번져서 마치 선수들이 청와대를 불태워버리기라도 한 것 같았다. 나를 비롯한 몇 명은 그다음 날이었던 토요일 오후 공관에 있었는데 분노한 한국인들의 전화로 전화기에 불이 날 지경이었다. 한 사람은 내게 "어떻게 그런 짓을 할 수 있느냐?"고 말했다. 내가 취해서 그랬다고 간략히 답하자, 그는 "뭐라고요?"라고 했다. 내가 다시 설명하자, 그는 조용히 "오,"라고 말하더니 전화를 끊었다. 결국 선수들은 언론의 생난리 속에 김포공항을 통해 귀국해야 했다.[56]

1988년 가을, 국회는 1980년 광주 항쟁에 대한 일련의 청문회를 열었다. 과거에는 누구도 감히 손댈 수 없었던 장성들과 전두환 정권의 고위 간부들이 국회에 나와 심문하는 모습을 한국에 사는 사람들은 모두 보고 있는 듯했다. 이 청문회는 미국 정부와 광주 항쟁의 관계에 대한 미 국무부의 매우 뒤늦은 해명을 요구하기도 했다.[57] 국회는 당시 사건에서 미국의 역할에 대해 미국 관계자들이 나와서 증언하기를 요구했다. 미 국무부는 이를 부적절하다고 거부하면서 대신 성명서를 준비하여 국회에 제출했다.[58]

이때는 노태우의 매우 성공적이었던 '북방 외교' 시기이기도 했다. 북방 외교는 북한을 다루기 위해 소련과, 중국, 그리고 북한의 다른 파트너 국가들과 외교 관계를 수립하고자 한 외교 전략이다. 최초의 돌파구는 올림픽이 열리기 몇 주 전에 생겨났다. 헝가리는 공산권 국가들 중 최초로 한국과 외교 관계를 수립했다. 처음에는 대사관을 여는 정도까지는 아니었지만 한반도에서는 엄청난 변화를 의미했다. 한국의 민주화는 냉전의 종식과 시기적으로 맞물렸다. 최근 앨 오닐은 당시 한국인들이 이러한 사건들을 어떻게 민족주의적 '렌즈'를 통해 해석했는지 상기했다.

북방 외교의 가장 기이한 측면은, 많은 한국인이 북방 외교를 미국이 반대했다고 믿는 것이었다. 실상을 보다 더 잘 알고 있었어야 할 한국인들이 이러한 믿음을 공유하고 있었다. 이는 특히 나를 개인적으로 짜증나게 했다. 왜냐하면 부다페스트, 프라하, 모스크바 등지에 있는 미국 대사관들에게 한국의 외교관들이 대사관을 설치하기 위해 도착한다는 것을 알리는 외교 전문을 작성하는 사람이 바로 나였기 때문이다. 나는 당시 해당 지역의 대사관들에게 익숙하지 않은 환경에서 업무를 개시하는 한국 외교관들을 위한 조언을 부탁했었다. 대사관들은 예외 없이 곧바로 관련 직원들로 하여금 한국 외교관들과 약속을 잡게 하는 것으로 응답했다. 이는 우리의 동맹인 한국을 돕기 위해 당연히 해야 할 일이었다.

내가 겪은 가장 이상한 일은 한국 최고의 미국 전문가 중 하나였던 한국 고위 외교관과 가졌던 오찬 모임에서 있었다. 나는 당시 방한 중이었던 고위 미국 관료를 모시고 그를 만났다. 별다른 의도 없이 나는 많은 한국인이 우리가 북방 외교에 반대한다고 믿는다는 일반적인 이야기를 했다. 그 한국 외교관은 자신 또한 미국의 지지에 의심을 갖고 있다고 말하여 나를 깜짝 놀라게 만들었다! 그것은 한국이 소련을 비롯한 북한의 동맹국들에게 다가가고 있으니 미국은 분명 한국이 자신들로부터 도망가고 있다고 우려할 것이라는 한국식 제로섬 사고방식이었다.

1999~2002년에 훨씬 많은 반미 시위가 있었지만 우리 시절(노태우 정권)에도 반미 시위가 많았다. 내가 한국에 있을 때 겪었던 가장 폭력적인 반미 시위는 1989년 9월 주한 미 대사로 그레그가 부임하고 얼마 되지 않아 과격한 대학생들이 그레그 대사의 관저를 공격한 사건이었다. 어느 이른 아침, 여섯 명의 학생이 차 지붕을 타고 벽을 넘어 관저로 침입했다. 관저의 한국 경비원들은 재빨리 그레그 대사 가족을 관저로부터 안전하게 대피시켰으나 학생들은 집에 불을 질렀고 그로 인해 이들이 체포되기 전에 한국의 골동품 몇 개가 손상됐다. 그날 오후 TV에 등장한 그레그 대사 가족의 침착한 모습과 체포된 학생들의 선처를 부탁하는 모습은 대중에게 매우 긍정적인 인상을 남겼다.[59]

1990년 야당 지도자였던 김영삼은 예기치 않게 자기 당을 노태우 대통령의 여당과 합당했다. 2년 후, 노태우의 지원을 받아 김영삼은 다시 대선에 출마했다. 과거 자신의 야당 세력의 지지층에 이제 보수층의 지지까지 얻은 김영삼은 김대중을 가볍게 제압하고 청와대에 들어갔다. 김영삼의 대통령 선출과 소련의 붕괴, 그리고 몇 년 후에 발생하는 북한의 기근은 한국 내부와 그 주변에 새로운 상황을 만들었고 반미주의의 표출은 잦아들었다. 그러나 반미 감정은 남아 있었다.

신기욱 교수는 1996년에 선견지명을 갖고 다음과 같이 주의를 남긴 바 있다. "… 미국의 관리들은 (한국의) 떠오르는 민족주의의 중요성을 과소평가해서는 안 된다." 그는 "반미주의의 정도는 사건에 따라 변동이 있겠지만 … 젊고 교육 수준이 높은 엘리트 사이에서 반미주의가 가장 현저하게 나타나고 있으며 이들이 한국전쟁을 겪은 세대를 대체하고 그 영향력을 증대시키면서, 이들의 반미주의적 시각은 대중 여론을 형성하는 데 더욱 결정적인 역할을 하게 될 수 있다"고 설명했다. 그는 한국 젊은이들의 반미주의는 점차 그들의 자신감의 표현이자 미국과 보다 평등한 관계를 바라는 욕구가 되고 있다고 지적했다.[60] 실제로 시간이 흐르고 새로운 사건들이 일어나면서, 처음으로 386세대가 남한의 거버넌스와 미국에 대한 그들의 관점을 강력하고 지속적인 방식으로 반영할 수 있게 되는 구조적·제도적인 토대를 만들게 된다.

진보의 득세

김영삼 대통령의 임기 종료를 몇 달 앞둔 1997년 말, 동남아시아에서 금융위기가 발생하여 남한에까지 번졌다. 한국은 높은 부채를 지고 공격적인 확장을 하고 있던 재벌들을 지원하기 위해 해외 차관에 집중하고 있었다. (외국인의 직접 투자는 불가능했다. 많은 한국인이 외국인의 직접 투자를 외국인에게 나라를 팔아먹는 일이라고 여기고 있었기 때문이다.) 대부분의 차관이 단기였다. 금융위기가 한국에까지 번지자 유동성 위기가 발생했고 한국은 역사상 최대의 디폴트 위기에 직면했다는 걸 알게 됐다. 2주간의 끔찍한 협상 끝에 국제통화기금 IMF은 남한에 550억 달러의 차관을 제공하기로 합의했다. 이는 당시 세계 최대 규모의 긴급구제안이었다. 이 구제안은 한국으로 하여금 디폴트 위기에서 탈출하고 이후 몇 년간의 경제 회복을 위한 기반을 제공했다. 그러나 모든 한국인이 큰 재정적 손실을 겪었고, 삶의 질이 대폭 하락했다. 수백만 명이 직업을 잃었고, 수십만 명이 집을 잃었다. 수천 개의 기업이 망했고, 수백 명이 자살했다. 한국인들은 대우와 현대 같은 재벌과 이제 물러나는 김영삼 정부를 탓했다. 한국 경제를 자유화시키지 않으면 지원을 하지 않겠다는 IMF를 탓했고, 월스트리트의 투기적 행태와 IMF의 '치욕적'인 구제안에 대해 미국을 탓했다. 한국이 수입 제한을 철폐하고 외국인 투자를 개방할 때에만 IMF의 지원을 받을 수 있도록 했는데 미국이 이에 긴밀히 관여한 것이 널리 보도됐기 때문이다.

한국인들이 '아시아 금융위기'가 아닌 'IMF 위기'라고 일컫는 (이 또한 의미하는 바 크다) 그 당시, 남한은 대선 캠페인의 마지막 단계에 있었다. 당시 현직의 보수파 대통령이었던 김영삼은 금융위기로 인해 지지도가 한 자릿수로 떨어져 있었지만 그의 당 후보였던 이회창은 야당 후보였던 김대중을 이길 가능성이 높아 보였다. 그러나 또 다른 보수 후보의 존재가 보수층의 표를 갈랐고, 진보파의 김대중을 단 1퍼센트의 표차로 이기게 만들었다.

1998년 2월, 김대중의 취임은 대한민국 역사상 최초로 좌파 지도자가 한국의 강력한 대통령제의 수장이 된 사례가 됐다. 초기에는 IMF 협상에 대해 모호한 언급을 남겼으나, 김대중은 곧 그것을 필연적인 것으로 받아들이고 취임 첫해를 경제 회복에 할애했다. 그러나 이때에도 이미 김대중은 북한과의 화해를 대통령으로서 자신의 역사적 과제로 여기고 있었다. 재정적·경제적 여력을 확보하면 그는 바로 그 일에 매진할 것이었다. 김대중은 반미주의자가 아니었음에도 불구하고 그가 청와대에 들어가자 미국의 한국 비평가들은 전례 없을 정도로 비판의 강도를 높였다.

김대중이 취임한 이후 1년 반이 지나고 한국이 최악의 재정 위기에서 회복하고 있을 때쯤, 반미주의가 다시 폭증했다. 김대중과 마찬가지로 그의 행정부에서 고위직에 있던 노회한 진보파 인물들도 반미주의자가 아니었다. 그러나 그들은 386세대가 미국에 대해 갖고 있던 비판적 관점에 공감하는 것으로 보였다. 김대중의 동료들은 오랫동안 권위주의적인 보수파 통치자들을 상대로 투쟁해왔다. 그들은 미국이 통치자들을 지원하고 있다고 여겼으며, 자신들이 정치적 황야에서 오랫동안 고생할 때 미국이 그들과 거의 접촉하지 않았다는 사실에 분개했다. 이는 이해할 만하다. 심지어 김대중조차 그가 처음 대선에 출마했던 1971년부터 20여 년간은 미국 관계자들과 관계가 서먹했다. 이는 주로 한국의 지도자들로부터 반발을 피하기 위해서였다. 한국의 새로운 지도자들 대부분은 정부에서 일해본 경험이 거의 없었고 미국 정부와 공식적으로 일해본 적은 더욱 없었다. 게다가 김대중 정부의 젊은 임명직 인사들은 386세대에 속했고, 이들 중 몇몇은 1979~1980년의 사건에 대한 인식 때문에 그들의 선배 각료들보다 미국에 더욱 비판적이었다.

　한국의 대통령제는 과거부터 지금까지 여전히 매우 강력하여 정보기관과 경찰, 사정 및 과세 당국, 그리고 수없이 많은 규제 기관은 물론이고 심지어 법원에도 엄청난 영향력을 행사한다. 한국은 지리학적으로 작고, 인구밀도가 높으며, 모두가 서로를 사촌같이 여기며, 서로의 약점을 알고 있다. 미국과 비교할 때 남한은 매우 집단을 좋아하며, 극도로 경쟁적이고, 매우 정치적인 사회다. 그래서 한국 보수층은 특히 김대중의 집권 초기 대통령에게 처음으로 도전하는 자가 되길 주저했다.

　1999년 언론이 연이어 미국 특히 주한 미군의 비행에 대한 소문들을 잇따라 보도하는 데 김대중 대통령은 놀랐거나 당황했을지도 모른다. 김대중은 특히 나라의 재정적·경제적 회복과 북한에 대한 자신의 햇볕정책을 추진하는 데 미국의 지지가 필요하다는 걸 알고 있었다. 그러나 김대중의 정치적 기반은 진보파였고 미국에 대한 특히 미국의 외교정책에 대한 진보파의 시각은 미국 지도자들의 (공화당이든 민주당이든) 평균보다는 노암 촘스키의 시각에 더 가까웠다.

　대통령이 되기 전까지 정부에서 일해본 경험이 전혀 없었던 김대중의 경우, 그의 미국에 대한 이해는 대부분 거버넌스가 아닌 당파 정치에 의해 형성됐다. 그는 평생을 한국의 야당 운동에 투신했기 때문에 그마저도 미국의 지도자들과 직접적으로 접촉해서 형성된 것은 거의 없었다. 주한 미군의 비행에 대한 소문들을 다룬 보도를 봤을 때, 김대중 대통령의 첫 반응은 대부분 보도를 액면 그대로 받아들이는 것이었으리라. 어떠한 경우에서건 그런 이슈들에 대해서 자신의 지지 기반인 진보파를 거부하기란 어려웠을 것이다. 그는 북한에 집중하고, 반미주의와 주한 미군에 관련된 논란은 참모들에게 맡겼다. 김대중의 참모들은 한국 대중을 위해 장기적 안목으로 그러한 논란을 살펴보았더라면 대부분의 사건이 과장되거나 날조된 것임을 알 수 있었을 테지만 군이 그럴 만한 정치적 동기가 없었다.

이 시기, 주한 미군에 반대하는 시위와 감정이 악화됐지만 김대중은 이에 대해 공개적인 발언을 거의 하지 않았다. 주둔군지위협정 SOFA(Status of Forces Agreement)의 개정을 위해 미국과 한국의 협상가들이 회담을 준비하게 되자 마침내 그는 주한 미군 문제를 언급했는데 그는 시위대의 염려를 이해하지만 미국이 한국에 중요하다는 사실 또한 고려하기를 희망한다고 말했다.[61] 나의 상관들 중 몇몇은 자제를 촉구하는 대통령의 요청을 환영했지만 나는 그의 성명이 근본적으로 도움이 되지 않는다고 여겼다. 김대중 대통령은 사실상 주한 미군이 한국인을 존중하지 않는다는 시위대의 의견에 동의하면서, 미국은 강하고 한국은 미국이라는 동맹을 필요로 하기 때문에 시위대에 진정할 것을 요청한 것이다. 그는 (그의 높은 지지율 때문에) 당초 시위를 발생시킨 바로 그 관점과 편견을 반영하고 있던 것이었다.

한국 대통령제의 또 다른 권력은 다양한 비정부기구NGO들에 재정 보조를 해준 데에서 나온다. 김대중 정부 아래서 많은 진보 운동권 단체가 (반미적 의제를 뚜렷하게 갖고 있는 일부를 포함하여) 처음으로 정부 지원을 받았다. 그러한 재정 보조는 제한적이었지만 불과 10년 전까지만 하더라도 많은 단체가 겪어왔던 노골적인 탄압에 비하면 천양지차였다. 대통령의 직접적 또는 간접적인 지원으로 이 NGO들은 더 많은 자원을 갖게 됐고, 더 정치적으로 목소리를 내고 행동할 수 있게 됐다. 주한미군철수운동본부와 주한미군범죄근절운동본

부를 비롯한 상당수의 NGO가 주한 미군을 노골적으로 표적으로 삼고 있었다.[62]

진보파 NGO 지도자들은 당시 전두환 대통령으로 하여금 민주화를 수용하도록 압력을 넣는 데에 큰 역할을 했으며, 김대중을 대통령으로 선출시키는 데에도 중요한 역할을 했다. 그래서 많은 언론인과 일반적인 시민들이 볼 때, NGO는 새로운 진보 정부 자체보다 정당성과 신뢰성 측면에서 더 높은 점수를 얻었다. 그러나 그들의 의제가 너무도 뚜렷했기 때문에 그들이 기자들에게 제공한 정보는 액면 그대로 받아들여져서는 안 되는 것이었다. 그러나 한국 언론인들은 이러한 정보의 출처가 정확한지 제대로 체크하지 않았고 객관적으로 다루지 않았다. 그들은 미국 관계자들의 입장을 물어보는 일이 별로 없었다. 게다가 NGO가 탐사 보도의 만만한 대상으로 여겨지는 미국과는 달리, 한국 언론인들은 자기의 독자들에게 정치적인 활동을 하는 민간단체들의 재정과 인사, 동기 등을 알려주는 데 관심이 거의 없는 듯했다.

김대중의 당선이 주한 미군을 상대로 한 진보파와 NGO의 활동을 강화시켰으며, 김대중의 대통령직 재임은 또 다른 방식으로 반미주의에 기여했다. 북한과의 관계 개선을 외곬수로 추진하면서 김대중은 북한 정권을 불신하던 조지 W. 부시 대통령을 크게 낙담시켰다. 부시 대통령은 북한에 대한 김대중의 정책을 근본적으로 순진한 것으로 여겼던 듯하다. 새로 취임한 미국 대통령인 부시를 설득하기 위해 김대중 대통령은 많은 한국 및 미국 관리들의 조언에도 불구하고 첫 번째 정상회담을 고집했다. 두 지도자가 2001년 3월 워싱턴에서 만났을 때, 부시 대통령은 자신이 북한의 의도에 대해 지극히 회의적임을 분명하게 밝혔다. 단지 회담에서뿐만 아니라 공동 기자회견에서도 마찬가지였다. 노벨 평화상 수상자 김대중의 대북 정책에 대한 부시 대통령의 명백한 거부는 김대중 대통령에게 충격적인 굴욕이었다.

그리하여 김대중 대통령의 남은 임기 2년 동안 김대중과 김대중 정부의 고위 공직자들은 일상적으로 부시 대통령을 혹독하게 비판했다. 특히 그의 대북 정책에 대해 단지 남한 안에서뿐만 아니라 남한을 방문하는 세계 지도자들과 언론 앞에서도 비판을 했다. 부시 대통령이 공손하긴 했지만 솔직하게 김대중 대통령의 대북 정책에 정말로 동의하지 않는다고 공개적으로 밝힌 것이 그렇게 나쁘다면, 김대중 정부가 부시 대통령과 북한에 대한 그의 시각에 대해 매우 부정적으로 이야기한 것도 나쁜 것이 아닌가. 이러한 상황은 이미 과거 2년간 주한 미군 반대 운동으로 좋지 않았던 한미 관계를 더욱 악화시켰다.

한국 언론의 문제적 역할

반미주의의 급증에 한국 언론은 큰 역할을 했다. 매우 익히기 쉬운 문자인 한글 덕택에 한국은 세계에서 가장 문맹률이 낮은 나라들 중 하나이며 한국인들은 신문을 열심히 읽는다. 1999년 한국에는 치열하게 경쟁하고 있던 전국 규모의 일간지 및 언론사가 10개가 넘었다. 선정주의는 자연스레 독자들을 끌어들였다. 어쩌면 한국의 유교 문화 때문일지도 모르겠지만 기자들은 통상적으로 도덕주의적이고 비판적이며 때로는 독선적인 태도로 보도를 한다. 한번은 왜 한국 언론은 미국을 그리도 혹독하게 비판하느냐는 나의 구슬픈 질문에 한 한국 기자 친구가 이렇게 말했다. "하지만 자네는 우리가 모든 것, 모든 사람에 대해서 그렇다는 걸 모르는구먼. 심지어 우리들 자신에 대해서도 그렇다니까!" 돌이켜보면 그의 말이 옳았다.

　수십 년간 계속된 군사정권의 지배와 언론 검열은 객관성, 균형, 정확성에 대한 언론 규범의 발전을 저해했다. 당시 있었던 한 사례는 이를 잘 보여준다. 1997년, 남한의 언론은 북한군이 세계식량계획 WFP의 식량 지원을 총으로 위협하여 압수했다고 보도했다. 기사들은 한 이름 없는 포르투갈 신문의 출처도 없는 기사를 인용했다. 당시 워싱턴의 국무부 한국과에서 일하고 있던 나는 우리 사무실 직원에게 로마에 있는 WFP 본부에 전화로 문의해보라고 지시했다. 몇 분 후, 직원은 그런 사건이 발생한 적이 없다고 확인해주었다. 그러나 남한의 언론들은 며칠 동안 가상의 범죄를 가지고 분노한 사설과 북한을 비난하는 정치적 만평들을 쏟아냈다. 나중에 한 고참 전직 한국 기자에게 이러한 경향에 대해 묻자 그는 다 알고 있다는 웃음을 지으며 이렇게 말했다. "어떤 이야기는 팩트 체크하기에는 아까울 정도로 너무 좋거든."

　나는 1999년부터 미국 대사관의 정치과장으로 일하면서 한국 언론의 문제적 측면들을 차차 알게 됐다. 권위주의적 군사정권 시절이던 1979~1984년에 대사관에서 일할 때는 나를 비롯하여 많은 동료가 한국 언론의 문제점이 정부가 보도할 수 있는 것과 보도할 수 없는 것을 정해주는 데에서 기인하는 것이라고 생각했었다. 그러나 1999년에 다시 한국 언론을 마주하자 다른 문제들도 있다는 게 분명해졌다. 나의 전임 정치과장은 "한국 신문에 나와 있다고 해서 그게 반드시 사실이 아니라는 건 아니다"라고 말한 적이 있었다. 그의 말은 절반만 농담이었다. 역설적이게도 당시 설문 조사에서는 한국 독자들이 신문 보도를 이례적으로 신뢰하고 있었다.

또한 1999년 당시 많은 신문사 기자와 오피니언 면의 편집자들이 386세대였다. 일부분은 그들의 영향력으로 인해, 심지어 3대 보수 일간지인 『조선일보』, 『동아일보』, 『중앙일보』도 종종 미국과 주한 미군에 매우 비판적이었다(신기욱 교수의 연구에 따르면 이들 신문사들은 한미 동맹에 대해서 다른 진보 계열 언론보다 훨씬 덜 비판적이었다).[63] 한국이 민주화되고 김대중이 청와대에 들어가면서 이 젊은 언론인들은 미국을 비판하는 것이 그 어느 때보다도 훨씬 자유롭다는 것을 느꼈다. 다른 젊은 한국인들처럼 이들도 미국을 비판하는 것은 카타르시스적일 뿐만 아니라 아무런 부담도 없고 당국으로부터의 위험도 없다는 새로운 관념에 익숙해지기 시작했다.

한 일화가 이를 잘 보여준다. 2002년, 『조선일보』는 미 대사의 관저와 구 미국 공사관이 위치한 덕수궁 뒤에 새로운 사무실 건물과 직원 관사를 지으려는 미 대사관의 계획에 앞장서서 비판적인 사설과 기사를 내고 있었다. 항의의 주된 내용은 해당 지역이 과거에는 궁궐의 일부였기 때문에 역사적 유물이 거기 묻혀 있을 수 있다는 것이었다. 또한 건물이 현재의 궁궐 안에서 보이게 되어 관광객들에게 보기 좋지 않을 수 있다고 했다. 전자에 대해 미국은 한국의 전문가들로 하여금 유물을 탐색하도록 하는 데 합의했다. 후자에 대해서는 내가 건설 계획에 관여했기 때문에 전망을 망치지 않을 것이라고 자신하고 있었다.

나는 비판적인 사설을 쓴 『조선일보』 편집국의 젊은 기자에게 해당 지역을 둘러보고 우리 계획을 브리핑하겠다고 초청했다. 그는 쾌히 승낙했다. 나는 우리가 지을 8층짜리 건물은 덕수궁 벽 너머로는 거의 보이지 않을 것이며, 궁 바로 왼편에 대사관 건물보다 훨씬 높은 서울시청 별관이 있다는 걸 가리켰다. 그다음, 나는 대사관 건물이 지어질 예정인 곳은 덕수궁에서 서울시청 별관보다 훨씬 멀리 떨어져 있으며 이미 그 양옆으로 대사관 건물만 한 높이의 한국 건물들이 공사 중이라고 지적했다. 나는 장난스레 『조선일보』 본사 건물을 가리키면서 저 건물과 덕수궁의 거리가 대사관 건물과 비슷한 수준이고 어쩌면 저기도 옛날 궁궐터였을지 모른다고 말했다. 마지막으로 나는 새로 지어진 러시아 대사관과 공관 및 관사의 복합건물이 덕수궁에서 바로 길 건너에, 한국 정부의 지원을 받아 최근 지어졌다고 했다. 그러나 미 대사관의 노력(해당 기자에 대한 나의 노력도)에도 불구하고 미국에 대한 언론과 시민들의 분위기는 너무나 악화되어 있어 건설 계획을 진행할 수가 없었다. 결국 미국과 한국 정부는 도심에서 멀리 떨어진 다른 장소에 건물을 짓기로 합의했다. 이 건물은 아직도 완공되지 못했으며, 서울 도심 한복판에 있는 노후한 미 대사관 건물은 한국인에게는 흉물이자 미국인에게는 난감한 일이 됐다.

　1999~2002년 사이에 한국 언론은 미국 특히 주한 미군의 비행 증가를 보도했지만 이는 사실이 아니었다. 물론 다른 모든 기관과 마찬가지로 주한 미군은 완벽하지 않았고, 한국 언론은 이를 보도할 권리(사실은 의무)가 있었다. 그러나 주한 미군의 행동은 불과 십수 년 전에 비하면 상당히 나아져 있었다. 1972년에 완전모병제 도입

과 베트남 전쟁 종료는 미군 전군에 보다 높은 모병 기준과 보다 엄정한 군기, 그리고 나아진 사기를 가져다주었다. 한국의 경제 발전 또한 한국전쟁 직후 시기에 비해 미군들이 한국인을 덜 업신여기게 됐음을 의미했다.

당시 실제로 벌어진 것은, 위에서 설명한 역사적 배경 아래서 기자들 특히 386세대 기자들이 미국과 특히 주한 미군에 대해 집중적으로 보도한 것이었다. 이는 장기화된 운동 같은 것이 됐다. 그들은 김대중이 대통령에 선출되면서 힘을 얻은 운동권 NGO들이 제기한 이야기들을 무비판적으로 보도했다. 이들이 제공한 정보 중 상당수가 과장되고 맥락에서 벗어난 것이거나 왜곡된 것이었다. 미국의 비행에 대한 연이은 보도들은 독자들의 관심을 증대시켰고, NGO들의 행동과 제보를 더욱 촉진시켰다. 기자와 칼럼니스트들 사이에서 미국인 특히 주한 미군의 비행에 가장 격렬한 분노를 표현하기 위한 경쟁이 벌어졌다. 주한 미군의 비행이 늘어나고 있다는 이야기와 맞지 않거나 그게 사실이 아님을 보여주는 정보는 보도되지 않는 편이었다. 그 결과 하나의 사례가 언론들에 의해 각기 다른 여러 사례인 것처럼 불어나기도 했다.[64]

역설적이게도 이러한 현상은 한국 언론의 보도가 아닌 미국 AP 통신이 시작한 것으로 보인다. 1999년 9월 29일 AP 통신은 한국전쟁 초기였던 1950년의 절망적인 상황에서 노근리 근처 마을에서 무고한 남한 주민들이 미군들에 의해 살해된 사건을 연속 기사로 싣기 시작했다. 그때부터 거의 매주마다 주로 주한 미군의 불법행위에 대한 한국 언론의 보도가 나왔다. 그중 중요한 보도들은 다음과 같았다. AP 통신의 노근리 사건 연속 기사가 시작된 바로 다음 날 베트남 전쟁에 참전했던 한국군 참전용사들이 당시 미군과 함께 작전 중에 에이전트 오렌지라는 제초제에 노출됐다고 미국 업체에 배상을 요구하는 소송을 제기했다. 2000년 5월 8일, 오랫동안 활동했던 한 지역 운동가는 훈련 중이던 미 공군의 폭격기가 매향리 연안 마을에 너무 가까이 폭탄을 투하하는 바람에 많은 주민이 부상을 입고 가옥들이 큰 피해를 입었다고 비난했다. 2000년 6월 14일, 환경운동 NGO인 녹색연합은 서울의 주한 미군 본부 영안실에서 근무하던 미국인 군무원이 시신 방부처리용으로 사용하던 유독 물질인 포름알데히드를 한강에 투기했다고 발표했다.

그 밖에도 이 시기에는 한미 안보동맹 관계에 새롭게 진행 중인 중대한 문제점들이 많았다. 1999년 7월 2일부터 2001년 1월 17일까지 미국과 한국은 남한 단거리 미사일의 허용 사정거리를 연장하는 것에 대해 협상했다. 2000년 8월 1일부터 2001년 1월 18일까지 미국과 한국은 SOFA 개정 회담을 가졌는데 한국 당국이 주한 미군 인사에 대해 더 많은 법적 구속력을 갖도록 하는 개정안을 두고 논쟁을 벌였다. 미사일과 SOFA 개정 회담은 북한의 위협으로부터 한국을 보호하고 한국 영토에서 범죄로 기소된 사람들을 심판할 권리에 대해 미국이 어느 정도 제약을 가한다는 것이었다. 그러나 대부분의 한국인들은 이를 주권의 영역에 속한다고 여기고 있었다. 2001년 한국은 고급 전투기를 도입하는 절차를 밟고 있었는데 많은 기자가 한미 동맹 때문에 한국이 부당하게 미국산 전투기를 비싼 가격에 사는 것 외에는 아무런 선택의 여지가 없던 것처럼 보도했다.[65]

이 시기에 일어났던 문제들 중 주한 미군이나 한미 안보동맹 문제와 연관되지 않았지만 심각했던 것은 2002년 2월 20일, 솔트레이크시티 동계올림픽에서 남한 쇼트트랙 선수가 실격 판정으로 미국 선수에게 금메달을 잃은 일이었다. 2년 반 동안 한국 언론이 미국에 대해 집중적으로 보도하면서 심지어 스포츠 이벤트까지 (해당 판정은 오스트레일리아 심판이 내린 것이었다) 미국과 미국인 전반에 대한 한국의 분노로 이어졌다.

마지막으로 이러한 사건과 문제들의 많은 부분이 클린턴 대통령 재임기간에 벌어졌다는 것은 특기할 만하다. 조지 W. 부시 대통령은 2001년 1월 20일에 대통령에 취임했으나 오늘날 대부분의 한국인들과 미국의 한미 관계 전문가들은 한국 반미주의의 급증을 조지 W. 부시와 연관시킨다. 그들은 부시가 클린턴과는 달리 한국인들에게 인기가 없었으며, 2002년 두 여중생의 사망 사건과 그로 인한 대규모 시위가 벌어졌다는 이유로 그렇게 주장한다. 부시 대통령의 정책과 스타일은 분명 반미 감정의 지속에 일정 역할을 했지만 한국의 반미주의는 그가 대통령이 되기 전부터 이미 급증하고 있었다. 다음의 사례들이 이를 입증한다.

촉매
노근리 학살 돌아보기

1999년 늦여름, 다시 주한 미 대사관에서 일하기 위해 서울로 돌아왔다. 첫 서울 근무는 15년 전에 끝났다. 1982~1984년 동안 대사관에서 미국에 가장 비판적인 남한의 대학생과 노동 운동가, 기독교 운동가, 그리고 김대중과 김영삼의 측근들을 포함한 운동권 '반체제 인사'들과 연락하면서 그들의 관점을 워싱턴에 보고했던 나는 당시 좀 지친 상태에서 한국을 떠났었다. 전두환 대통령은 자신의 체제에 비판적인 운동가들을 괴롭히고 억압했으며, 투옥하기도 했고, 고문도 자행했다. 운동권 단체들이 전두환 대통령과 반목한 것은 자연스러운 일이었다. 내가 일하면서 만난 거의 모든 한국인이 미국 정부를 탓했다. 보다 온건한 이들은 미국이 남한의 인권 및 정치 문제들을 해결하기 위해 '조용한 외교' 정책을 버리고 전두환 정권에 공개적으로 비판적인 입장을 취해줄 것을 요구했다. 급진적인 인사들은 (그들이 날 만나겠다고 할 때) 전두환을 적극적으로 지지하고 있다며 격분에 차 미국을 비난했다. 처음에는 운동권 단체들의 다양한 주장과 동기들을 이해하려고 했다. 그러나 2년 동안 고장 난 라디오 같은 소리를 듣고 나니, 나는 다른 곳에서 다른 업무를 맡고 싶어졌다.

1999년 서울로 돌아왔을 때는 한국과 한미 관계, 그리고 나 자신에 대해 기분이 매우 좋았다. 내가 떠나 있는 동안, 한국은 정치적으로나 경제적으로나 좋은 쪽으로 많이 바뀌어 있었다. 1987년 한국의 신진 중산층은 (내가 80년대 초반에 다루고 있던 운동권 단체들에 가세하여) 거리로 뛰어나와 시위를 펼치며 민주주의를 요구했다. 나는 물론이고 한국인들도 대개가 놀랐지만 전두환은 민주주의적 대통령 선거를 비롯한 다른 개혁안에 동의했다. 그는 시위의 규모와 강도, 그리고 다양한 사회 계층들이 시위에 참여했다는 사실에 위협을 느낀 것처럼 보였다. 다른 무엇보다 그는 대중의 근본적인 정치 개혁의 요구를 수용하지 못할 경우, 자신이 유치하기 위해 갖은 노력을 다했던 1988년 올림픽이 제대로 치러지지 않을 것을 우려했던 것 같다. 미국 정부는 전두환에게 올바른 선택을 하라고 촉구했다. 이듬해 대선에서 전두환의 동료인 노태우가 당선되기는 했지만 야당 지도자였던 김영삼이 1992년 대통령직에 올랐으며, 다른 야당 지도자였던 김대중이 1998년 그의 뒤를 이어 대통령이 됐다. 불행히도 김대중이 당선되기 직전 아시아 금융위기가 한국을 강타했다. 금융위기는 막대한 경제적·사회적 피해를 입혔으나 1999년 여름 즈음 한국은 완전한 회복을 향해 순항하고 있었다. 금융위기의 여파에도 불구하고 1999년의 평균적인 한국인은 내가 한국을 떠났던 1984년보다 경제적으로 훨씬 나았다.

한미 관계는 언제나 격렬하고 때로는 매우 힘든 시기를 겪기도 했지만 1999년 당시 한미 동맹은 상대적으로 괜찮은 상황이었다. 한국의 보수파들이 줄곧 '공산주의자'라고 불렀던 김대중 대통령은 아시아 금융위기를 헤쳐 나가기 위해 IMF의 경제 자유화 요구를 수락했으며, 한국은 곧 다른 국가들에 비해 더 큰 회복세를 보였다. 김대중과 그의 새로운 정부는 클린턴 행정부와도 훌륭한 관계를 유지했다. 한국 언론은 과거에 그랬던 것처럼 미국에 집중하지 않았다. (언론이 어느 나라에 집중하고 있다면 이는 대개 좋지 않은 일이다. 언론은 좋은 소식보다 나쁜 소식을 보도하기 마련이기 때문이다.) 미국 정부가 내부용으로 의뢰한 것을 포함한 여론조사 결과 미국과 한미 동맹에 대한 대중 여론은 거의 역대 최고로 좋았다. 민주화 직후인 1988~1989년의 반미 감정 증폭 이후 그 어느 때보다도 좋은 여론이었다. 게다가 한국의 좌익 급진주의는 10년 전 한반도 안팎에서 일어난 사건들로 인해 크게 정당성을 잃었다. 1989년 베를린 장벽이 무너졌고 1990년 독일이 통일됐다. 1991년에는 소련이 (전 세계적 영향력을 가진 이념으로서의 공산주의와 함께) 붕괴됐다. 1990년대 중반 북한의 지도자 김일성이 사망했고, 북한은 재앙에 가까운 기근을 겪었다. 이제는 급진적인 남한 대학생들조차도 과거 1980년대에 운동권이 주장하던 것처럼 남한은 자유와 식량 모두를 갖지 못한 반면, 북한 인민들은 자유는 없을지라도 식량만큼은 가지고 있다고 주장할 수 없게 됐다. 1990년 서울과 평양에서 이루어진 일련의 남북 총리급 회담은 남한 사람들에게 북한의 경제가 얼마나 참혹한 수준에 있는지 보여주었다.

서울에서 내가 맡은 새로운 직책은 대사관의 정치과 과장이었다. 내가 서울에 도착했을 때 주한 미 대사관은 경험이 풍부하고 뛰어난 직업 외교관인 스티븐 W. 보즈워스가 이끌고 있었다. 그는 내가 지금껏 같이 일해본 사람들 중 가장 사리분별이 뛰어나고 품위 있었다. 대사관 서열 2위는 리처드 A. '딕' 크리스텐슨 부공관장으로, 미 국무부의 한국통이자 나의 오랜 친구이기도 했다. 근면성실하고 뛰어난 능력을 갖춘 직원들과 함께 우리는 외교 및 안보 문제를 외교부나 주한 미군과 협력하고 한국 정치를 보고했다. 나의 관사는 정동에 있는 대사관저 옆이었다. 역사적으로도 유서 깊고 매력적인 정동은 젊은 연인들이 산책하는 곳으로도 유명했다. '정무 공사참사관'

으로서 나는 한국에서 중요하고 흥미로운 인물들을 만나리라 기대했다. 내가 떠나 있는 동안 정치적으로나 경제적으로나 매우 발전했으며 반미주의가 거의 과거의 유물이 되어버린 서울에서 보낼 3년이 생산적이며 기분 좋은 것이 되리라 기대했다. 당시 내가 얼마나 착각하고 있는지 모르고 있었다.

서울에 도착하고서 가장 먼저 한 일들 중에 하나는 주한 미군 지휘부에 나를 소개하는 것이었다. 당시 예상하지 못했지만, 한미 동맹의 (대부분 주한 미군과 관련된) '군사-정치적' 이슈들을 다루는 것이 향후 3년간 내 시간의 대부분을 차지할 것이었다. 주한 미군 장교들은 1950년 6월 25일 북한의 남침으로 시작된 한국전쟁 50주년 계획을 나한테 브리핑했다. 주한 미군과 국방부는 그들이 강조했듯 한국전쟁 50주년을 '축하'가 아닌 '기념'하기 위해 한국과 미국 양쪽의 행사를 상세하게 계획했다. 한미 관계가 그만큼 좋았으므로 우리는 기념행사가 꽤 긍정적일 것으로 기대했다. 불운하게도 한국전쟁의 동맹 협력을 기념하는 행사는 한국전쟁 3년 중 초반에 일어난 비극적 사건으로 무색해져버렸다.

노근리 사건의 보도

9월 말, 대사관의 언론 담당관이 대사관 간부들에게 미국의 통신사인 AP가 한국전쟁 초기에 미군들이 한국 민간인들을 학살했다고 주장하는 내용의 탐사 보도 기사를 곧 내보낼 것이라고 알려왔다. 한국전쟁 당시부터 미군 병사들과 항공기가 많은 남한 민간인을 죽였다는 것은 잘 알려져 있었다. 그런 사건들은 대부분 사고였다. 오인으로 인한 아군 공격은 한국전쟁 내내 골칫거리였다. 특히 절망적인 상황이었던 전쟁 초반에는 오인 사격이 심했다.[1] 그러나 때로는 미군이 의도적으로 공격한 경우도 있었다. 다가오는 피난민 행렬에 북한군이 침투해 있거나 북한군이 위장한 것이라고 본 것이었다. 또한 남한 당국도 북한군과 내통하는 것으로 의심됐던 남한 사람들을 학살한 사실이 언론 보도와 학술 연구를 통해 널리 알려져 있었다.

　나는 그때까지 한국전쟁에서 미군 병사들이 남한 민간인들을 노골적으로 학살하는 일에 가담한 경우를 들어본 적이 전혀 없었다. 내 세대와 그 윗세대의 미국인들은 미군 병사들이 연관된 학살이라고 하면 즉각 베트남 전쟁에서 발생했던 미라이 학살을 떠올린다. 1968년 남베트남 미라이 지역에서 미군 장교와 병사들은 계획된 작전 아래 의도적으로 수백 명의 민간인을 살육했다. 이 사건이 밝혀지자 당연히 미국뿐만 아니라 세계적으로 큰 반향을 일으켰다. 스무 명 이상의 미군이 연루됐지만 단 한 명, 윌리엄 캘리 중위만이 학살로 형사처벌을 받았다. 나는 미국인들이 이를 야만적 행위라고 맹렬히 비난했던 것을 기억한다. 그러나 한편으로는 훨씬 더 많은 미국인이 베트남 전쟁과 같은 게릴라전에서 벌어진 일로 미군 장병들을 투옥하고 재판하는 것에 본능적으로 분노하며 반대했던 것 또한 생생하게 기억한다. 그로 인해 미국 사회에서 엄청난 반발이 있었다. 심지어 당시 조지아 주지사였던 지미 카터와 같은 진보적 인사조차도 캘리 중위의 유죄판결을 비난했다. 때문에 곧 발행될 AP 기사에 대한 소식을 서울의 대사관에서 들었을 때 우리는 불길한 예감에 사로잡혔다.

9월 29일, AP는 기사를 발행했다.[2] 3,475단어에 달하는 긴 이야기는 충격적이었고, 극적이었으며, 눈을 뗄 수가 없었다. 비록 기사에서도 "당시 벌어진 일은 50여 년이 지난 지금 완전하게 재구성될 수 없었다"고 인지하고 있었지만, 1950년 7월 26일에서 29일 사이, 한국전쟁 초반의 절망적인 상황에서 경험이 부족했던 미군 병사들이 궁지에 몰린 남한 민간인들에게 총격을 가했음을 시사했다. 이들은 북한군의 진격을 피해 노근리 마을 근처의 철교 주변으로 모여든 피난민들이었다.[3] AP의 기사는 한국인 목격자의 보고에 의하면, 미국의 전투기가 철교 위에서 기총 사격을 가해 한국인 100명을 죽였고 피난민들이 철교 밑의 배수로로 피신하자 미군 병사들이 이들 300여 명을 사살했다고 기술하고 있다. "피난민은 어떠한 경우에도 전선을 넘도록 허용되지 않는다"는 지시를 비롯한 피난민 통제에 대한 미국의 명령들이 노근리 살해의 원인이 됐을 수 있다고 기사는 시사한다. AP의 기사는 이 사건을 '학살'이라고 표현하지 않았다. 대신 '집단 살해'라는 단어를 썼다. 그러나 기사는 이렇게 언급했다. "이 사건(몇몇 생존자들이 주장한 것과 같은 400여 명의 살해)은 노근리 사건을 20세기에 벌어진 대규모 전쟁들 중 미군 지상군이 비전투원을 대규모로 살해한, 지금까지 알려진 두 사례 중 하나로 만들 것이라고 군법 전문가들은 말한다. 다른 하나는 1968년 베트남에서 발생하여 베트남 국민 500명 이상이 사망한 것으로 추정되는 미라이 학살이다."

AP의 기사는 50년 전에 발생한 사건을 재구성하는 데 따르는 어려움을 특기했을 뿐만 아니라 한국인과 미국인의 엇갈리는 진술도 보도했다. 심지어 사건의 여러 측면에 대한 한국인들끼리의 진술과 미국인들끼리의 진술도 서로 들어맞지 않았다. 사실 AP의 기사는 많은 의문에 답을 제공하기도 했지만 많은 의문에 답을 찾지 못한 채 그대로 남겨두기도 했다. 미군 측이 공격을 받은 적이 있었는지, 혹은 미군의 지시에 따라 총격을 가한 것인지, 아니면 공황과 혼동 속에서 총격을 가한 것인지, 살해당한 사람의 수나 최대 400구로 추정되는 그 시신이 어떻게 됐는지 등 의문이 여전히 미결로 남아 있었다. 어쨌든 AP의 기사는 적어도 몇몇 미군이 노근리에서 다수의 무고한 피난민을 살해했을 가능성이 매우 높아 보이게 만들었고, 기사에서 인용한 증언들과 기사의 어조가 이것이 학살이라고 암시하고 있었다. 한 미군 병사에 따르면 한 미군 장교가 이렇게 말했다고 한다. "이 인간들에게 진절머리가 난다. 다 없애버리자." 한 미군 기관총 사수는 "우린 그들을 몰살시켰다"라고 말한 것으로 보도됐다. 당시 기관총 사수였던 에드워드 L. 데일리는 AP에게 "바람이 부는 여름날 밤이면 나는 어린 아이들이 울부짖는 소리를 여전히 듣는다"는, 기사에 인용된 미국인들의 증언 중 가장 가슴 뭉클한 말을 했다. 그러나 노근리 사건의 진실은 AP의 기사가 제시한 것보다 훨씬 복잡하고 혼란스러운 것이다. 나중에 데일리는 결코 노근리에 있은 적이 없었다는 사실이 밝혀졌기 때문이다.

생존자 중 일부는 40여 년간 당국으로부터 사건의 피해자로서 인정을 받기 위해 노력했지만 계속 무시당하거나 거부당했다는 사실이 이 기사를 더욱 가슴 저미게 했다. 노근리에서 어린 아들과 딸을 잃고 부인이 심각한 부상을 입었던 전직 경찰관 정은용 씨는 유족들 중 그 누구보다도 적극적이고 오랫동안 이 사건의 진상을 밝히는 데 활동했다. 정씨는 자신의 가족에게 무슨 일이 일어났는지 알게 되자 "이제 내 인생에서 행복한 날은 다시 오지 않으리라는 걸 알았다"고 말했다.[4] 남한에 상대적으로 좀 더 민주주의적인 통치가 이루어지고 있던 1960년, 그를 비롯한 노근리 사건 유족 몇몇은 미국 정부가 전쟁 피해에 대한 신고를 받고 있다는 걸 알았으나 신고 기한을 놓쳤다.[5] 1998년 한국 정부는 5년의 공소시효가 이미 지났다는 이유로 노근리 유족들의 청원을 거부했다. 정씨는 1990년대 초 노근리 사건의 실체를 다룬 책을 출간하려고 했으나 출판사에서 논란의 소지가 크다고 만류했다고 말했다. 그는 대신 노근리 사건을 기반으로 한 소설을 쓰기로 결심했고, 이 소설은 『그대, 우리의 아픔을 아는가』라는 제목으로 1994년 출간됐다.[6]

AP의 기사 첫머리와 마찬가지로, 노근리 사건은 "누구도 듣고 싶어 하지 않았던 이야기였다…."[7] 그러나 노근리 사건은 결코 비밀이 아니었다. 『뉴욕타임스』는 1950년 9월, 이미 보도를 했었다.

전쟁 초기, 민간인의 옷을 입은 북한군의 침투는 유엔군 전선 후방에서 상당한 피해를 입혔다. 북한군의 침투에 대한 공포로 수백 명의 남한 민간인이 남녀를 불문하고 미군과 남한 경찰에 의해 살육당했다. 한 미군 고위급 장교는 한 미군 연대에 의해 지난 7월 발생한 대량 민간인 총격 사건을 "당혹스럽다"고 비난했다.[8]

1960년대부터 1980년대까지 한국 군부의 권위주의 통치기에, 한국 정부의 초점은 반공주의와 북한에 쏠려 있었다. 대부분의 남한 보수주의자들은 노근리와 같은 사건들의 발표에 공감하지 않았다. 이들은 한국전쟁 당시 북한군이 저지른 만행들에 관심을 쏟았다. 특히 이 전쟁이 북한의 남침으로 시작됐기 때문이다. 게다가 한국전쟁 전과 당시에 남한 당국은 자국 국민 수천 명을 희생시킨, 노근리보다 더 심각한 사건들에 연루됐었다. 남한의 계속되는 진보-보수 갈등은 이러한 역사 문제를 계속 논란의 여지가 크도록 만들었다. 1990년대 미군 관계자들도 자군 군인들에 대한 충격적인 고발을 조사할 이유가 별로 없었을 것이다. 특히 이미 수십 년이 지난 혐의라면 더욱 그럴 것이다.

과거 야권 지도자이자 민주화 운동가였던 김영삼이 1993년 대통령이 되자, 정은용 씨는 보다 긍정적인 반응을 기대하며 진상 규명에 더 많은 노력을 기울였다고 한다. 그러나 김영삼은 과거의 군사 독재자들과 연합하여 대통령이 됐고, 그 자신이 반공주의자였다. 그의 정권 아래서 나라의 분위기는 골치 아픈 과거의 일을 들추는 것에 비우호적이었다. 그럼에도 불구하고 정은용 씨는 1994년 서울의 미대사관에 탄원서를 제출했다. 그리고 얼마 지나지 않아 『한겨레』에서 노근리에 대한 기사를 실었다. 『한겨레』는 "명색이 주권국가인 이 땅 위에서 벌어진 (노근리) 양민학살사건의 진상을 밝혀내는 것이 과연 이들(노근리 유족들)만의 몫일까"라고 구슬프게 썼다.[9] 다른 한국 신문들도 노근리 사건 생존자들의 진상 규명 노력에 대해 짧은 기사들을 냈다. 그러나 심지어 5년이라는 시간이 지나 진보 성향의 김대중 대통령 정부가 들어선 이후에도, 남한에서 발생했던 이 사건을 조사하는 데에는 AP라는 미국의 언론사가 필요했다.

조사

노근리 사건에 대한 AP의 기사는 남한과 미국 양쪽에서 톱뉴스가 됐고 즉각 영향을 끼쳤다. 보도 내용에 대한 미군 당국의 초기 반응은 과거 유족과 후원자들이 제기했던 질의에 응답을 반복하는 것이었다. "미합중국 육군 군사사센터는 과거의 기록을 검토했으나 미합중국 육군의 군인들이 노근리에서 남한 민간인들의 학살을 자행했다는 주장을 입증할 수 있는 정보를 찾지 못했다." AP의 기사가 나간 다음 날『뉴욕타임스』에 미 육군 대변인 에드 베가 대령이 한 말이다.[10]

다행스럽게도 미국의 정치 지도자들은 그처럼 격앙된 주장에는 대응을 해야 한다는 걸 즉각 깨달았다. AP의 보도가 나온 바로 다음날, 윌리엄 S. 코언 국방장관은 육군장관 루이스 칼데라에게 해당 사안을 조사하라고 지시하면서 "이를 최대한 철저하고 빠르게 완료하기 위해 필요한 어떠한 자원이든 투입"하라고 말했다.[11] 클린턴 대통령은 국방장관의 행동에 지지를 표명했으며, "사건의 바닥까지 파헤쳐야 할" 필요성을 강조했다. 칼데라는 기자들에게 펜타곤의 조사는 기록보관소 자료에 대한 역사적 연구부터 관련자들 인터뷰까지 대규모로 진행될 것이라고 밝혔다. 그는 이 조사가 최소 1년이 걸릴 것이라고 추정했다. 같은 날 남한 정부 또한 자체적으로 조사를 실시하겠다고 발표했다.[12]

처음에 한국 정부는 미국과 '공동'으로 조사하겠다고 주장했다. 미국은 현명하게도 한국 정부의 요청을 거절했다. 대신 두 나라는 조사 과정에서 '협력'할 것이라고 강조했다. 양측은 서로 다른 문화와 관점을 갖고 있으며 정치적인 감수성도 다르기 때문에 두 정부가 조사 결과를 동일한 언어로 정리할 수 없으리라는 건 불가피했다. 오히려 그렇게 했다간 더 큰 문제를 불러일으킬 수 있었다. 한국 정부는 조사를 공동으로 진행하도록 미국 정부에게 강요할 수 없었고, 결국 두 정부는 각자 조사를 실시했다. 그러나 이 복잡하고 미묘한 조사의 특성상 어느 정도의 긴장과 불화가 따랐음에도 불구하고 양측은 서로의 조사에 많은 지원을 아끼지 않았다.

노근리 사건에 갑작스레 쏠린 관심은, 한국전쟁 당시 미군에 의해 남한 민간인들이 사망했다고 주장하는 사건들의 피해자들이 사건에 대한 인정과 보상을 요구하게 만들었다. 이러한 사건의 대부분은 한국전쟁 초기의 몇 개월 동안 피난민 집단에 대한 미군 비행기의 기총 사격과 관련되어 있다. 당시는 전선이 고착되고 피난민의 이동이 가라앉기 전이었다.[13] 당시 국무부 동아시아태평양담당 차관보였던 스탠리 로스가 처음에 그러한 고발들에 대해 미 정부가 조사를 고려할 것이라고 말했지만 미국 정부의 관심은 노근리 문제를 해결하는 데 집중되어 있었고, 민간인 살해와 관련된 다른 사건들을 조사하고 해결하는 데에는 의욕이 없었다는 게 간접적으로 분명하게 느껴졌다.[14]

노근리 문제를 다루는 것이 이후 3년 동안 내가 하는 일의 상당한 부분을 차지했다. 미 육군의 감찰감이었던 마이클 애커맨 중장이 미국의 조사단장으로 임명됐고, 그는 10월 말 이를 위해 처음으로 한국을 방문했다. 애커맨과 그의 팀은 10월 29일 서울에서 한국 국방부 관계자들을 만났다. 한국 측은 조사 결과를 최대한 조기에 발표할 것을 요구했고, 미국의 참전용사들을 직접 면담하기를 주장했다. 미국 측은 조사를 마무리 짓는 데 특정한 시한을 정하고 싶어 하지 않았다. 조사가 실질적으로 언제 끝날 것인지 알 수 없기도 했고 예정된 시한을 맞추지 못하면 또 다른 논란만 불러일으킬 것이기 때문이었다. 미국 측은 미국 관계자들만이 이제 노쇠한 미군 참전용사들을 인터뷰할 수 있다는 입장을 확고하게 밝혔다. 결국 양측은 서로의 역사 기록을 교환하고 상대방 국가의 국민에게 물어볼 질문지를 서로 제공하기로 합의했다. 또한 2000년 중반까지 조사를 완료하기로 합의했다.

같은 날, 애커맨과 그의 팀은 헬리콥터를 타고 노근리 마을 근처의 충북 영동군청으로 향했다. 노근리 사건의 생존자와 유족들을 만나기 위해서였다. 나는 애커맨에게 한국의 노근리에 대한 태도와 미국에 대한 일반적인 태도를 브리핑한 후 그와 함께 헬리콥터를 탔다. 노근리 사람들을 아직 만나보지 못했던 나로서는 그저 그들의 분위기를 짐작만 할 뿐이었다. 나는 애커맨에게 일부 여성들은 한국의 전통적인 방식으로 통곡하면서 고통을 호소할 수도 있다고 말했다. 어쨌든 애커맨은 자신의 이번 첫 방문의 주된 목적이 피해자들의 이야기를 직접 들어보고 사건이 발생한 지역을 똑똑히 살펴보는 것이라고 했다. 후자는 그의 전문가 팀이 증인의 증언과 기록물의 증거를 지리적 맥락에 맞추어보는 데 도움을 줄 것이었다.

노근리 사건의 피해자들은 침착하고 정중했다. 심지어 애커맨의 방문에 사의를 표하기도 했다. 사각형의 커다란 탁자 주변에 앉아 그들은 하나씩 자신 또는 자신의 가족이 노근리에서 어떠한 고통을 겪었으며 그들이 미국에 바라는 점이 무엇인지 설명했다. 무엇보다도 그들은 미국이 잘못을 저질렀다는 걸 인정하기 바란다고 말했다. 그들은 금전적 보상이 주된 목적이 아님을 강조했다. 모든 이야기가 비극적이었고 가슴 아팠다. 미국인으로서, 그리고 미국 정부 관계자로서 피해자들이 자신의 슬픈 이야기들을 회상하며 말하는 것을 듣는 것은 고통스러운 일이었다. 나중에 정은용 씨는 기자들에게 이렇게 말했다. "애커맨 씨는 철저하며 투명한 조사를 약속했다. … 그 밖에는 별달리 말을 많이 하진 않았다. 그들은 그저 우리가 말하는 것을 한 시간 동안 들었고 그들은 진정성이 있어 보였다."[15] 나중에 우리는 영동군의 몇몇 주민들이 (여기에 노근리 사건 피해자들이나 다른 사람들이 포함되어 있었는지는 분명하지 않았다) 우리가 헬리콥터를 타고 등장한 것이 무례하고 사리에 맞지 않으며, 배려 없는 행위라고 생각했다고 들었다.

펜타곤으로 돌아가면서 애커맨은 노근리 사건을 조사하기 위해 대규모로 팀을 만들었다. 우선 역사적 기록을 연구할 계획이었다. 이 연구 결과에 따라 팀원들은 사건에 관련됐거나 사건을 알고 있을 만한 사람들을 확인하고 면담할 것이다. 결과적으로 미국 팀은 100만 건 이상의 문서를 검토하고, 171명의 미국 참전용사를 인터뷰했다. 이는 매우 큰 규모로, 일부 한국인들은 미국이 철저한 조사를 빌미로 조사 결과의 발표를 늦추려고 한다고 비난하기도 했다.[16]

2000년 중순이 다가오자 조사를 이때까지 마치겠다는 최초의 목표(미국 측은 첫 회의에서 한국 국방부 측의 요구에 마지못해 합의했으며 한국 측은 이 합의 사항을 즉각 언론에 흘렸다)가 현실적이지 않다는 것이 뚜렷해졌다. 물론 한국 언론은 조사에 더 많은 시간이 필요하다는 걸 알게 되자 매우 비판적이 됐고 조사 지연에 대해 미국을 비난했다.

몇몇 한국 언론이 추측한 것처럼, 만일 미국의 전략이 조사를 질질 끌어 한국 국민의 분노가 식게끔 만드는 것이었다면 전략은 그리 효과적이지 않았다. 한국인들은 '지연'에 분노했고, 언론은 꾸준히 진행 중인 조사에 대해 면밀히 보도하여 미국이 '진정성'을 결핍했다는 기색이 없는지, 그리고 한국 측과 이견이 없는지를 살폈다. 이는 오직 조사가 종결되어야만 끝날 것이었다.

분명 노근리 사건은 미국에서도 큰 뉴스였지만 남한에서는 엄청났다. 예를 들어 『뉴욕타임스』는 AP의 최초 보도부터 2001년 1월 11일 미국이 조사 결과를 발표하기까지 23건의 노근리 관련 기사를 냈다. 같은 기간에, 영어로 발행되는 신문이지만 한국에서 언론이 노근리를 어떻게 다루었는지 꽤 잘 대변했다고 보이는 『코리아타임스』는 80건 이상의 기사를 썼으며 한국의 TV 방송사들은 노근리 사건과 진행 중인 조사를 수시로 보도했다. 노근리 사건은 지식인들뿐만 아니라 일반 한국인들 사이에서도 통상적인 대화 주제였다. 노근리 문제는 그동안에는 늘, 적어도 배경에 남아 미국 특히 주한 미군에 대한 모든 것에 영향을 끼쳤다.

애커맨의 방문 이후에도 그의 팀과 조사에 관련된 인사들의 한국 방문은 계속 이어졌다. 한국 측 담당자들과의 회의도 많았으며 노근리 현장 방문도 몇 차례 더 있었다. 나의 부하 직원들도 미국 정부의 조사를 지원하고 한국에서의 업무 공조를 위해 많은 시간을 할애했다. 나는 조사가 연구 단계에 있는 동안에는 크게 관여하지 않았다. 그러나 조사가 2000년 말 막바지를 향해 나아가자 내가 관여할 일도 많아졌다. 미국은 결코 공동 조사에 동의하지 않았으나 연구 결과에 대해 한국 측과 협력하여 공동성명을 준비하고 발표하기로 합의했다. 이는 상당한 공식 협상을 필요로 했다.

2000년 12월, 나는 서울에서 미 국방부 관계자들과 한국 국방부 관계자들과의 긴 최종 회담에 참여했다.[17] 미국 측의 협상 책임자였던 미 육군부 병력 및 예비군담당 차관보 패트릭 T. 헨리는 신경이 날카로운 상태였다. 비록 그가 그렇게 말하지는 않았지만 나는 그가 신뢰할 수 있는 조사 결과를 발표하면서도 미국 국민의 여론을 배려한 언어를 사용해야 할 필요를 느꼈다고 여겼다. 회담은 한국어와 영어 모두가 사용됐다. 최고의 통역가들이 나왔음에도 불구하고 매우 다른 이 두 언어 사이에는 간단한 의사소통조차 복잡해질 수 있었다. 그리고 회담의 복잡성 때문에 많은 언어적 오해가 있었다. 미국의 협상 책임자 옆에 앉은 나는 부족한 내 한국어 실력에도 불구하고 몇몇 오해를 바로잡고 (더 중요하게는) 미국 팀으로 하여금 한국 측 또한 선의를 갖고 움직이고 있다는 점을 확신시킬 수 있었다. 미국의 협상 팀은 워싱턴으로 돌아가 결과를 전달했으며, 회담의 마지막 라운드는 공동성명의 언어를 결정하기 위해 한국 측 담당자들이 워싱턴을 방문하여 치렀다.[18] 미국의 협상 팀은 대통령의 승인을 위해 그 결과를 대통령에게 가져가 발표했다.

조사 결과의 발표

2001년 1월 11일, 클린턴 행정부의 임기가 끝나기 9일 전에 조사의 결과물이 워싱턴에서 공개됐다. 대통령의 성명 발표와 육군의 조사 결과에 대한 보고서, 그리고 한국과 미국이 공동으로 준비한 '상호이해성명'이 있었다. 코언 국방장관은 해당 사항의 공개를 발표하고 자신의 성명을 발표하기 위해 기자회견을 열었다. 조사를 이끈 미국 측 담당자들 또한 기자들의 질문에 답했다.[19] 한편, 서울에서 남한 정부는 자체적인 조사 결과를 발표했다.[20]

「대통령 성명서」에서 클린턴은 이렇게 말했다. "미합중국을 대신하여 저는 1950년 7월 말 노근리에서 목숨을 잃은 한국의 민간인들에게 애도를 표합니다. … 노근리에서 사랑했던 이들을 잃은 한국인들에게 제 조의를 바칩니다." 한국전쟁에서 살해당한 모든 민간인을 위한 추모비를 건립한다는 미국의 의도를 언급하면서 그는 추모비가 "어느 정도의 위로와 종결을 가져올 것"을 희망한다고 말했다. 그는 "그들의 기억에 대한 살아 있는 추도"의 뜻으로 미국이 사건을 추모하는 장학기금을 설립할 것이라고 덧붙였다.[21]

미국 측 조사 보고서의 결론은 미국 정부가 발견한 것들만 제공하지 않았다. 이 사건이 왜 일어났는지와 그 중요성에 대한 미국의 공식적인 견해를 포함하고 있었다. 여기에 그 전문을 소개한다.

1950년 7월 말, 한국의 민간인들은 후퇴하고 있는 미군 전력과 진격하고 있는 적군 사이에 갇혔다. 1950년 7월의 마지막 주에 벌어진 미국의 행위로 인해 한국의 민간인들이 노근리 근처에서 살해되고 부상을 입었다. 미국의 조사단은 **한국인들의 사망과 부상이 한국 측의 증언 그대로 발생했다는 것을 발견하지 못했다**(강조는 추가). 이 사건들을 평가하기 위해서는 당시 정황을 상기할 필요가 있다. 일본 점령군으로 복무하고 있던, 실전을 위한 훈련이나 실전 경험이 대부분 없었던 미군 전력은 갑작스레 북한 인민군의 공격에 맞서 싸우기 위해 대한민국군에 합류하라는 명령을 받았다. 인민군은 충분한 훈련을 받고 무장을 갖춘 상태였으며 재래식 전술과 게릴라전 전술을 모두 구사하고 있었다. 미군은 계속 현 위치를 이탈하여 피해야 했다. 1950년 6월 25일부터 제1기병사단은 영동에서 낙동강 쪽으로 후퇴하면서 노근리 근처를 지났다. 당시 남한의 도로와 산길은 남쪽으로 피신하는 민간인들로 꽉 막혀 있었다. 위장한 인민군 군인들은 이 피난민들 속에 섞여 들었다. 미국과 대한민국의 지휘관들은 피난민 속에 침투한 인민군의 위협을 제한하고 미군 전력을 후방에서의 공격으로부터 보호하며 민간인들이 보급물자와 병력의 움직임에 방해가 되는 것을 막기 위한 방침을 발표했다. 대한민국 경찰은 무고한 피난민들의 움직임을 통제하고 엄격하게 제한하도록 되어 있었다. 이러한 상황에서 특히 많은 미국 군인이 실전 경험이 있는 장교와 부사관을 두고 있지 못했다는 사실을 고려할 때, 몇몇 군인들은 어쩌면 자신들이 한국 민간인들을 향해 발포하고 있을지도 모른다는 가능성을 고려하지 않고 공포감에 사로잡혀 적의 위협이라고 여기고 발포했을 수 있다. 미국 조사단이 검토한 기록상의 증거나 미국 참전용사의 증언 중 어느 것도 미군이 고의적으로 한국 민간인을 살해했다는 가설을 입증하지 못했다. 1950년 7월 말 노근리 근처의 민간인들에게 닥친 것은 준비가 되어 있지 않았던 한국군과 미군에게 닥친 전쟁으로 인해 발생한 비극적이고 지극히 유감스러운 부산물이었다.[22]

이와는 대조적으로, 한미 두 정부의 최소한의 공통적인 이해를 반영하는 '상호이해성명'은 다음과 같이 단순하게 결론을 지었다.

절박한 한국전쟁 초기의 수세적인 전투 상황에서 강요에 의해 철수 중이던 미군은 1950년 7월 마지막 주 노근리 주변에서 파악되지 않은 수의 피난민을 살상하거나 부상을 입혔다. 이 사건을 조사함에 있어 성실하고 양심적인 양국 상호 간의 노력은 장기간 지속되어온 한미 동맹의 관계 유지에 크게 기여하고 있다. 한·미 양국 조사반은 피해자들의 오랜 기간의 아픔과 미 참전 장병의 희생을 고려하면서, 한국전쟁 기간 중 발생한 노근리 사건에 대한 조사가 한·미 동맹 정신을 바탕으로 보다 공고한 공조 체제 유지에 기여할 뿐만 아니라, 인권을 중시하고 민주주의의 가치를 실현하기 위해 노력하는 양국 공동 협력의 표본이 될 것으로 믿는다.[23]

상호이해성명의 결론이 간략하다는 사실과 피해자들의 '아픔'과 '인권 중시'에 대한 언급은 두 정부의 조사 결과와 초점들이 각기 다르다는 것을 반영했다. 미국 조사보고서의 결론은 미국 측 조사단이 한국의 조사단에 완전히 동의하지 않음을 보여준다. 이는 한국의 고위 관계자들도 공개적으로 거론한 사실인데 특히 다음의 세 가지 점에서 그러했다.[24]

- 한국 조사단은 피난민을 사격한 것이 병사들이 받은 공식적인 명령에 의한 것이라고 했으나 미국은 이에 이의를 제기했으며 살해가 '고의적'이 아니었음을 단호하게 주장했다.
- 미국 조사단은 노근리에서 살해되거나 부상을 입은 사람들의 수에 대해 추정치를 제공하지 않고 단지 '숫자 미상'이라고만 언급한 반면 (이후 미국 관계자들은 종종 피해자의 수에 대해 '상당한 숫자'라고

표현하기는 했다), 한국 측은 최소 248명이 살해됐다고 추정했다.[25]

- 미국 항공기가 자신들에게 기총 사격을 가했다는 피해자들의 주장에 대해 미국은 한국에 비해 훨씬 회의적이었다.

노근리 피해자 유족들은 미국의 결론을 거부했다. 한국 언론의 반응은 비판적이기는 했으나 매우 심한 것은 아니었다. 『한겨레』는 사설에서 미국의 성명은 미국의 과거 입장에서 어느 정도 진전을 보였다고 평가했으나 미국 정부가 법적 파장을 우려하여 피해자들의 증언을 더 받아들이지 않은 것에는 유감을 표했다. 사설은 한국 정부가 피해자들에게 보상할 것을 요청했다.[26] 또한 『경향신문』은 피해자 유족들의 지금까지의 노력이 무위가 되지 않도록 미국이 보상해야 한다고 썼다.[27] 『문화일보』는 클린턴 대통령의 깊은 유감 표명이 '공식적인 사과에 준한다'고 받아들였으나 미국이 노근리 피해자들뿐만 아니라 한국전쟁 중 미군이 한국 양민들을 살해한 다른 사례들에도 보상해야 한다고 덧붙였다.[28] 『동아일보』는 가장 비판적이었다. 클린턴 대통령의 성명은 성의 있는 자세라고 평했으나 미국의 조사 결과와 제안한 조치는 미흡하다고 비판했다.[29] 대부분의 한국인들은 비록 완전히 만족하지 못했지만 미국 정부가 노근리 사건을 이처럼 진지하게 다루었다는 데에 놀랐을 것이다.

그럼에도 불구하고 한미 두 정부 각각의 보고서와 상호이해성명은 한미 동맹에 미치는 피해를 최소화하면서 노근리 사건에서 제기된 문제들을 해결하는 데 공동으로 노력하여 성공했다. 클린턴 대통령은 '사과'라는 단어를 쓰지 않았으나 유감을 표명했고, 미국은 자국 군인들이 무고한 민간인들을 살해했음을 인정했다. 미국은 또한

400만 달러의 예산을 책정하여 노근리에 추모비를 건립하고 추모 장학기금을 조성하겠다고 밝혔다.

김대중 정부로서는 미국으로부터 자국의 민심을 누그러뜨리는 데 필요한 최소한을 얻었다. 김대중 정부는 한미 동맹에 과도한 피해가 가는 것을 원치 않았을 것이다. 특히 곧 들어설 조지 W. 부시 행정부로부터 북한에 대한 포용 정책의 지지를 얻기 위해 준비를 하고 있었기 때문이다. 미국으로서는 클린턴 행정부가 임기를 마치기 전에 한국전쟁에서 있었던 고통스러운 사건에 대한 책임을 받아들였으며, 미국 대중 특히 참전용사들의 큰 반발을 피하는 한편으로 적어도 부분적으로나마 한국의 우려를 해결해줌으로써 한미 동맹을 유지할 수 있었다. 이후 수년간 한미 양국 간의 중요한 의제 중 하나로 남기는 했지만 2001년 1월 11일 이후 노근리 사건은 한미 동맹에 위험한 잠재력을 갖지 않게 됐다.

추모 사업에 관한 협상

나는 이 과정에서 다른 임무도 부여받았다. 미국은 노근리 사건의 대책으로 추모비 설립과 장학기금 조성을 제시했는데, 이에 대한 세부 사항을 한국 정부와 협상하는 것이었다. 물론 워싱턴은 한국 정부의 지원 없이 이런 대책을 실시할 수 없었다. 국무총리실의 고위 공무원과 비공개 일대일 회의를 시작했다. 주로 미국 대사관 뒤에 있는 오래된 한국 전통음식점의 작은 별실에서 오찬을 겸해서 이루어졌다.

워싱턴에서는 내게 추모비와 장학기금이 노근리 사건의 유족뿐만 아니라 한국전쟁에서 사망한 모든 한국 민간인을 위한 것이어야 한다고 강조했다. 한국 정부는 추모비와 장학기금을 전반적으로 환영하는 입장이었으나 노근리 생존자들의 지지를 얻기 전까지는 미국의 계획을 받아들인 것처럼 보이길 꺼렸다. 한국 측 담당자는 노근리 단체와 꾸준히 연락을 유지하고 있었고, 내게 이런 조건에서는 추모비와 장학기금을 받아들이지 않을 것이라고 말했다. 자신들은 다른 사건의 피해자들을 대변하여 미국의 계획을 수용할 권한이 없다는 게 그들의 주장이었다. 그럼에도 불구하고 우리는 협상을 계속했고, 결국 계획의 세부 사항들을 합의했다. 나는 물론 매 협상의 결과를 워싱턴에 보고했다. 나중에 미국은 이에 따라 추모비의 위치를 정했고, 장학기금의 지원 대상을 모든 한국인으로 확대했다.

한국 정부는 미국의 추모사업 발표를 막으려들지는 않았다. 그러나 여전히 노근리 피해자들의 승낙 없이는 사업을 시행할 수 없다고 느꼈다. 미국은 두 개의 사업에 필요한 예산을 배정했고 추모비의 구체적인 청사진을 입찰에 부쳤으며 장학 사업의 세부 사항을 한국 대중에게 공개했다. 그러나 한국 정부의 협력 없이는 그 이상의 일을 추진할 수 없었다. 한 해 한 해가 지나고 수년이 지나고 나서 미국 정부는 의회에 사업 예산을 재승인해줄 것을 요청했다. 이는 미국의 국가 운영 체계에서 극히 드문 경우이고 성공하기 쉽지 않은 것이었다. 그러나 나는 (이후 2002년부터 2004년까지 워싱턴의 국무부에서 한국 담당과장으로 일할 때) 추모사업에 대한 예산을 유지하지 않는다면 미국으로서는 현명하지 못한 처사가 될 것이라고 주장했다.

결국 이 문제는 한국에서 다른 방식으로 해결됐다. 2004년 초 대한민국 국회는 '노근리 사건 희생자 심사 및 명예회복에 관한 특별법'을 통과시켰는데 한국 정부가 노근리에 추모공원을 설립하는 것으로 되어 있었다. 공원은 2011년 개장 예정이었다. 특별법은 노근리 피해자를 심사하고 인정하는 위원회를 만들고 피해자들에게 의료 혜택 등을 제공하도록 했다. 또 위원회는 자체적으로 노근리 사건에 대한 대규모 연구를 실시하여 보고서를 만들었다. 400페이지가 넘는 영문판을 포함하는 것이었다.[30]

노근리 피해자들은 사건에 대한 인정과 분명한 사과뿐만 아니라 보상도 요구했다. 비록 한국과 미국의 조사 보고서가 발표되기 전까지는 공개적으로 그런 측면의 노력에 대해 언급을 삼갔지만 적어도 피해자들 중 일부가 미국의 보상을 원하고 있다는 건 분명했다. 정은용 씨는 1960년에 미국 정부에 보상을 청구하려고 했으며 '보상'이라는 단어는 '인정'과 '사과'와 함께 생존자들의 요구 사항에 남아 있었다. 미국이 공식 조사 결과를 2001년에 발표하자마자 정은용 씨의 단체 대변인은 미국 정부에 대한 민사소송을 미국 법원에 제기할 것이라고 말했다.[31] 이 단체는 이전에 한국 정부가 미국 정부를 국제사법재판소에 회부해달라는 자신들의 요구를 긍정적으로 반응하지 않자 미국 변호사를 선임했었다. 법적 대응 계획은 아무런 성과를 내지 못했다.

나는 생존자들이 아무런 금전적 보상을 받지 못해 안타까웠지만 미국 정부는 조사 결과 미국 군인들이 노근리에서 고의적으로 민간인을 사살했음을 확인할 수 없었다고 단호하게 밝혔다. 이러한 상황에서 미국 정부가 보상을 제공할 리 없다는 건 분명했다. 보상을 할 경우 한국전쟁 개전 초기에 피해를 입었던 다른 한국인들도 미국의 보상을 요구하게끔 선례를 남길 수 있었다. 나는 미국 대중이 그러한 결정을 지지하지 않았으리라고 생각한다.

정은용 씨는 자신의 목표를 모두 이루지는 못 했지만 나는 그가 2014년 8월 1일 91세를 일기로 노근리에서 멀지 않은 자기 집에서 세상을 떠나기 전에 행복까지는 아니더라도 어느 정도의 명예회복을 느꼈기를 바란다. 노근리 피해자들은 미국으로부터 전면적인 '사과'를 받지는 못했다. 그러나 정씨의 노력으로 피해자들은 그가 요구했던 무고한 희생자로서의 '인정'은 분명히 받았다. 미국 대통령은 공개적으로 무고한 시민들(정씨의 어린 아들과 딸을 포함한)이 미국인들에 의해 노근리에서 살해당했음을 인정하고 유감을 표했으며, 결과적으로 한국 정부는 의료 지원과 그들의 명예를 위한 평화공원을 조성했다. 한국전쟁 이후 태어난 정씨의 둘째 아들은 노근리 피해자들을 대표하여 아버지의 일을 적극적으로 이어나갔다.[32]

'하나의 동맹, 두 개의 렌즈'

한국과 미국, 그리고 세계 곳곳의 언론에서 쏟아진 관심과 세세한 부분까지 다룬 여러 개의 공식 보고서와 서적들, 그리고 수백 건의 학술 및 법률 논문들에도 불구하고 오늘날까지 사람들은 다음과 같이 똑같은 질문을 던진다. 대체 노근리에서 정말로 무슨 일이 벌어진 것인가?[33] 이미 너무나 오랜 시간이 지났고, 인간의 기억은 불완전하며, 연관된 사람들의 관점과 이해관계가 각기 다르다는 점을 고려해볼 때 놀랄 일은 아니지만, 사실관계에 대해서는 꾸준히 이견이 제시되고 있으며 세부 사항에 이르기까지 합의가 이루어질 전망은 없어 보인다. 그러나 노근리 사건에 대한 사실관계들이 완벽한 동의에 이를 수 있다 하더라도 대부분의 한국인들과 미국인들이 그 중요성에 대한 해석에까지 완벽하게 동의하지는 못할 것이다. 신기욱의 연구가 기록하고 있듯이, 미국인과 한국의 보수, 진보는 각자 한미 동맹을 매우 다른 방식으로 바라보고 있다.[34]

노근리 사건에 대한 기사가 보도됐을 때, 한국의 진보는 이 사건이 한국인들로 하여금 "미국이 정말로 우리에게 무엇을 의미하는가"를 생각하게끔 한다고 논평하곤 했다. 이는 한국전쟁 이후부터 한국의 보수가 줄곧 주장해온 것과는 달리, 미국이 인심 좋고 강력한 동맹이 아니라는 그들의 느낌을 반영한 것이었다. 이러한 수사학적인 질문은 전두환이 1979~1980년에 정권을 잡았을 때 미국이 '민중'을 지지해주지 않는다고 느꼈던 진보의 실망감과 분노가 낳은 의심과 느낌, 확신을 반영하고 있었다. 진보파의 많은 이에게 노근리는 이러한 의심에 대해서뿐만 아니라 미국은 한반도에서 이기적이고 오만하며 심지어 인종주의적이기까지 한 존재라는 더 큰 내러티브에 대한 강력하고 극적인 증거였다.[35]

한국의 많은 주류 언론조차 주기적으로 노근리를 비롯한 한국전쟁 초기에 벌어진 미군의 피난민 살해 사례들을 '학살'이라고 표현했다. 『연합뉴스』는 AP의 노근리 사건 보도 직후 논평에서 한국인들은 그전까지 그러한 학살에 대해 논의하는 것을 금기시해왔다고 했다. 『연합뉴스』는 북한에서는 미국의 학살이 자유롭게 논의될 수 있다며 논평을 이어갔다. 그러고는 『연합뉴스』는 미국의 한국전쟁 당시 학살에 대한 북한의 가장 터무니없는 주장들을 약간의 주의와 함께 소개했다.[36] 『동아일보』도, 한미 동맹의 중요성을 특기하기는 했지만

소위 말하는 학살들을 언급하며 민간인 살해 혐의가 제기된 모든 사건을 조사하라고 미국에게 요구했다.[37]

나는 대부분의 미국인들은 한국전쟁 초기에 미군이 무고한 피난민들을 살해한 사례들이 (노근리를 비롯하여) 있었으리라는 점에 심각하게 의혹을 가지지 않을 것이라고 생각했다. 그러나 대부분의 미국인들 특히 참전용사들은 그러한 사건들을 전쟁의 부작용과 같은 것으로 간주했다. 그들은 피해자들에게 동정적이었지만 50년이 지나서 미국이 사과와 보상을 해야 한다는 생각에는 동의하지 않았다. 직설적으로 말하자면, 평균적인 미국인 특히 평균적인 참전용사는 한국전쟁에서 대한민국을 지키기 위해 죽은 3만 명이 넘는 미국인의 목숨이 충분한 보상 이상의 것이라고 여겼다. 이런 의미에서 대통령의 유감 표명과 미 육군이 조사 보고서의 결론에서 밝힌 노근리 사건의 성격에 대한 표현은 미국인의 정서를 반영한 것이라 할 수 있었다.

미국 참전용사들은 한국전쟁 당시 미군의 가혹행위를 폭로하는 고발에 분노했지만 이는 노근리 사건 조사가 진행 중이던 당시에는 수면 위로 드러나지 않았다. 만일 클린턴 행정부가 노근리 사건의 조사에 더 전향적이었거나 다른 학살 의혹이 제기된 사례들까지 조사에 포함시켰더라면 그 분노가 폭발했을지도 모른다. 노근리 사건 당시 그곳에 있었던 부대의 모사단인 제1기병사단의 재향군인회는 AP의 기사에 대해 다음과 같은 성명을 발표했다. "당시 (한국전쟁에 투입된 지 단 이틀밖에 되지 않은) 지휘관들은 북한군이 섞인 피난민들의 침투로 인해 아군의 전술적 통일성을 잃고 임무에 실패할 위험에 맞닥뜨린 상태였다. 그 상황에서 내린 결정이 이제 와서 뒤늦게 비판되어서는 안 된다."[38]

군사학자 로버트 L. 베이트먼은 한국전쟁에 참전하지는 않았으나 1950년 7월 말 당시 노근리에 있었던 제7기병연대의 장교로 복무했었다. 그는 곧바로 노근리 사건에 대한 AP 탐사 보도의 거의 모든 부분을 맹렬하게 비판하는 책을 썼다.[39] 그는 AP의 기사에서 노근리에 대해 가장 극적인 발언들을 했던 에드워드 데일리의 실체를 밝히는 역할을 하기도 했다. 베이트먼은 얼마 지나지 않아 에드워드 데일리가 노근리에 있었던 적이 없었음을 밝혀냈다. 물론 그때는 미국에 대한 한국의 민심에 이미 큰 타격을 입힌 후였다.

우연의 역할과 노근리의 영향

AP가 어떻게 노근리 사건을 탐사 보도하기로 결정했는지에 대한 이야기는 이러한 문제에서 우연과 우발적 상황이 어떤 역할을 하는지를 보여준다. 최상훈 기자는 노근리 사건에 대한 AP 탐사 보도를 작성한 기자 중 하나였다. 노근리 보도가 나가고 난 다음 미국 대사관의 딕 크리스텐슨 부대사는 내게 최상훈 기자를 자신의 공관에 점심 식사로 초대하는 것이 어떻겠냐고 물었다. 나는 최소한 흥미로울 것 같았고 어쩌면 왜 AP가 수십 년도 지난 사건을 탐사 보도하기로 결정했는지 더 잘 알 수 있으리라 생각했다. 나는 386세대인 최상훈 기자가 미국에 대한 민족적 분노로 기사를 쓰게 된 것은 아닌지 궁금했다. 우리는 최 기자를 점심에 초대했으며 그는 바로 응했다.

최상훈 기자는 매우 인상적이었다. 부드러운 목소리이지만 직설적으로 말하며 매우 지적이고 박식했다. 그는 영어권 국가에서 살 기회가 없었던 세대의 한국인이라고는 믿어지지 않을 정도로 훌륭하게 영어를 구사했다. 그는 자신이 언론 기사를 클리핑한 것과 기사로 쓸 법한 아이디어들을 넣어두는 신발상자를 두고 있다고 했다. 하루는 그 신발상자에서 노근리 피해자들의 인정을 위해 오랫동안 투쟁해 온 정은용 씨에 관한 기사를 읽었다고 한다. 그는 한국이 민주화되면서 정씨가 자신의 노력을 더 추구할 수 있게 되어 뉴스거리가 될 만하다고 생각했다. 최 기자는 이 아이디어를 AP의 동료들에게 가져갔다.

나중에 알게 된 사실이지만 노근리 사건에 대한 기사를 가장 열정적으로 밀고 나간 사람은 역설적이게도 최상훈 기자의 미국인 동료이자 노근리 기사를 함께 쓴 찰스 J. 핸리였다. 그는 이후에도 수년간 AP의 노근리 보도를 정력적으로 옹호했다. 게다가 탐사 보도 프로젝트를 막 시작했을 때 핸리는 AP 상사들의 저항을 극복하는 데 거의 1년을 보낸 것으로 알려졌다. 통신사로서 AP는 탐사 보도의 승인을 꺼렸다. 수십 년 전에 발생한 사건을 다루는 데다가 논란의 소지가 큰 것이어서 더욱 그랬다. 그러나 그런 노력이 성공하면서 핸리와 그의 동료들은 퓰리처상을 비롯한 많은 언론 상을 받았다.

노근리는 15개월 동안 큰 이슈였고 그 이후 몇 년 동안에도 줄곧 주요한 이슈로 남아 있었다. AP의 노근리 사건 보도가 다른 시점 또는 다른 방식으로 나왔더라면 이후 수년간의 한미 관계가 어떠한 과정을 거치게 됐을지를 알기란 불가능하다. 그러나 나는 그때나 지금이나 노근리가 불러일으킨 대중 감정과 언론의 후폭풍은 이후 3년간 한국 언론이 미국에 대해 취했던 극도로 비판적인 태도를 낳는 촉매제가 됐다고 생각한다. 노근리는 미국 특히 미군에 대한 한국인의 가장 나쁜 생각과 의심을 확인시켜주면서 한국 사람들의 미국에 대한 감정에 나쁜 영향을 끼쳤다. 불행히도 노근리 사건 이후 다음 장에서 설명할 두 개의 사건이 한미 관계를 더욱 악화시켰다.

제3장

한미 관계의 악화

에이전트 오렌지와 포름알데히드

✦

　　1999년 9월 30일, 노근리 사건에 대한 AP의 첫 기사가 나온 다음 날, 한국의 베트남전 참전용사 단체가 한국 법정에 5조 원의 손해배상 소송을 제기했다. 베트남에서 미국 정부가 사용했던 고엽제인 에이전트 오렌지를 생산한 미국의 화학회사를 상대로 소송을 낸 것이다. 에이전트 오렌지 사건은 노근리와 공통점이 있다. 시점은 우연히 들어맞은 것이지만, 노근리와 마찬가지로 수십 년 전에 발생했던 사건이 한국의 정치적 상황이 바뀌면서 다시 부각된 것이었다. 한국 언론에서 수년간 돌고 있던 에이전트 오렌지에 대한 이야기는 이제 더 두드러졌다. 이는 한국이 미국의 희생양이라는 것이 단지 과거의 일이 아닌 오늘날까지 계속되고 있다는 분명한 증거로 여겨졌다.

　　한국이 계속 미국에게 당하고 있다는 한국인들의 감정은 이듬해에 더 격화됐다. 2000년 6월 14일, 한국의 환경 NGO는 주한 미군이 독성 화학물질인 포름알데히드를 서울 시민의 식수원인 한강에 몰래 방류했다고 발표했다. 많은 한국인이 보기에 미국의 행동은 이제 과거보다 더 심각해졌다. 미국이 에이전트 오렌지를 고엽제로 한참 사용하던 1960년대와 1970년대에는 그 독성이 얼마나 심한지 몰랐을 수도 있다. 그러나 2000년이 되어서 미국이 포름알데히드에 독성이 있으며 그것을 한강에 무단으로 방류함으로써 무고한 한국인들을 위험에 빠트린다는 걸 모를 리가 없다는 게 한국인들의 생각이었다. '미국은 그때나 지금이나 말 그대로 한국인들에게 독을 풀고 있다.' 이는 강력한 스토리라인이었으며 이후 수년 동안 반미 감정에 불을 지폈다.

에이전트 오렌지 논란

1999년 9월 30일 한국의 베트남전 참전용사 단체가 한국 법정에 소송을 제기하여 한국과 미국 정부, 그리고 에이전트 오렌지를 제조한 미국 제조사들이 한국 참전용사에게 보상할 것을 요구했다. 이것이 최초의 사례는 아니었다. 일부 한국 참전용사들은 적어도 1990년대 초반부터 이 문제를 밀고 있었다. 그러나 이번 소송은 내가 대사관에서 일하고 있는 동안 에이전트 오렌지 문제가 중대한 이슈가 될 것임을 거의 확신하게 만들었다. 내가 소송에 직접적으로 관련된 것은 아니었으나 대사와 부대사에게 상황을 브리핑하고 대사관과 주한 미군의 공보담당관들과 업무를 협조하려면 소송에 대해 더 알아야 했다. 또한 이 문제에 대해 한국의 공무원들이나, 내가 직무적으로나 사회적으로 만나게 되는 모든 한국 시민과 지적으로 논의할 수 있어야 했다. 말로는 쉬운 일이었다.

한국에서 내가 다루어야 했던 많은 이슈와 마찬가지로 우선 한국의 언론 보도를 통해 한국 참전용사들의 소송에 대해 익혔다. 사실 미국 대사관과 주한 미군의 의제 중 많은 것이 한국 언론이나 진보적 NGO들에 의해 설정된다. 이들이 제기하는 혐의는 진보적 매체와 보수적 매체 양쪽에 의해 무비판적으로 한국 독자들에게 전달됐다.

한국 언론 보도로부터 많은 것을 배우긴 했지만 이들의 보도에는 심각한 문제가 있었다. 한국 언론은 보수와 진보 진영으로 갈려 있어 보도에 이들의 이념적 성향을 강하게 반영하고 있었다. 게다가 두 진영 모두 각자의 방식으로 민족주의적이었다. 이 시기에는 보수 매체건 진보 매체건 모두 미국에 가혹했다. 미국을 악당으로 한 어떤 스토리라인이 거의 유기적일 정도로 형성되고, 곧 수많은 비판적 보도와 사설로 이어졌다. 그러나 이들을 액면가 그대로 진실의 모든 측면을 정확히 보도하고 있다고 받아들을 수는 없었다. 균형 감각이나 뉘앙스에 대한 관심은 물론이고 해명 정보 같은 것들은 스토리라인에 맞지 않으니 누락해버렸다.

그래서 추가적인 정보를 찾아내야 했다. 안타깝게도 특히 에이전트 오렌지와 같은 이슈에 대해서는 세부적이면서 믿을 수 있는 정보를 얻기가 어려웠다. 미 대사관이 한국에서 제기된 소송의 당사자가 아니었기 때문에 미국 정부의 다른 부처에서 내게 필요한 정보를 선제적으로 제공해주리라 기대할 수 없었다. 그때도 인터넷을 쓸 수 있기는 했지만 당시 인터넷은 오늘날처럼 유용한 정보로 가득하지 않았다. 그럼에도 불구하고 나는 인터넷을 통해 에이전트 오렌지와 그를 둘러싼 논란에 대한 기초적인 지식을 얻을 수 있었다.

에이전트 오렌지는 1960년대 미국이 베트남 전쟁에서 대규모로 사용했던 고엽제였다. 나뭇잎과 초목을 죽여서 적이 숨어 있지 못하도록 하기 위한 것이었다. 미국의 화학회사들, 그중에서도 몬산토와 다우가 미군의 주문에 의해 에이전트 오렌지를 생산했다. 그러나 1969년 한 연구가 에이전트 오렌지의 핵심 화학물질이 다이옥신 2,3,7,8-테트라클로로다이벤조다이옥신TCDD에 오염되어 있다는 사실을 밝혀냈다. 인체의 건강에 문제가 되는 것은 에이전트 오렌지 자체가 아니라 TCDD 때문인데 이는 에이전트 오렌지의 제조 과정에서 생기는 부산물이다. 이미 당시에도 다이옥신은 매우 독성이 높은 것으로 알려져 있었다. 이후 다이옥신이 인체에 미치는 영향에 대해 더 많은 과학적 연구가 이루어졌다. 현재 세계보건기구WHO는 다이옥신이 "생식 기능과 성장에 문제를 일으킬 수 있으며 면역계에 손상을 입히고 호르몬을 방해하며 암을 유발시킬 수 있다"고 평가했다.[1] 1969년의 보고 이후 원인이 뚜렷하지 않은 질병을 앓고 있는 미국의 베트남전 참전용사들이 자신들의 건강 문제를 에이전트 오렌지 탓으로 돌리기 시작했다. 1970년대 후반에는 보상을 요구하는 소송을 제기했다.

미국의 참전용사들은 미국 정부와 제조사들로부터 보상을 받기 위해 오랫동안 투쟁해야 했다. 정부와 제조사 측은 오랫동안 참전용사들이 호소하는 질병이 실제로 TCDD에 의해 유발됐음을 입증할 만한 과학적 증거가 부족하다고 주장했다. 제조사들은 심지어 미국 정부를 대신하여 에이전트 오렌지를 생산했을 뿐이라고 주장하기도 했다. 미국의 화학회사들은 에이전트 오렌지와 참전용사들의 질병에 대한 인과관계를 계속 부인했다. 이들은 한편, 1984년 5월 7일 미국, 오스트레일리아, 뉴질랜드의 참전용사들에게 1억 8000만 달러를 주는 대신 모든 소송을 취하하기로 합의했다. 이 합의금에 따라 완전히 장애인이 된 참전용사에게는 최대 1만 2,000달러를 주고 미망인에게는 3,700달러를 주었다. TCDD와 여러 질병 사이의 인과관계에 대해서는 여전히 의문이 남아 있으나 1991년 미국 의회는 참전용사들과 그 지지자들의 정치적 압력에 반응하여 미국 보훈부로 하여금 특정 질병은 에이전트 오렌지에 노출됨으로써 발생하는 것으로 "추정"된다고 발표하도록 했다. 그러한 특정 질병의 목록은 길었고, TCDD와 다른 질병의 연관을 제기하는 연구들이 발표될 때마다 새로운 질병들이 그 목록에 더해졌다.

1999년 당시 에이전트 오렌지는 미국에서 잘 알려진 것이었으나 한국 육군과 해병대가 미국의 요청에 의해 베트남에서 미군들과 함께 싸웠던 것을 기억하는 미국인들은 상대적으로 적었다. 한국 군인들도 에이전트 오렌지에 노출됐을 가능성을 고려해본 미국인들은 더욱 적었다. 물론 한국인들은 이를 잊지 않았다. 30만 명 이상의 한국 군인이 1965년부터 1973년까지 베트남 전쟁에서 복무했다. 5,099명이 작전 중 사망했으며 1만 1,232명이 부상당했다.

1987년 한국이 민주화되면서 한국인들은 베트남에서의 한국의 역할에 대해 더 많이 논의할 수 있게 됐다. 1992년, 한국은 미국보다 3년 먼저 베트남과의 외교 관계를 정상화했다. 1999년이 되자 많은 한국인은 베트남 전쟁을 미국의 신제국주의의 또 다른 사례로 간주하게 됐다. 그들은 당시 한국 정부가 북한의 위협 때문에 미국에 의존하여, 군인을 베트남에 투입해달라는 미국의 요구에 응할 수밖에 없었다고 여겼다. 그러나 한국이 파병에 동의하도록 하기 위해 워싱턴은 대규모의 경제적 원조를 제공할 필요를 느꼈다. 그 결과 탄생한 1966년 브라운 각서(당시 주한 미국 대사였던 윈드롭 G. 브라운의 이름을 땄다)에서 미국은 한국에 10조 달러의 추가적인 원조를 제공했다. 이는 1960년대 당시 한국의 1년 GDP의 7~8퍼센트에 달하는 것으로 추정된다.[2] 1999년 많은 한국인에게 그 원조금은, 그것이 한국의 경제 발전에 얼마나 도움이 됐건 간에 피 묻은 돈 같은 것이었다. 이러한 이유와 함께 몇몇 한국 군인들이 베트남에서 잔혹하게 행동했다는 많은 보도는 심지어 베트남전 참전용사들조차 "그들에게 공개적으로 무관심 또는 심지어 적의까지 느끼게" 만들었다. 참전용사들은 "계속 고통받았으며 자신들이 '독재정권의 공범' 또는 '용병'이라는 깊은 좌절감을 느꼈다."[3]

오래지 않아 에이전트 오렌지가 한국에서 중대한 이슈가 된 것은 그래서 자연스러운 일이었다. 한국의 참전용사들은 분명 미국에서 에이전트 오렌지 문제가 불거지기 시작한 1970년대부터 그 사실을 알고 있었을 것이지만 1990년대 초가 되기 전까지는 보상을 요구하지 않았다. 역설적이게도 보상 요구가 이렇게 늦어진 것은 한국의 군사정권이 참전용사들의 전국적인 조직 결성을 금지했기 때문일 수 있다.[4] 어쨌든 1992년 6월, 한국의 베트남전 참전용사들은 미국의 참전용사 단체의 도움을 받아 에이전트 오렌지의 제조사들 중 한 곳에 소송을 제기할 계획이라고 언론에 말했다. 대한민국월남전 참전자회는 베트남전 참전 한국 군인 여섯 명이 베트남전 당시 에이전트 오렌지에 노출되어 발생했다고 주장하는 질병들로 인해 자살했다고 발표했다. 참전자회에 따르면 644명의 참전용사가 에이전트 오렌지에 노출된 피해자로 분류되며 이들 중 56명이 사망했고 93명이 암에 걸렸으며 61명이 정신질환에 시달렸고 7명은 자식들에게서 기형이 발생했다. 그리고 467명이 그 외에 다양한 질병에 걸렸다고 한다. 이와 별개로 한국 정부는 에이전트 오렌지에 노출되어 질병이 발생했다고 주장하는 사람들을 상이군인과 동일하게 간주하여 보상하는 것이 가능하다고 생각했다.[5] 1993년 한국 정부는 베트남 전쟁에서 고엽제에 노출된 피해자들에게 의료 지원과 질병의 경중에 따른 연금을 지급하는 법안을 통과시켰다. 그러나 참전용사들은 여기에 만족하지 않았다. 피해자들에게 매달 지급되는 지원금은 최대 수십만 원 정도에 불과했는데, 한국의 담당자들은 계속 TCDD와 참전용사들의 질병 사이의 인과관계를 입증하는 과학적 증거가 없다고 주장했기 때문이다.

새로운 전선: DMZ의 에이전트 오렌지

1990년대 대부분의 기간 동안 한국 언론은 에이전트 오렌지 문제에 산발적인 관심만 기울였다. 그러나 1999년이 되자 참전용사들의 주장이 언론의 조명을 더욱 받기 시작했다. 관련 보도는 점차 늘어났다. 9월 30일 소송 제기 이후 특히 그러했다. 그리고 기자들은 에이전트 오렌지 이야기의 새로운 국면을 발굴했다. 한국의 한 TV 방송국은 11월 15일 기밀 등급이 해제된 미 육군 문서를 보면 수천 명의 한국 군인이 1968년과 1969년, 미국의 요청에 따라 비무장지대 DMZ에서 2만 1천 갤런에 달하는 고엽제(에이전트 오렌지를 포함한)를 살포했다고 나온다고 보도했다. DMZ에서의 고엽제 사용은 1968년 1월 북한 특수부대가 DMZ를 가로질러 당시 남한 대통령이었던 박정희를 암살하려고 했던 계획이 실패하면서 시작된 것이었다. 보도를 내보낸 한국의 방송사는 한국에서의 제초제 사용을 은폐했다며 한국 정부와 미국 정부를 비난했다. 당시 사건에 대한 한국 신문들의 전형적인 논평은 노근리 사건 이후 미국에 대한 불만이 쌓여가고 있는 모습을 반영한다. "보도가 사실이라면 이미 한국전쟁 초기 한국의 피난민들에게 미국 군인들이 저지른 악행으로 골치를 앓았던 미국을 수렁에 빠뜨릴 것이다."⁶ 한국 언론은 지금까지 월남전참전자회의 에이전트 오렌지에 대한 정치적·법적 행동들은 베트남전에 참전한 군인들만 연관되어 있었다고 지적했다. 새로운 보도에 의해 한국에서 복무했던 군인들까지도 관련되면서 에이전트 오렌지를 둘러싼 논란에 새로운 전선이 형성된 것이다.

논란은 그다음 날 더 불거졌다. 한국의 요청에 의해 고엽제를 한국에 제공했다는 미국의 주장을 한국 정부가 반박하면서였다. 한국 언론에 보도된 정부의 입장은 이러했다.

국방부는 어제 1960년대 말 비무장지대에서의 고엽제 사용은 주한 미군의 요청에 의한 것이라고 말했다. "요청이 접수되고 나서 한국군 또한 고엽제를 사용해야 할 필요를 인지하고 유엔군 사령부에 고엽제를 배달해달라고 요청했다"고 김태영 국방부 정책기획차장은 말했다. 김태영 차장의 발언은 고엽제 사용은 한국 정부와 군의 결정에 맞추어 이루어진 것이라는 미 국방부의 앞선 발표문과 배치되는 것이었다. … 군사 전문가들은 30년 전의 고엽제 사용에 대한 이슈가 서울과 워싱턴 사이의 새로운 갈등으로 비화될 수 있다고 말했다. 전통적인 동맹국인 두 나라가 어느 쪽이 에이전트 오렌지와 다른 유독 화학물질의 사용을 먼저 요청했는지에 대해 엇갈리는 주장을 하고 있기 때문이었다.[7]

논란은 1999년부터 2002년 동안 점차 더 악화됐다. 손해배상 소송이 제기된 이후 1년 동안 중도좌파 성향의 영자지 『코리아타임스』 기사들의 주요 내용을 살펴보면 고엽제를 둘러싼 이야기들이 어떻게 진행됐으며 한국 언론 보도의 분량과 톤에 대해서도 알 수 있다.[8]

1999년 11월 18일 자, 「고엽제 사용에 대해 미국의 사과 촉구」
새로운 진보 정당 창당을 준비하고 있는 활동가들이 미국 대사관을 방문하여 대사에게 DMZ에서의 고엽제 살포에 대한 완전한 해명과 한국 군인들에게 사과와 보상을 요구하는 항의 서한을 전달했다.

1999년 11월 18일 자, 「고엽제 살포를 둘러싼 논란」

사설은 DMZ에 고엽제가 살포됐다는 사실과 특히 한국과 미국 정부가 이를 비밀로 숨겨왔다는 것에 '충격'을 받았다고 표현했다. 사설은 양국 정부가 보상 책임을 회피하기 위해 서로를 비난한다고 말했다. 양국 정부는 피해자들에게 보상을 제공하고 피해자들이 미국의 제조업체에 제기한 법적 행동을 도와야 한다.

1999년 11월 22일 자, 「한국 정부, 에이전트 오렌지 피해자들을 추적하기 위한 TF 팀 발족」

한국 국방부는 DMZ에 고엽제를 살포하여 피해를 입은 한국인들을 찾기 위한 태스크포스를 발족한다고 발표했다.

1999년 11월 23일 자, 「미국은 DMZ에 살포하기 전부터 고엽제의 위험성에 대해 알고 있었다」

국방부는 미 육군이 이미 "고엽제의 위험성에 대해 알고" 있었음에도 불구하고 DMZ 살포 작전을 감독했다고 말했다. (이 표현은 매우 오해를 사기 좋은 것이다. 사실 국방부가 언급하고 있는 당시 미국의 문서는 고엽제가 "눈과 코, 피부에 염증을 일으킬 수 있다"고 언급하고 있을 뿐 1999년 한국의 독자가 알고 있는 것처럼 TCDD와 암을 비롯한 심각한 질병의 관계를 언급하고 있는 것이 아니었다.) 국방부는 또한 "1967년 10월 9~16일, 미 육군이 고엽제 살포 작전을 본격적으로 실시하기 6개월 전에 55갤런의 에이전트 오렌지와 1,000파운드의 모뉴런(또 다른 고엽제)을 미 육군의 제2보병사단과 한국 육군의 21사단에 시험 살포했다. 이 새로운 사실은 지금까지 미 육군이 어떠한 시험 살포를 언급한 적이 없다는 점에서 우려스럽다"고 말했다. 〔이 기사는 미 육군의 군인들도 한국 군인들과 똑같이 TCDD에 노출됐다는 사실이 전혀 중요하지 않다고 여긴 듯하다.〕

1999년 11월 24일 자, 「고엽제 노출 예비역에게도 보상 가능할 듯」
한국 보훈처는 DMZ에서 살포된 고엽제에 노출된 예비역들에게도 베트남의 고엽제 피해자 참전용사들과 동일한 보상을 제공할 계획임.

1999년 11월 30일 자, 「DMZ 고엽제 증상을 보이는 민간인들에게도 정부 보상 예정」
한국 정부는 DMZ에 살포된 에이전트 오렌지로 피해를 입은 한국 민간인들에게 "의료 지원과 매달 지원금"을 제공할 계획. 대부분 DMZ 근처에 살았던 농부들이며 미국은 보상을 제공할 가능성이 없을 듯.

1999년 12월 28일 자, 「고엽제 문제에 공동 대응 시작」
활동가들이 미국 고엽제 제조사들의 제품을 보이콧하기 위한 연대를 결성함.

2000년 1월 3일 자, 「유독 물질의 유령이 한국을 다시 배회한다」
"30년 전 비밀작전하에 북한과 접하고 있는 DMZ에 살포된 고엽제 에이전트 오렌지의 유령이 한국을 다시 배회하고 있다." 〔이 긴 기사는 미군이 한국으로 하여금 미국에서 심각한 부작용으로 논란이 됐던 미국산 탄저균 백신을 구매하게끔 강요하려 했다고 추정한다.〕"한국과 미국의 군 당국이 탄저균 백신을 다룬 방식은 에이전트 오렌지에 대한 과거의 경우와 동일하다. …"〔미국은 한반도에 있는 자국군에게는 이미 백신 접종을 마친 후라 자국군에게만 백신을 제공한다는 비난을 피하기 위해 한국군에도 탄저균 백신을 제공한 것이었다. 결국 한국은 백신을 구매하지 않았다.〕

2000년 2월 9일 자, 「고엽제 피해에 1,890명이 탄원서 제출」
한 시민 단체가 DMZ 근처에서 고엽제에 노출된 피해자에 대해 보상을 요구하는 탄원서에 1,890명이 서명했다고 언론에 말함. 이 단체는 "피해자들이 한국노총 건물에서 금요일 열릴 집회에서 연대를 결성하고 … 민간인에 대한 보상을 가능케 하는 법안의 통과를 요구할 것"이라고 밝힘. 최근 통과된 법은 오직 군인과 군무원에 대해서만 보상을 제공함.

2000년 5월 15일 자, 「한국 정부, 고엽제 보상 문제에 대해 미국과 회담 계획」
외교부 관계자가 베트남에서 고엽제에 노출된 한국인들에 대한 보상 문제로 한국 정부가 미국 정부와 협상을 할 것이라고 말함. 언론 보도와는 달리 한국 정부는 미국 정부에 소송을 제기하는 것을 '포기'하지 않았음. 한국 정부는 법적 행동을 고려한 적이 전혀 없음. 패소할 가능성이 높고 외교를 통한 보상 얻기가 더 힘들어질 수 있기 때문이라고.

2000년 6월 7일 자, 「법원 명령으로 고엽제 소송 지연」
미국의 고엽제 제조사들에 대한 참전용사들의 소송에서 한국 판사는 제조사들의 요청을 수용하여 한국 보훈처에 우선 원고 1만 7,200명 전원의 의료 기록을 법원에 제출할 것을 요구함. 피고 측 변호인은 제조사들이 시간 끌기 전술을 사용한다고 비난함.

2000년 9월 30일 자, 「베트남전 고엽제 피해자 30,741명에 달해」
한국의 한 교수가 국회에서 "3만 741명의 참전용사"가 베트남전에서 고엽제에 노출되어 발생한 질병으로 고통받고 있다고 발언. 이 질병에는 고혈압과 당뇨까지 포함.

위의 뉴스 기사들은 베트남전 참전용사들이 소송을 제기한 이후 1년 동안 단 한 군데 신문에 보도된 기사들이다. 거의 모든 한국 언론이 당시 비슷한 기사들을 보도했다. 어떤 언론 보도는 더더욱 편향적이었다. 일부 한국 TV 방송사들의 보도는 특히 선동적이었다. 나는 한 방송사에서 내보낸 에이전트 오렌지에 대한 다큐멘터리를 생생하게 기억한다. 「추적 60분」과 같은 스타일로 만들어진 그 다큐멘터리는 시청자의 충격과 슬픔, 그리고 분노를 강화하기 위한 의도가 뚜렷하게 보이는 영상 및 음향 기술, 그리고 특별한 배경음악을 사용했다. 에이전트 오렌지에 대한 보도와 논평은 종종 노근리 사건이나 미국산 탄저균 백신의 한국 구매 가능성과 같은 미국과 관련된 다른 논란들과 연관 지어져 이 모든 것이 미국의 악행을 대변하는 것처럼 묘사됐다. 한편 에이전트 오렌지에 대한 보도가 늘어갈수록 노쇠한 한국의 참전용사들이 더 자연스레 자신의 건강 문제가 TCDD에 노출된 것과 관련이 있을 거라고 의심하게 됐다.

법적 문제와 논란은 계속 질질 끌었다. 서울지방법원은 2000년 3

월부터 수없이 많은 심리를 열었다. 2002년 5월 23일, 법원은 소송을 기각했다. TCDD와 참전용사들 질병의 인과관계에 대한 근거가 부족하다는 이유였다. 원고들은 2002년 6월 15일 서울고등법원에 항소했다. 그동안 수많은 활동가 단체와 정치인들이 에이전트 오렌지를 이슈로 문제 삼았다. 고엽제를 둘러싼 논란은 1999년부터 2002년까지 한국 주요 언론의 지면을 줄곧 장식했으며 한국인들의 반미 정서를 강화시키는 데 기여했다.

수년 후, 수많은 심리와 계속되는 언론의 관심 속에 고등법원은 판결을 발표했다. 2006년 1월 26일, 고등법원은 11가지의 질병이 TCDD 노출과 연관된 것으로 인정했고, 원고 6,800명에게 개별적으로 6,000달러에서부터 4만 6,000달러에 이르는 보상을 시행하라고 명령했다. 그러나 이 건이 대법원으로 상고되자 2013년 7월 최종심 판결에서는 오직 특정한 종류의 피부염(염소성 여드름)만 TCDD에 의해 발생했다고 인정했으며, 다른 10가지 질병은 흡연이나 음주 등을 비롯한 다른 요인으로 발병했을 수도 있다고 판단했다. 수천 명의 원고 중 39명만이 이 최종심 결정에 의해 보상을 받았으며, 이런 대법원 판결로 인해 한국의 참전용사 단체는 한국에서의 재판 판결을 근거로 미국 법정에서 손해배상 청구 소송을 할 예정이었으나 포기한 것으로 알려졌다.[9]

또다시, 에이전트 오렌지

하지만 에이전트 오렌지는 그 후에도 한국에서 또다시 커다란 논란거리가 됐다. 2011년 5월, 한 미군 퇴역군인이 1978년에 자신이 한국의 미군 기지에서 드럼통 250개 분량의 화학물질을 묻으라는 명령을 받았다고 미국 방송국에 말했다. 그는 상관이 드럼통 속에 무엇이 들어 있는지 알려주지 않았으나 드럼통에 붙어 있는 표지에 에이전트 오렌지라고 쓰여 있었다고 했다. 그는 자신의 심각한 건강 악화가 그때 TCDD에 노출되면서 일어난 것이라고 말했다. 그와 함께 복무했던 다른 두 명의 퇴역군인도 그의 증언을 뒷받침했다.[10]

그의 폭로는 한국에서 폭풍우를 불러일으켰다. 주한 미군은 즉각 조사를 실시하겠다고 밝혔고, 결국 한국 당국과 공동조사를 하기로 합의했다. 문서들을 검색한 후 주한 미군은 고엽제를 포함한 화학물질들이 기지에 매립됐다는 사실을 인정했다.[11] 그러나 에이전트 오렌지가 거기에 포함되어 있는지는 확실치 않았다. 과거 문서들을 더 연구한 이후 6월 초 주한 미군은 몇 년 후 매장된 화학물질들이 다시 캐내어진 다음 폐기 처분하기 위해 한반도 밖으로 이동됐다고 밝혔다.[12] 그럼에도 불구하고 10명의 미국 전문가와 16명의 한국 전문가로 이루어진 조사단은 세심한 공동조사를 실시했다. 12월 말, 조사단은 최종 조사 결과를 발표했다. 기지의 토양에서 다이옥신을 발견했으나 그 양은 매우 적어 허용기준치의 15분의 1에 지나지 않았다. 조사단은 기지에 "에이전트 오렌지를 매립했다는 것을 입증할 수 있는 결정적인 증거는 없었다"고 결론지었다.[13]

2011년의 이 사례는 1999년부터 2002년까지 있었던 에이전트 오렌지 논란과 비슷한 점이 많았다. 재래식 언론은 물론이고 인터넷 사이트 등에서 수많은 보도가 쏟아져 나왔다. 어떤 보도들은 선정적이었고, 분노와 의심에 찬 사설들이 일부 보수 매체를 비롯하여 많은 언론사에서 나왔다. 진보 단체들과 종교 활동가, 그리고 진보 정당들도 개입했다.[14] 주한 미군이 에이전트 오렌지를 비롯한 다른 화학물질들을 한국에 폐기했다는 혐의들도 방송에 나왔다. 주한 미군 기지와 그 주변에서 발생했다고 제기되는 환경문제들도 마찬가지였다. SOFA를 다시 개정하라는 요구도 많이 나왔다. 전직 외교부 장관이자 진보 성향의 민주당 비례대표로 국회의원에 당선됐던 송민순 씨도 이러한 요구를 했다.[15] (송민순 씨는 10년 전에 SOFA 개정 협상을 담당했었다. 협상이 끝나고 그는 이제 한미 SOFA가 세계에서 가장 나은 SOFA가 됐다고 선언했다.) 기지 주변의 주민들은 자연스레 불안감을 느꼈다. 에이전트 오렌지 노출로 인한 질병을 호소하는 퇴역군인들의 수는 점차 늘어났다. 한국 정부는 때때로 지급하는 연금액을 소폭 상향 조정하거나 수급 대상의 범위를 넓혔다. 2003년 당시 한국 기자들은 보통 8만 명의 한국 퇴역군인이 에이전트 오렌지에 노출되어 고통받고 있다고 썼으나 2011년이 되자 언론 보도에 언급되는 피해자 수는 10만 명 이상으로 불어났다.[16] 심지어 미국에서 보상을 요구하는 미국 퇴역군인의 수도 늘어났다. 한국에서 복무하고 나서 에이전트 오렌지에 노출됐다고 주장하는 것이었다.

에이전트 오렌지의 중요성

어떤 한국인들에게 에이전트 오렌지는 미국의 신제국주의적 성향, 그리고 한국인들의 건강이나 심지어 생명에도 미국은 관심이 없다는 걸 보여주는 사례였다. 이들은 미국의 에이전트 오렌지 사용을 기업의 탐욕이 불을 지핀 군국주의적 실태로 간주했다. 그들은 한국인들보다 훨씬 더 많은 미국인이 에이전트 오렌지에 노출됐다는 사실에는 거의 신경 쓰지 않았다. 다른 한국인들은 이 문제를 그 정도로까지 여기진 않았지만 여전히 중대한 과실이었다. 어쨌든 에이전트 오렌지 논란은 1999년 노근리 사건 보도로 한국에서 점차 부풀어 오르고 있던 반미 감정을 더 증폭시키는 데 기여했다. 나는 에이전 트 오렌지가 촉발시켰고 줄곧 원인이 되어온 거대한 문제들—인간의 고통, 경제적 혼란, 정치적·외교적 논란—은 전 세계의 지도자와 시 민들에게 군사력을 사용할 경우 전혀 의도하지 않았던 결과도 얼마 나 심각해질 수 있는지(바로 노근리 사건과 같이)에 대한 교훈이 되어 야 한다고 생각했다.

에이전트 오렌지는 미국 기업과 미국 정부의 공식적인 행위에 의 해 빚어진 역사적 사건이었다. 미국인과 한국인 모두에게 중대하고 현실적이며 오래도록 남는 피해를 입혔다. 한국에서 미군이 관련된 화학물질 논란을 빚은 두 번째 사건은 매우 달랐다. 관련된 사고가 발생하고 얼마 지나지 않아 문제가 됐다. 본질적으로 미국 공무원 단 한 명의 행동이었으며, 한국인과 미국인 누구에게도 피해를 입히 지 않았다. 많은 한국 법인도 그 이전과 이후에도 똑같은 일을 더 큰 규모로 벌였음에도 불구하고, 이 사건은 대중과 언론의 엄청난 우려 와 논란을 불러일으켰다. 이 사건은 더 많은 한국인의 마음속에 미 국 특히 주한 미군은 한국인에 대해 무관심하고 심지어 한국인들에 게 독극물을 주입하고 있다는 생각을 심어 놓았다.

포름알데히드: 또 다른 화학물질 논란

내가 1979년 처음으로 한국에 왔을 때, 나는 사람들로 북적이는 서울의 공기 오염에 충격을 받았다. 고속도로에는 상대적으로 차량들이 적었음에도 불구하고 많은 버스가 엄청난 매연을 뿜어내고 있었다. 그리고 겨울 난방 연료로 주로 쓰이는 연탄이 대기를 검은 입자로 채우고 있었다. 물길도 마찬가지였다. 서울을 가로지르는 한강도 심각하게 오염되어 있었다.

20년 후 내가 다시 서울로 돌아왔을 때, 공기와 물은 놀라울 정도로 깨끗해져 있었다. 한국이 급속도로 경제성장을 이루고 평균적인 생활수준 또한 빠르게 상승하면서, 한국인들은 깨끗한 공기와 깨끗한 물의 혜택을 누리고 싶어 했다. 1979년 당시에도 환경 기준이라는 게 있긴 했지만 거의 지켜지지 않았다. 1999년에 이르자, 여러 가지 새로운 환경 관련 법들이 통과되고 새로운 규제들이 시행됐다. 한국 언론은 환경문제를 자주 보도했다. 단지 공기와 수질오염뿐만 아니라 공장이나 가정, 그리고 식품에서 발견된 독성물질도 포함되어 있다.

1990년대 초 한국 언론이 다루기 시작한 여러 가지 위험물질들 중에는 포름알데히드가 있었다. 내 세대의 미국인들은 고등학교 생물 시간 때 해부용 개구리를 준비할 때 썼던 독특한 냄새의 보존제로 기억하고 있는 화학물질이다. 일례로 1998년 7월, 한국 언론은 포름알데히드 용액인 포르말린이 한국산 통조림 상품에서 발견됐다고 보도했다. 한국 식품업체들을 상대로 제기된 소송은 결국 대법원까지 갔고, 대법원은 업체들의 손을 들어주었다. 그래서 한국의 한 NGO가 2000년 2월 주한 미군의 장의사가 부하 직원에게 포름알데히드를 하수구에 버리라고 명령했었다는 사실을 알게 됐다고 밝혔을 때, 환경문제로서 포름알데히드는 한국 대중에게 새로운 이슈가 아니었다.

폭로

2000년 7월 13일, 녹색연합은 주한 미군의 장의사였던 군무원 앨버트 맥팔랜드가 직원들에게 60갤런의 포름알데히드를 방류하라고 강요했다고 폭로했다. 직원들이 이는 독극물이며 결국 서울의 식수원인 한강까지 흘러갈 것이라고 말했음에도 그렇게 하라고 강요했다는 것이다. 맥팔랜드가 포름알데히드를 방류하도록 지시한 것은 단지 그것이 담긴 용기가 오래되고 "먼지가 많았다"는 이유였다고 했다. 게다가 녹색연합은 주한 미군이 오랫동안 한강에 포름알데히드를 방류해왔다는 사실을 '확인'했다고 했다. 녹색연합은 맥팔랜드의 부하 직원이 이 문제를 주한 미군의 자기 상관에게 가져갔으나 "포름알데히드는 물에 용해되면 문제없다"는 말만 들었다고 했다. 좌절한 군무원은 녹색연합을 찾았다.

이 충격적인 내용을 밝힌 기자회견에서 녹색연합은 다음과 같이 설명했다.

한국 환경부는 포름알데히드를 유독성 물질로 지정·고시하고 있으며, 흡입 또는 피부에 접촉하거나 삼키면 유독하며, 수생생물에 매우 유독한 것으로 규정하고 고독성高毒性과 환경 유해성을 동시에 가진 화학물질로 분류하여 폐기물관리법에 의해 엄격히 처리·관리할 것을 요구하고 있다. 전문가들의 견해에 따르면 포름알데히드는 액체와 기체의 형태를 동시에 갖고 있어, 하수구에 버리면 그 가스가 하수관을 타고 퍼진다. 물론 하수구가 연결된 모든 시설에 있는 사람들이 이 기체에 폭로되면 심각한 질병이 발생하게 된다. 또한 포름알데히드는 물로 희석되지만 유해성이 없어지는 것이 아니다. … 미군은 위 포름알데히드를 오키나와에 있는 펌프 시스템에서만 처리하도록 되어 있으며, 이번 사건은 자신들의 원칙도 무시한 행위인 것이다.

녹색연합은 미국과 미군이 "한국과 한국 국민들을…기만하고 있다"고 표현했다. 또한 포름알데히드를 한강에 방류한 것은 "한국 국민을 우롱하는 처사"라고 말했다. 녹색연합은 맥팔랜드가 법적인 처벌을 받아야 하며 주한 미군 사령관이 "한국 국민에게 사죄하고 재발 방지를 약속해야" 하고 SOFA에 환경 관련 규정을 넣을 것을 요구했다.[17]

주한 미군의 해명 시도

이튿날 발표된 성명서에서 주한 미군 대변인은 그러한 사건이 발생했던 것을 시인했다. 그러나 대변인은 이러한 사건은 단 한번 발생했으며, 그 양은 60갤런이 아닌 20갤런이었다고 말했다. 방류된 포름알데히드는 용산 기지의 자체 정화 시설에서 다른 190만 갤런의 하수와 함께 처리된 다음 서울의 중앙하수처리장에서 최종적으로 처리되기 때문에 환경에 피해를 입히지 않았을 것이었다. 주한 미군 대변인은 또한 주한 미군 지휘부는 해당 사건을 녹색연합의 발표 이전부터 알고 있었음을 인정했다. 주한 미군은 이에 대해 유감스럽게 생각하며 향후 미국과 한국의 모든 환경 기준에 부합하도록 노력하겠다고 말했다. 주한 미군은 해당 문제를 계속 조사 중에 있었으며 일주일 내로 최종 결과를 발표할 것이라고 말했다.[18]

주한 미군 지휘부는 대사관에 있던 우리에게도 사건을 브리핑했다. 그들은 우리에게 또 다른 문제를 가져오게 되어 낙담한 것 같았다. 한국 여론에 난타를 당하는 데에 따른 피로감과 좌절감은 말할 것도 없었다. 그들이 우리에게 브리핑한 내용은 그들이 미리 준비한 성명서에 나와 있는 내용과 다른 것이 없었으나 추가적인 정보도 알려주었다. 맥팔랜드는 포름알데히드가 오래된 것인 데다가 물량이 남아돌아 폐기했다는 것이다. 또한 그는 사건이 발생하기 전부터 몇몇 직원들과 사이가 좋지 않았다고 한다. 사건 발생 후 주한 미군의 전문가들은 포름알데히드는 충분히 희석되면 독성이 없다고 지휘부 장성들에게 확언했다. 또한 주한 미군이 방류한 포름알데히드는 한강에 다다르기까지 최소 2회 이상 하수처리되며 하수처리되기도 전에 대량으로 희석됐을 것이 틀림없었다. 주한 미군 지휘부는 한강을 취수원으로 물을 마시는 것은 한국인뿐만 아니라 용산의 주한 미군 사령부에 있는 군인 및 미국인들도 포함되어 있다고 언급했다. 그럼에도 불구하고 맥팔랜드가 포름알데히드를 폐기하는 과정에서 주한 미군의 정책과 규제를 위반한 것은 사실이다. 그러나 포름알데히드에 관한 규제는 당시 계속 발전되고 있었으며 불과 수년 전까지만 하더라도 포름알데히드를 물에 희석시킨 후 하수구에 버리는 행위는 미국에서도 용인됐었다. 사실 맥팔랜드가 방류했던 오래된 포름알데히드 병들 중에는 폐기할 때 그렇게 하라고 설명되어 있는 라벨이 붙어 있었다.

주한 미군의 브리핑을 듣고 대사관에 있던 우리들은 이 사건으로 인해 사람의 건강에 위험을 주지는 않았다는 사실에 안도했다. 그러나 서울은 주한 미군에 대한 악감정으로 가득 차 있었기 때문에 우리는 곧 몰아칠 여론의 폭풍에 대비했다. 주한 미군이 사건을 공식적으로 시인한 바로 그날부터 시작됐다. 그날은 토요일이었는데 수백 명의 시위대가 용산의 미군 기지에 돌을 던지며 책임자들 처벌을 요구했다. 언론 매체의 반응도 격렬했다. 한국의 기자와 논설위원들은 주한 미군이 서울의 식수에 독을 풀었다는 걸 인정한 것으로 간주했다. 이를테면 『코리아타임스』는 다음과 같이 썼다.

솔직히 말해 어떤 한국인들은 생존을 위해 자신의 성을 팔아야 했던 가엾은 한국 접대부들을 살해하고, 매향리에서처럼 계속되는 폭격으로 고통받는 한국인들에게 관심을 기울이지 않는 이들이 북한의 위협으로부터 남한을 방위한다는 것에 두려워하고 있다. 왜 그들은 노근리 학살에 대한 모든 사실을 공개하기를 꺼리는가? SOFA는 정말로 공정한 협정인가? 이런 의문들은 얼마든지 제기될 수 있다.[19]

나는 특히 한국 최대 부수를 자랑하는 『조선일보』의 사설 「포토맥 강에도 독극물 버리나?」라는 감정적인 제목을 눈여겨보았다.[20]

상황이 여기에까지 이르자 화도 났고 좌절감도 느꼈다. 계속 수동적으로만 대응하는 데에서 벗어나 우리 팀이 뭔가 효과적으로 행동할 수 있는 방안을 찾고자 했다. 문제가 없다는 주한 미군 측의 주장을 의심할 이유는 없었으나 나는 포름알데히드에 대해서 거의 아무것도 몰랐다. 내 스스로 연구를 좀 해보는 게 좋겠다고 생각했고 다시 인터넷에 의존했다. 포름알데히드는 매우 독성이 높다는 걸 배웠다. 알레르기와 암을 유발할 수 있었다. 호흡기로 흡입할 경우 점막에 심각한 염증을 초래할 수 있었다. 마실 경우 사망할 수도 있었다. 『연합뉴스』가 방류 사건을 보도하면서 언급한 바와 같이 포름알데히드는 분명히 '치명적인' 독극물 같았다.

그러나 관련 자료들을 꾸준히 읽어 나가면서 나는 포름알데히드가 우리 주변 환경에 널리 퍼져 있음을 알게 됐다. 대기권 상층부에서 자연적으로 생성되며 산불이나 담뱃불을 비롯한 연소로 인해 생겨나기도 한다. 포름알데히드는 산업 제조 과정에서 대량으로 사용되며 자동차나 합판, 카펫과 같이 우리가 매일 접하는 모든 종류의 제품에 공통적으로 들어 있다. 최근 수년간 선진국의 규제 당국들은 포름알데히드의 사용을 제한하기 시작했다. 그러나 내가 알게 된 것들 중 가장 중요한 것은 포름알데히드는 흙이나 물 또는 햇빛에 노출되면 수시간 내에 박테리아에 의해 분해된다는 것이었다. 분명 주한 미군이 방류한 포름알데히드는 하수도에서 희석됐다는 사실과 하수처리장에서 소요되는 시간을 고려해볼 때, 녹색연합이 주장하듯이 포름알데히드가 희석되더라도 여전히 독성을 갖고 있어 인간과 동물에게 위협이 되지는 않았을 것이다.

포름알데히드가 여러 나라 특히 미국과 한국에서 어떻게 규제되는지를 이해하기란 더욱 어려웠다. 또한 미국인들은 포름알데히드를 자기네 나라의 하수구에는 결코 방류하지 않을 것이라는 『조선일보』 사설에 계속 화가 났다. 관련 전문가를 찾아다니다가 포토맥 강이 흐르는 워싱턴 DC 지역의 장의사에게 연락하여 관련 규제와 현행 폐기 방식을 물어볼 생각이 났다. 그래서 워싱턴 DC에 있는 한 장례식장에 무작정 전화를 걸어 장의사와 통화하고 싶다고 했다. 나는 내가 누구고 왜 전화를 했는지 설명했다. 내가 먼저 이야기를 하지 않았다면 내가 누군지 알 수도 없었을 장의사는 약간 불안한 듯했지만 대화를 계속했다. 마침내 나는 남아 있는 포름알데히드를 하수구에 버린 적이 있느냐고 물었다. 이렇게 답했다. "뭐, 그렇습니다.

때때로는 약간 물과 희석시켜서요."

그러나 당시 한국을 사로잡고 있던 분위기 속에서 주한 미군이 스스로를 공개적으로 변호하기란 불가능했다. 대부분의 한국인들은 언론에서 주한 미군에 대해서 들은 것들 때문에 매우 화가 나 있었으므로 주한 미군이 스스로를 변호하려들면 바로 그 행위 자체가 파렴치하고 모욕적인 것으로 받아들여질 것이었다. 언론과 NGO들은 주한 미군이 말하거나 행동한 어떠한 것이든 추가적으로 비난할 기회로 간주하는 듯했다. 어쩌면 주한 미군 지도부가 한국 언론과 서면으로 작성된 성명서로 소통하려 했던 이유도 여기에 있었을지 모른다. 그러나 그 또한 문제를 일으켰다. 녹색연합의 사건 폭로 이튿날, 주한 미군의 첫 반응이 기자회견이 아닌 서면 성명서로 나왔다는 사실도 비난의 대상이 됐다. 게다가 주한 미군이 내부 조사를 마치고 난 뒤 미 제8군 사령관 다니엘 J. 페트로스키 중장은 공식적으로 사건에 대해 그의 "깊은 유감"을 한국인들에게 표명했는데 이것 역시 서면으로 작성된 성명서를 그의 대변인이 읽었다. 이것도 한국인들을 자극했다. 비록 몇몇 보도에 따르면 한국인들에게 주한 미군이 사과를 한 최초의 사례였으며, 그의 딸이 자동차 사고로 심각하게 다쳐 급히 미국으로 돌아가야 했기 때문에 직접 사과를 할 수 없었음에도 불구하고 말이다.[21]

주한 미군의 해명과 사과, 그리고 맥팔랜드와 그의 상관에 대한 처벌(임시 감봉 처분)은 한국 언론과 NGO들을 만족시키기에 전혀 충분치 못했다. 특히 녹색연합은 추가적인 사과와 SOFA 개정, 그리고 주한 미군 사령관의 사임과 맥팔랜드의 투옥을 요구했다. 일부 '네티즌'들이 그에 대해 온라인으로 협박하고 주요 매체 중 몇몇이 심지어 그의 집 주소까지 공개하면서 맥팔랜드는 일촉즉발의 상황에 놓였다. 나는 주한 미군의 장성들에게 상황을 진정시키기 위해 그를 미국으로 돌려보낼 수 있겠는지 문의했다. "안타깝지만 그럴 수 없습니다." 내가 들은 답변이었다. 주한 미군의 규칙에 따라 주한 미군 지도부는 그에게 한국을 떠나도록 강요할 수 없었다. 게다가 주한 미군 지도부는 부인이 한국인 또는 한국계 미국인인 맥팔랜드가 한국을 너무 좋아해서 한국을 떠나고 싶어 하지 않는다고 덧붙였다. 생명의 위협을 받고 있음에도 불구하고!

법무부의 개입

이때 한국 법무부 소속의 검사들이 개입하기 시작했다. 결국 그들은 맥팔랜드를 한국 법정에 세우기로 결정했다. 그리하여 논란은 무기한적으로 계속됐다. 주한 미군은 한미 SOFA를 근거로 거부했다. 한미 SOFA는 주한 미군 소속 인원이 '공식 직무 중'에 있을 때 위법 행위의 혐의를 받을 경우 미군 당국이 이를 다루도록 정하고 있다. 맥팔랜드는 그가 포름알데히드를 하수구에 방류했을 때 분명히 '공식 직무 중'이었다. 그럼에도 불구하고 한국 법원은 맥팔랜드에 대해 궐석재판을 실시했고, 2001년 3월 4,000달러의 벌금을 내렸다. 주한 미군은 한국 법원의 소송 절차에 법적으로 이의가 있었음에도 불구하고 법원과 여론을 진정시키기 위해 맥팔랜드 대신 벌금을 납부했다. 그러나 이는 별반 도움이 되지 않았다. 미국식의 일사부재리원칙에 대한 법률 규정 없이 한국의 검사들은 다시 맥팔랜드를 재판정에 세우려고 했다. 주한 미군은 또다시 이를 거부했다. 그럼에도 불구하고 맥팔랜드가 결석한 상태에서 재판은 치러졌고, 2004년 1월 판사는 징역 6개월형을 선고했다. 마침내 법원과 주한 미군이 타협하여 맥팔랜드는 2005년 1월 법정 심리에 참석했고 징역 6개월형을 선고 받았으나, 향후 2년 동안 한국 법을 위반하지 않는 조건으로 즉각 집행유예를 받았다. 따라서 이 논란은 4년을 넘게 끌었다.

맥팔랜드가 포름알데히드를 폐기하면서 잘못을 저질렀다는 것은 분명하다. 그러나 그는 피해를 입힐 의도가 없었다. 그와 그의 가족들도 서울 주민들과 마찬가지로 한강 물을 마셨다. 그는 자신이 배운 대로, 올바른 방식이라고 여긴 대로 행동했다고 말했다. 그러나 그는 한국의 법과 주한 미군의 규정은 물론이고 한국과 미국의 환경 관련 법 중 보다 엄중한 쪽을 따르라는 주한 미군의 정책을 위반했기에 유죄였다. 하지만 언론의 격분과 맥팔랜드를 기소하겠다는 한국 법무부의 결정은 심각하게 부적절한 것이었다.

무엇보다도 맥팔랜드의 행동에 대한 한국 언론의 반응은 한국 기업들이 포름알데히드를 무단 방류했을 때와 비교해보면 과도한 것이었다. 한국 언론은 1990년대부터 포름알데히드를 비롯한 화학물질로 인한 환경오염을 보도하기 시작했으나 한국 기업이 환경오염을 저질렀을 때의 보도 태도는 주한 미군의 경우와 판이하게 달랐다. 일부 사례를 들자면 다음과 같다. 한 대형 전자 기업은 페놀로 오염된 악성 폐수 325톤을 1991년 낙동강에 방류하여 30일의 조업정지 처분을 받았으나 이후 20일 만에 조업이 재개됐다.[22] 1999년 폐기물 재생처리 업자들이 시안화칼륨(청산가리)에 오염된 물 1,400톤을 한강에 방류했다.[23] 2003년에는 한국의 한강 수계 일대의 가구 공장에서 포름알데히드 용액 271톤을 3년여 간에 걸쳐 방류했다는 사실이 보도됐다![24] 이 사건을 보도하면서 한국 언론은 이에 대한 규제가 한국에 없다는 걸 발견했다.

왜 논란이 됐나

대체 비슷한 사건을 한국 기업이 저질렀을 때와 주한 미군이 저질렀을 때에 왜 이렇게 차이가 큰 것일까? 여러 가지 이유가 얽혀 있었다. 한국에서 주한 미군에 대한 거부감은 2000년도 중반에 이미 매우 악화되어 있었다. 녹색연합과 같은 진보 NGO들은 주한 미군을 고발함으로써 큰 반향을 일으킬 수 있으리라는 걸 알고 있었을 것이다. 실제로 이 기간 동안 녹색연합은 주한 미군 기지가 한국 영토의 극히 일부만 차지하고 있음에도 불구하고 여러 가지 환경문제를 주한 미군의 탓이라고 꾸준히 의혹을 제기했다. 몇몇 진보 단체들은 미군과 미군 기지가 한국인들을 중독시키고 있다는 인상을 남기려고 했다. 과격한 공격 방식이었다. 만일 일부 한국 NGO들이 주장하는 것처럼 주한 미군 기지가 그토록 심각하게 오염되어 있다면 가장 위험에 처할 것은 그 안에서 일하고 거주하는 미국인들일 것이었다.

한국 언론은 주한 미군에 대해 점차 가혹한 보도와 논평, 사설들을 내면서 많은 독자를 확보했다. 맥팔랜드의 포름알데히드 무단 방류 사건은 많은 386세대 기자가 주한 미군에 대해 갖고 있었던 고정 관념을 확인시켜주는 듯했고, 어떤 경우든 미국에 대한 이런 이야기는 "진위를 확인하기에는 너무 좋은" 뉴스거리였다. 한국 언론이 진위를 확인하는 수고만 했더라도 금방 이 사건이 건강에 위협이 되지 않는다는 것을 확인할 수 있었으리라. 그러나 그들은 확인 절차를 거치지 않았고 수백만 명의 서울 시민이 식수를 걱정하게 만들었다.

한편 한국 정부와 민간 부문의 기술적 전문가들은 극히 일부의 예외를 제외하고는 언론의 대응과 여론의 분위기에 겁을 먹어 제목소리를 내지 못했던 것으로 보였다. 이를 환경부가 2008년, 인근 공장에서 폭발이 발생한 후 낙동강에 포름알데히드 용액이 방류됐을 수 있다는 보도에 대해 여러 차례 반복하여 해명한 바와 비교해보라. "물속에 들어 있는 포르말린의 양은 세계보건기구WHO의 기준보다 낮으며 따라서 우려할 것이 없다."[25] 나는 한국의 검사들이 여론에 휩쓸려서 주한 미군 사건을 정치적으로 기소했다고 생각한다.

그리하여 상대적으로 사소한 실수이자 위반 사항이 한국에서 커다란 이야깃거리로 변형됐다. 이는 당시의 반미 감정을 양분으로 삼아 성장했으며 이윽고 반미 감정의 증대에 기여하기도 했다. 이 사건을 기소 처분하겠다는 법무부의 고집으로 인해 포름알데히드는 이후에도 4년 동안 한미 관계의 분위기를 오염시켰다. 그러나 그것으로도 끝이 아니었다.

환경오염에서 대중문화까지

2004년 10월 한국의 대표적인 영화감독인 봉준호는 포름알데히드 방류 사건을 가지고 영화를 제작하겠다고 발표했다.[26] 2006년에 개봉된 영화 「괴물」은 한국의 박스오피스 기록을 갱신하며 국내와 미국을 포함한 해외에서 모두 호평받았다. 영화에서 주한 미군 직원이 한강에 방류한 포름알데히드로 인해 물고기가 돌연변이를 일으켜 거대한 괴물이 되어 서울에서 날뛴다. 코미디와 액션이 가미된 이 영화는 투박한 반미주의를 담은 영화는 아니다. 그러나 한국 진보 세력의 정치적 테마와 모티프를 많이 갖고 있다. 주한 미군과 연관된 다른 사건들을 비판적으로 언급하는 부분들이 있다. 이를 테면, 영화 속의 괴물을 죽이기 위해 사용하는 화학약품의 이름은 '에이전트 옐로'다. 봉준호 감독도 「괴물」을 반미 영화라고 단순화시키는 것은 무리한 해석이다. 그러나 분명 미국에 대한 비유와 정치적 논평은 있다"고 말했다.[27] 영화는 대중적으로 큰 성공을 거두어 당시의 포름알데히드 사건에 대한 인터넷에서의 언급이나 미국뿐만 아니라 한국 젊은이들의 기억 속에서 강하게 남아 있다.

그리고 맥팔랜드 씨는 어떻게 됐나

나는 앨버트 맥팔랜드를 만날 기회가 없었다. 그러나 이 글을 쓰면서 그가 어떻게 됐는지 궁금해졌다. 인터넷에 나오는 그에 대한 최신 정보는 2012년 3월 이후에 게시된 뉴스 기사였다. 당시 그는 주한 미군 용산 기지에서 계속 장의사로 일하고 있었다. 뉴스 기사의 일부는 이러했다.

테네시 주 클라크스빌 출신으로 유엔 사령부 장의관으로 일하고 있는 앨버트 리 맥팔랜드는 그의 넓은 도량과 교육과 학습에 대한 꾸준한 헌신으로 최근 전문장의업기부기금 아카데미에서 펠로의 영예를 안았다.

맥팔랜드는 육군에 입대하여 26년간 복무하고 주임원사로 퇴역했다. 육군을 떠난 후 그는 미드아메리카 장의학교에 입학하여 응용과학장의 준학사 학위를 취득했으며, 1998년 장의사 자격증을 취득했다. 그는 전문장의업자협회 종신회원이며 2000년 5월 공인장의사 인증을 받았다. … 맥팔랜드는 승희 맥팔랜드 여사와 35년째 결혼생활 중이다.[28]

2008년의 주한 미군 웹사이트에서 맥팔랜드에 대한 다음과 같은 언급도 찾을 수 있었다.

올해의 민간인 직원상 수상자
2008년 9월 18일—올해의 관리자—앨버트 L. 맥팔랜드 씨[29]

포름알데히드 사건 이후 단 2개월 만에 매향리 사건이 벌어졌다. 매향리 사건은 8월에 시작될 예정이었던 SOFA에 대한 한국과 미국의 개정 협상 논란도 격화시켰다. 포름알데히드 사건은 특히 한미 SOFA에 환경 관련 조항이 추가되는 데 일조했다. 이제 우리는 매향리 사격장 사건과 SOFA를 살펴볼 것이다.

제4장

공평과 평등

매향리 사격장 사건과 한미 SOFA 개정

❖

한미 관계의 또 다른 위기는 말 그대로 갑작스레 발생했다. 2000
년 5월 8일 월요일, 미 공군의 A-10 공격기에 기계적 결함이 발생했
다. 사고를 미연에 방지하기 위해 한국과 미국 당국 모두가 승인하고
있는 표준작전절차에 따라 조종사는 주한 미군의 매향리 사격장에
여섯 발의 폭탄을 투하했다. 투하된 폭탄들은 사격장의 주요한 부분
이었던 서해의 무인도 끝자락에 떨어졌다. 그런데 매향리 인근의 주
민들은 폭발이 자신들에게 부상을 입히고 거주 지역에 큰 피해를 입
혔다는 주장을 했다. 한국 언론은 주민들의 비난을 무비판적으로
보도했으며 논설위원들은 수개월, 심지어는 수년 동안 무심하고 거
만하며 불성실한 미국인들에게 분노를 쏟아냈다. 매향리 논란에 따
른 한국 여론의 압박은 3개월도 채 지나지 않아 미국 정부로 하여금
'불공평한' 한미 SOFA를 개정하는 협상을 재개하게 했다. 이 협상은
클린턴 행정부의 두 번째 임기가 끝나가던 2001년 초 개정이 완료
될 때까지 한국 언론과 여론을 점차 장악해갔다.

매향리 사격장 사건

미군은 한국전쟁 때부터 매향리 사격장을 기총 사격 및 폭탄 투
하 연습장으로 사용했다. 서울에서 남서쪽으로 80킬로미터, 그리고
오산의 대규모 미 공군기지로부터 서쪽으로 40킬로미터가량 떨어진
매향리 사격장은 작은 무인도들로 이루어져 있었다. 농섬은 폭탄 투

하 연습에 사용됐고 내륙과 인접한 해변은 기총 사격 연습에 이용됐다. 이 해변은 매향리의 작은 어촌·농촌 마을과 인접해 있었다. 매향리 사격장은 한국에서 미국 조종사들이 자격 유지를 위한 사격 연습을 할 수 있는 유일한 곳이었다.

사건이 발생하기 전까지 나는 매향리 사격장을 한번도 들어본 적이 없었다. 사격장이 주한 미군의 시설임에도 불구하고 한국 국방부가 사격장을 통제한다는 것을 알게 됐다. 주한 미군은 사격장의 운영을 미국의 민간 회사에 위탁했다. 여기에는 사격 훈련이 임박했을 때 경고를 보내는 일까지 포함됐다. 한국이 몹시 가난했던 1950년대와 1960년대에 어느 한국인들에게는 사격장 근처에 사는 것이 매력적이었다. 폭발한 폭탄과 탄환 등에서 나오는 고철들을 주워 팔아 생계를 꾸릴 수 있었기 때문이다. 이는 위험한 일이었으며 많은 사람이 당시 20여 년간 불발탄으로 인해 사망하거나 부상을 입었던 것으로 알려져 있다. (실망스럽게도 2000년경 주한 미군은 1950년대 폭발 사고에 대한 기록을 더는 갖고 있지 않았다. 활동가들은 사격장이 생기고 나서 13명이 사망했다고 주장한다.) 사격 훈련은 물론 매우 시끄러웠으나 1950년대에는 주민들이 고철을 팔아 돈을 벌 수 있었기 때문에 어느 정도 보상이 될 수 있었다.

수십 년이 흐르자 폭발 위험과 소음, 불편 등이 주민들이 그간 얻을 수 있었던 이득을 상회하기 시작했다. 1988년, 몇몇 주민들은 소음공해대책위원회를 설립했다. 그들은 큰 소음에 장기간 노출되면서 청력 상실뿐만 아니라 여러 신체적·정신적 문제가 생겨났다고 말했다. 농부들은 소음이 가축에게도 건강 문제를 끼쳤다고 했으며 어부들은 사격장 근처에 그물을 놓을 수가 없게 됐다고 말했다. 다른 곳의 한국인들과 마찬가지로 매향리 주민들도 보다 부유해지면서 환경오염에 점차 관심을 갖게 됐다. 사격장에서 나오는 중금속과 기타 물질들은 사격장 주변의 토양뿐만 아니라 바닷물까지 오염시켰다.

2000년이 되기 오래전부터 주한 미군이 매향리 사격장을 대체할 곳이 필요하다는 것은 분명했었다. 사격장을 지속적으로 운영하는 것을 일부 주민이 거세게 반대하고 있을 뿐만 아니라 다른 이유도 있었다. 1988년 서울 올림픽 이후부터 한국 정부는 작고 오래된 김포공항을 대체할 공항을 건설할 계획이었다. 새로운 공항은 2001년 인천 근처에 개장될 예정이었다. 매향리 사격장은 새로운 국제공항을 이용할 민간 항공기들의 안전을 고려할 때 너무 가까이 있었다.

그러나 매향리 사격장의 대체 부지를 찾는 것은 쉽지 않았다. 주민들의 반대에도 불구하고 매향리 사격장을 유지시키는 것부터가 난관이었다. 한국처럼 인구밀집도가 높은 나라에서 새로운 사격장을 확보하는 일은 엄청난 님비NIMBY('내 뒷마당에는 안돼') 현상을 일으킬 것이었다. 서울의 진보 활동가들이 주축이 된 반대 집회는 불 보듯 뻔한 일이었다. 나는 주한 미군 관계자들에게 왜 한국 공군의 사격장을 쓰지 않느냐고 물었는데 그들은 자신들도 그런 시도를 해보았는데 한국 측에서 사격장을 공유하길 꺼려 했다고 말했다. 나는 그게 사실인지 아니면 주한 미군이 자신들 전용의 사격장을 원했는지 혹은 다른 문제가 있는 것인지 확신할 수 없었다. 어쩌됐든 두 가지는 분명했다. 미군이 한국에서 임무를 계속하기 위해서는 한국 내에 적합한 훈련장을 지속적으로 이용할 수 있어야 했고, 매향리 사격장은 더는 그 목적에 부합하지 않았다.

내게 분명하지 않았던 것은 왜 한국 국방부가 주한 미군을 더 이상 돕지 않았느냐다. 한국 국방부는 매향리에서 논란이 덜 될 만한 곳을 물색해주든지 다른 곳의 대체지를 제공하는 식으로 주한 미군을 도와줄 수 있었다. 한국 국방부는 주한 미군이 소속 조종사들의 기량 및 자격 유지를 위해 국내에 훈련장이 필요하다는 걸 알고 있었으나 이러한 사안에 큰 관심을 두지 않은 것처럼 보였다. 한동안 국방부의 전략은 사격장 근처 마을에 사는 모든 주민의 토지를 매입하여 다른 곳으로 이주하도록 하는 것이었다. 그러나 이는 마을 주민 모두가 동의할 때에 가능한 것이었다. 많은 주민이 이 안을 수용할 의사가 있었으나 몇몇은 이주를 거부했다. 주민들의 저항은 전만규라고 하는 주목할 만한 인물에 의해 조직화됐다.

활동 지도자

전만규 씨는 매향리에서 태어나 자랐다. 한 언론 보도에 따르면 그는 1978년에 소음 공해로 인한 심리적 문제 등을 소개한 신문기사를 읽고 활동을 시작하게 됐다고 한다.[1] "매향리 주민들은 마치 술에 취한 것처럼 쉽게 화를 내곤 했다. 우린 결코 정신적으로 안정될 수가 없었다." 그는 이렇게 말한 것으로 알려져 있다. 그는 매향리의 자살률이 매우 높다고도 덧붙였는데(1951년 이래로 20명이 자살했다고 알려져 있다)[2] 그는 사격 훈련의 매우 큰 소음에 오랫동안 노출된 것이 원인이라고 여겼다. 전씨의 아버지도 자살했다.[3] 다른 언론과의 인터뷰에서 전씨는 자신의 아버지가 왜 자살했는지 모르지만 분명 소음으로 인한 심리적 문제일 것이라고 생각한다고 말했다.[4] 전씨는 자신도 자살을 기도했었다고 말했다.[5]

전만규는 자신의 임무에 집착하고 있었다. 그는 악명 높은 국가보

안법으로 여러 차례 체포됐고 짧은 기간 동안 수감되기도 했다. 전씨가 사격장 폐쇄를 위해 대부분의 시간을 보내는 동안 가족의 생계는 그의 부인이 책임졌던 것으로 알려져 있다. 부인은 그에게 활동을 그만두고 가족과 함께 이주하자고 애원했다.[6] 매향리 사격장이 폐쇄된 이후에도 전씨는 사격장 지역에 평화공원을 만드는 데에 집중했다. 2007년 그는 다시 신문지상에 이름을 올렸는데, 이번에는 자기 부인이 외도를 했다며 인질로 잡고 경찰관을 찌른 혐의로 구속됐다.[7] 2012년 당국은 전씨를 매향리 주민들의 폭격장 피해 보상금을 횡령하여 제주도 해군기지 건설 반대 투쟁을 지원하는 데 사용했다는 이유로 기소했다.[8]

한국 언론의 반응

전씨의 동기나 개인적인 문제들이 무엇이었든지 간에 그의 끈덕진 투쟁은 분명 매향리 사격장의 폐쇄를 앞당기는 데 중요한 역할을 했다. 그는 언론의 지원과 보다 강한 여론의 압박을 필요로 했다. 2000년 5월 8일 사건은 그에게 둘 다를 주었다. 한국 언론은 사건 발생 이후, 알려진 것과 같은 피해는 발생하지도 않았고 발생할 수도 없었다는 미국 관계자의 성명서를 외면했다. 이전에 발생했던 노근리, 에이전트 오렌지, 그리고 여타 주한 미군 관련 문제들 이후 한국 언론과 진보 단체들은 매향리 사건을 받아들일 준비가 되어 있었다. 매향리 사건 보도 이후 일반적인 한국 시민은 미군이 평범한 한국인들을 신경 쓰지 않았다고 느꼈고, 그리하여 매향리 주민들의 고통에 대한 기사에 강하게 공감했다.

한국 언론이 매향리 사건을 어떻게 보도하고 있는지를 대표적으로 보여주는 『서울신문』 사설에서 사건으로 인해 "주민 6명이 다치고 농가 700여 채의 벽에 금이 가고 창문이 깨지는 사고가 일어났다"고 주장했다.[9] 기자들에게 사건에 의한 피해 정보는 대부분 전만규 씨가 제공한 것으로 알려져 있다. 이상하게도 몇몇 기사들은 사건의 피해에 대해 해당 지역의 경찰관도 똑같이 말한 것으로 인용되고 있었다. 경찰관도 전씨가 말한 것을 따라 하고 있는 것으로 보였다.[10] 몇몇 기자들은 전씨가 언급한 주민들의 부상이, 심지어 전씨의 언급 속에서도 일부 노인들이 무슨 일이 일어났나 보려고 황급히 집에서 나오다가 넘어진 것과 몇몇 주민들이 심계항진으로 고통받은 것이라고 명기했다. 그러나 다른 언론 보도들은 그러한 세부 사항을 언급하지 않았다. 따라서 많은 독자는 마음속에 폭탄의 폭발로 주민들이 직접적인 피해를 입었다는 인상을 남겼을 것이다. 폭탄이 떨어진 것은 내륙 주민들의 어느 가옥으로부터도 2킬로미터 이상 떨어진 농섬의 외곽 지역인데 과연 그러한 피해를 입힐 수 있었는지 어떤 언론도 의문을 제기하지 않았다.

대신 한국 언론은 곧바로 주한 미군에 대한 기존의 스토리라인을 답습했다. 논설위원들은 여론의 태도와 기대가 바뀌었음을 특기하고 미국과 한국 정부 모두에게 문제를 해결하라고 요구했다. 『중앙일보』는 다음과 같이 논평했다. "이제는 시대가 변했다. 미군의 사회 문제와 대책을 고작해야 범죄 정도로 국한했던 시각을 재산권 행사나 환경문제 등으로 확대하는 것이 불가피해졌다."[11] 『동아일보』도 다른 언론들과 마찬가지로 다음과 같은 사설을 냈다. "그런 균열을 사전에 방지하기 위해서도 한미행정협정SOFA의 '**불평등**'(강조는 저자) 조항은 시급히 개정되어야 한다."[12]

한국 언론은 주한 미군의 입장에 대해서는 상대적으로 거의 보도하지 않았다. 설사 보도하더라도 언론의 언급은 편견이 심했다. 예를 들어 한 기자는 미군 관계자가 다음과 같이 말했다고 보도했다. "잘못한 것이 없는데 왜 이러는지 모르겠다. … 폭격 피해도 크지 않았으며 피해 신고를 한 주민이 한 명도 없다. 그런데도 한국 언론은 사실을 보도하지 않고 반미 감정만 조장하고 있다." 이 발언에 같은 기자는 다음과 같이 보도했다. "이에 대해 매향리의 한 주민은 '목숨만을 살려주었으니 다른 피해는 떠들지 말라는 것이냐'며 비난."[13]

진보 활동가들은 거의 즉각 이 문제에 달려들었다. 5월 16일, 경제정의실천시민연합(경실련)과 같은 대형 단체들을 비롯한 127개 NGO의 연합인 '국민행동'이 서울 시내 미국 대사관 근처에서 집회를 벌였다. 이들은 매향리 사격장의 폐쇄와, 노근리 살육에 대한 조사, 그리고 한미 SOFA의 개정을 요구했다. 그들은 천막을 치고 5월 27일까지 집회를 계속하겠다고 말했다.

같은 날이었던 5월 16일, 『한겨레』는 진보 단체들과 지자체들이 한국 내의 미군 기지에 대한 관심을 높이고 있다고 보도했다.

'매향리 미군기 폭격사고'가 쟁점으로 떠오른 가운데 그동안 피해를 봐온 경기도 평택, 전북 군산, 대구 남구 등 미군 기지 주변 주민들이 생존권과 재산권 되찾기에 활발히 나서고 있다.

특히 미군 기지가 있는 전국 10여 자치단체가 피해대책 공동협의체를 만들어 대응하려는 움직임을 보여, 해묵은 주민 피해 문제가 해결 실마리를 찾을 수 있을지 주목된다.

경기 평택 지역 7개 시민·사회단체로 꾸려진 '우리땅 미군기지되찾기 평택시민모임'은 15일 기자회견을 열어 미군은 국제관례대로 임대료를 내고 기지를 사용할 것을 요구했다. … 모임은 또 "용산 미군 기지는 다른 곳으로 이전하는 대신 한국 국민에게 반환해야 한다"며 "미군이 사용하지 않는 미군 부대 안 빈터는 즉시 반환하라"고 촉구했다.

대구 지역의 '미군기지되찾기 대구시민모임'과 남구의회 의원, 시민 등 1,500여 명은 지난 14일 대명동 캠프 워커 뒷문 앞에서 '미군 기지 이전 촉구 결의대회'를 열고 기지 이전과 주둔군지위협정(소파·행정협정) 개정 등을 촉구했다.[14]

한국 언론이 두드리는 격전의 북소리는 계속됐다. 중도 좌파적 성향을 갖고 있으며 당시 미국에 대해 상당히 비판적이었던 『한국일보』의 인터넷판 편집자조차 5월 17일 발행한 논평에서 이를 우려했을 정도였다. 그는 미국과 미국 언론에 대한 음모론적 관점이 한국에 널리 퍼져 있음을 지적하면서 자중을 촉구했다.[15]

우라늄 위협까지 더해지다

이 일촉즉발의 상황에 말 그대로 새로운 요소가 더해졌다. 5월 16일, 한국 언론은 전만규 씨가 미국의 평화운동가이자 전직 '미군 조종사'라고 알려진 브라이언 윌슨에게 들었다는 이야기를 실었다. 미 공군이 매향리 사격장에 열화우라늄탄을 투하해왔을 수 있다는 것이었다. 윌슨은 전씨에게 A-10 공격기는 탱크를 주로 상대하는 항공기로 나토NATO군이 그해 초 유고슬라비아에서 탱크들을 공격하는 데 우라늄탄을 사용했다고 말한 것으로 알려졌다. 전씨는 또한 다음과 같이 주장했다. "미군 부대에서 경비원으로 근무하는 백모 씨로부터 A-10기에서 발사되는 기총탄두에 우라늄이 들어 있다는 말을 들은 적도 있다."[16]

5월 16일에 열린 노근리 사건에 대한 국제 심포지엄에서 윌슨은 자신이 속한 국제평화운동가 단체가 "매향리 사격장을 방문했으며 '우라늄폭탄의 사용을 시사하는 BDU탄의 파편과 부속'을 발견했다"고 설명했다.[17] 윌슨은 자신이 본 탄 껍데기에 쓰여 있는 'BDU'라는 약자가 '열화우라늄폭탄'을 의미한다고 말했다. 한국 언론은 윌슨이 5·18 광주민주화운동을 기념하고 노근리 사건을 조사하러 한국을 방문한 '세계평화운동'의 회원이라고 보도했다. 윌슨은 매향리에서 열화우라늄탄을 사용한 것에 대해 미국이 "진실을 말해야 한다"고 말했다. 한국 언론은 윌슨의 고발을 1면에 다루었다. 반응은 심각한 우려에서부터 격노까지 다양했다.

미군과 한국군 대변인들은 보도 내용을 부인했다. 주한 미군은 'BDU'가 '열화우라늄폭탄'bomb, depleted uranium이 아닌 '모형폭탄' bomb, dummy unit을 뜻한다고 설명했다. 비용과 위험성 때문에 미 공군은 통상적으로 매향리 사격장에서 사격을 실시할 때 실탄을 사용하지 않았다. 대신 실제 폭탄과 동일하게 생겼으나 내부는 콘크리트로 채워진 모형탄을 사용했다. 주한 미군 관계자는 "미국이 열화우라늄을 함유한 탄을 보유하고 있었기는 하나 한국이나 다른 곳 어디에서도 열화우라늄폭탄을 보유하고 있던 적은 없으며 지금도 없다"고 말했다.[18]

그럼에도 불구하고 5월 18일, 『한국일보』는 사설에서 이렇게 한탄했다. "유엔에 의해 제조와 사용이 금지된 것으로 알려진 열화劣化우라늄탄이 매향리 미 공군사격 연습장에서 사용됐다는 의혹이 제기돼 큰 파문을 낳고 있다. 폭발 때 유출되는 방사능 오염으로 인체에 치명적 위해를 가하는 우라늄탄 사용이 사실이라면 이는 예삿일이 아니다."[19]

같은 날 『세계일보』는 「매향리에 우라늄탄까지?」라는 제목의 사설에서 주한 미군이 매향리 사격장에 우라늄탄을 투하했다는 혐의 "그 자체만으로도 충격적"이라고 논평했다. 사설은 다음과 같이 이어졌다.

… 우라늄탄의 국내 사용 의혹은 국토 오염과 인명 피해 조사가 반드시 뒤따라야 하는 중대 사건이기 때문이다. 매향리 문제는 이제 더이상 매향리에 국한된 문제가 아닌 셈이다. 당국은 즉각 진상 조사에 착수하여 우라늄탄 사용 여부에 대한 진상을 먼저 밝혀야 한다. …

한-미 양국이 합동으로 피해 조사를 실시하기로 한 만큼 우라늄탄 사용 여부도 철저히 규명해야 한다. 미군 군 당국자의 '해명'만으로 민감한 사안의 의혹이 단번에 해소될 수는 없다. 조사 팀은 우라늄탄의 존재 여부에 대한 가감 없는 조사를 통해 핵물질 오염에 대한 국민적 우려를 씻어주기 바란다.[20]

5월 18일, 『조선일보』가 주한 미군과 한국군의 공식 성명에 약간이나마 신빙성을 주는 것처럼 보였다.

하지만 조종사 출신 미국인 브라이언 윌슨 씨가 주장한 전폭기 탑재용 덩어리 폭탄은 없다. … 전문가들은 주한 미 공군이 최소한 수만 발의 30mm 열화우라늄탄을 보유하고 있을 것으로 보고 있다. … 그러나 국방부와 주한 미군은 "열화우라늄탄은 가격이 매우 비싸고, 실탄을 쓰면 훈련장 표적이 파괴되기 때문에 평상시엔 훈련탄만을 사용한다"며 부인하고 있다.[21]

전날의 사설에 이어 『한국일보』는 5월 18일 자에 「우라늄탄 사용의혹 밝혀라」라는 제목으로 매우 회의적인 사설을 실었다. "폭발 때 유출되는 방사능 오염으로 인체에 치명적 위해를 가하는 우라늄탄 사용이 사실이라면 이는 예삿일이 아니다. 정부는 지체 없이 진상 조사에 나서 사실 여부를 명확하게 밝혀야 한다. 주한 미군이나 국방부가 우라늄탄 사용 사실을 일단 부인했지만 불안에 떠는 매향리 주민들을 안심시키지는 못 하고 있다. 오히려 반전운동 세미나 참석차 방한 중인 전직 미 공군 조종사 브라이언 윌슨 씨가 제기한 우라늄탄 사용 의혹은 구체성을 띠고 있다. 그가 우라늄탄 탑재기인 A-10 전폭기 조종사였다는 사실을 감안하면 그의 증언은 소홀히 넘기기 어려운 데가 있다."[22]

주한 미군의 공보장교인 로버트 색슨은 5월 18일 발표한 성명에서 주한 미군은 열화우라늄폭탄을 보유하고 있지 않다고 반복했다. 열화우라늄 기관포 탄환은 보유하고 있으나 주한 미군은 한번도 이를 사용한 적이 없다고 색슨은 강조했다. 같은 날, 주한 미군의 마이클 던 소장은 주한 미군이 한국 어느 곳에서도 우라늄탄을 사용한 적이 없다고 공식적으로 발표했다.

사건 초기 한국 언론의 보도와 사설들이 보여주듯, 한국 언론은 이 문제에 대해 주한 미군은 물론이고 심지어 자국 정부의 성명조차 신뢰하지 않았다. 놀랍게도 언론은 미국의 자칭 평화주의자라는 사람의 말만을 무비판적으로 수용했다. 그는 미국에 매우 비판적인 목적을 갖고 한국을 찾은 사람인데도 말이다.[23] 한국 언론은 윌슨이 자신이 말하는 대상을 정말로 알고 있는지, 또는 그가 어떠한 목적을 갖고 무책임한 발언을 하고 있는 것은 아닌지 고민하지 않았다. 거의 일 년 가까이 주한 미군을 비판하지 못했던 한국 언론은 출처가 얼마나 빈약하고 의문스러운지는 상관하지 않고 주한 미군을 비판하는 기사들을 더 내고 싶어 했던 것 같았다. 수십 년간의 권위주의 통치는 한국 언론으로 하여금 진보 인사인 김대중이 한국 정부의 수장이 됐음에도 불구하고 자국 공무원들의 성명을 믿지 않도록 만들었기도 했다.

조사

5월 8일의 매향리 사건에 대한 조사를 촉구하는 언론과 시민사회의 압력과 고발에 의해 주한 미군과 한국 국방부는 5월 16일 공동조사를 실시하기로 합의했다. 5월 18일부터 5월 20일까지 현지 실사도 하기로 했다. 그때까지 매향리 사격장에서의 훈련은 중단됐다. 합동조사단장으로 국방부 군수국장 이광길 소장과 주한 미군 부참모장 마이클 던 소장이 공동 임명됐다. 12명의 한국인과 미국인으로 조사단이 결성됐다. 조사단은 사건이 실제로 피해를 주었을 경우 주민들에게 보상할 것이라고 발표했다.

합동조사단은 현지 측정, 마을 사찰, 주민 면담 등을 비롯한 다양한 기술과 방법을 활용하여 사건을 조사했다. 곧 농섬 저편의 바다에 투하된 폭탄 여섯 발의 폭발로 중대한 피해가 가해졌을 리 없다는 것이 조사단의 한국인과 미국인 모두에게 분명해졌다. 고집스러운 공군 전투기 조종사 출신인 던 소장은 나중에 내게 조사 결과의 발표에 대해 한국 측 이광길 소장과 논의했던 내용을 말해주었다. 던은 이광길 소장에게 보고서에서 사건이 아무런 피해를 주지 않았다는 걸 밝힐 때 완곡어법을 사용하지 말고 곧이곧대로 표현해야 한다고 말했다. 그러나 이 소장은 큰 우려를 보였다. 그는 한국 언론이 전만규 씨의 말을 액면 그대로 보도했으며 언론과 여론이 사건에 대해 매우 우려하고 있다고 지적했다. 그는 중대한 피해가 없었다고 딱 잘라 말하면 분명 반응이 매우 나쁜 것이라고 예견했다. 그러나 던은 원칙을 고수했으며 조사 결과를 설명하는 데에 완곡어법을 고려하지 않았다.

결국 이광길 소장의 예견이 들어맞았다. 5월 24일 한국 기자들과 만나 조사 결과를 미리 알려주는 자리에서 이름이 언급되지 않은 '미국 고위 관계자'는 합동조사단이 마을에 중대한 피해를 발견하지 못했다고 발표했다. 마을에서 창이 깨지거나 벽에 금이 간 것이 5월 8일에 발생한 사건과 관련됐다는 증거는 없었다. 이와는 별개로 한국 국방부 관계자 또한 언론에 심각한 피해는 없었다고 말했다. 그러나 십중팔구 자신의 발언을 보다 부드럽게 하기 위해 이 관계자는 다음과 같이 덧붙였다. "그러나 최종 결론은 한-미 공동 조사단과 국방부 선정 민간 업체와 주민 선정 민간 업체의 조사 결과를 종합해내릴 것."[24]

이에 대해 한국 언론은 다시 전만규 씨의 발언을 인용했다. 처음의 충격적인 주장에서 물러선 듯, 전씨는 "지난 8일 폭탄 투하가 있은 이후 내가 사는 매향 3리에서만 10채(강조는 저자)여 가구에서 유리가 깨지고 금이 갔다는 얘기를 들었다(강조는 저자)"고 말했다. 그는 조사단이 오직 "집이 폭삭 무너지거나 주먹만 한 구멍" 같은 것만 찾아다녔을지 모른다고 덧붙였다. 전씨는 그러고는 화제를 바꾸어 정말로 중요한 문제는 단 하나의 사건으로 인해 발생한 피해가 아니라 주민들이 수십 년간 겪어온 피해라고 주장했다. 그는 "지난 반세기 동안 누적된 피해 상황에 대해서는 일언반구도 없이 8일 사건에만 집중해 말한다는 것은 말도 안 된다"고 말했다. 그는 "주민들의 보금자리에 균열이 생기고 창문이 깨지는 것도 중요하지만 오폭의 위험과 폭격 소리가 더 큰 고통"이라고 말했다. "우리는 조사단의 결과를 결코 무기력하게 받아들이거나 용인하지 않을 것"이라는 게 그의 결론이었다.[25]

조사 결과의 발표 이후 한국 언론은 또다시 전씨의 뒤를 따랐다. 이전에 노골적으로 5월 8일 사건을 조사하고 보상할 것을 요구했던 수많은 언론이 갑자기 태도를 바꾸었다. 이들은 아무런 피해를 발견하지 못했다는 발표는 말도 안 된다고 선언했다. 그것이 꼭 부정확하기 때문만이 아니라 정말 중요한 것은 특정한 한 사건의 피해가 아니라 수십 년간에 걸친 주민들의 고통이었기 때문이다. 나는 약간의 고소함 같은 걸 느끼면서 적어도 몇몇 기자들과 편집자들이 전만규씨의 주장을 제대로 확인해보지도 않고 보도했다는 사실에 당혹감을 느끼길 바랐다. 그러나 그들은 이것을 한국인에 대한 주한 미군의 오만과 무례라고 여기고 더욱 분노했다. 그들은 주민들의 고통을 자신들의 것으로 동일시했고, '팩트'가 이를 지적하는 걸 방해하도록 두지 않았다.

매향리 사건으로 인한 피해 주장들에 신빙성이 있다는 증거가 없음에도 불구하고, 특히 진보 매체는 조사 결과에 꾸준히 의혹을 제기했다. 『한겨레』 기자는 6월 2일 자에 조사가 '부실'했다고 썼다.

　　일례로 젖소의 유산 여부를 가리기 위해서라면 매향리 젖소들의 평
상시 유산율과, 다른 지역에 사는 젖소들의 유산율 등을 지난달 8일
사고 뒤 매향리 젖소의 유산율을 비교했어야 했다. 그리고 사고 이후
특별한 다른 요인이 없었는데도 매향리 젖소들의 유산율이 높았다면
폭발음 내지는 진동으로 인한 피해로 봐야 하는 것이다. 그러나 조사
단은 이런 과정을 밟지 않았다. …
　　또 13명의 주민이 당시 손발떨림이나 가슴 두근거림 등의 증상을 보
였다는 부분에 대해서도 시간이 지난 뒤 관련성을 증명할 수 없으니 피
해 사실로 인정할 수 없다는 조사단의 주장도 설득력을 갖기 힘들다.
　　… 건물에 금이 가는 것은 어느 곳에서나 일어나는 일이라 명확히
밝히기 힘들다고 할지라도 주민들이 당시 사고로 137장의 유리가 깨
졌다고 주장한 부분을 인정하지 않는 것도 이해하기 힘들다. 조사단의
주장대로라면 이들 주민이 뻔한 거짓말을 하고 있는 셈이다.
　　… 매향리의 진상과 진실이 선명해져야 한다. 미봉은 불행을 낳을
뿐이다.[26]

『중앙일보』도 이와 유사한 논평을 했다. 사설에서 『중앙일보』는
"단기간의 어설픈 조사로 사태를 미봉하려 해서는 문제가 더욱 확대
될 뿐이다"고 했다. 사설은 주민들이 "3,459건의 피해 신고 사례"를
보고했다고 언급했다. "불과 열흘이라는 짧은 기간에 3,459건의 피
해 신고 사례를 조사해 '이상 무'를 선언한 것부터가 문제였다."[27]
　　물론 기자들이 더 객관적이었다면 다음과 같은 질문을 던질 수

있었을 것이다. 금전적 보상을 추구하는 사람들과 특히 활동가 지도자들은 때때로 금전적 이득과 효과 극대화를 위해 적어도 주장을 '과장'하지 않는가? 주민들이 정말로 사건이 발생한 5월 8일부터 조사가 끝난 5월 20일까지 3,459건의 피해 사례를 보고했을까? 만약 정말로 피해 사례 보고가 3,459건이었다면 대부분은 수년 전, 심지어는 10여 년 전에 발생했던 것은 아니었을까? 피해 사례 중 얼마나 매향리 사격장과 연관이 있는 것이며 그중 얼마만큼이 가옥의 정상적인 노화 과정에서 벌어진 것이었을까?

6월 2일, 공동조사단장인 이광길 소장은 국방부에서 합동조사단의 공식 조사 결과를 발표했다. 한 언론의 보도에 따르면 다음과 같다.

한·미 합동조사단의 공동단장 이광길 국방부 군수국장은 이날 국방부에서 기자회견을 갖고, "매향리 주민들이 신고한 시설, 가축 피해 등 3,459건에 대해 합동조사를 벌인 결과 폭탄 투하로 인한 직접적 피해는 없다는 결론을 내렸다"고 밝혔다.

이 국장은 "지반이 연암층이고 폭탄 6개가 동시에 폭발했다는 최악의 가정을 해도 1,850m 떨어진 해안가에 미치는 충격은 초당 0.42cm로 주택에 최소의 피해를 주는 기준 충격인 초당 0.5cm보다 적게 나타났다"며 "표본조사를 벌인 피해 건물은 투하 장소로부터 2,020~4,020m 떨어져 있어 건물 균열은 이번 폭탄 투하로 인한 진동과 무관한 것으로 판단된다"고 밝혔다.

그는 또 "당시 투하된 MK82 폭탄 파편이 날아가는 거리는 최대 777m인데 폭탄 투하 지점에서 육지까지의 거리는 1,850m이기 때문에 파편에 의한 피해 발생 가능성도 없다"며, "그러나 수족경련, 불면

등 주민들의 피해와 젖소의 유산 등 가축 피해가 폭발음과 관련된 것인지는 판단하지 못했다"고 덧붙였다. 조사단은 주민들이 피해 배상을 신청할 경우 SOFA 규정에 따라 조사 심의 결정키로 했고, 매향 1·5리 주민 이주 대책과 사격 방향 및 표적 위치 조정 등 쿠니(매향리—편집자) 사격장 소음 최소화 대책을 마련키로 했다.[28]

전만규 씨는 조사 결과가 어처구니없다고 주장하며 매향리 사격장을 폐쇄하기 위해 NGO들 및 학생들과 긴밀히 노력할 것이라고 말했다. 사건이 발생한 이후 중단된 사격장에서의 훈련이 재개될 경우, 전씨는 1만 명을 동원하게 사격장을 점거하겠다고 경고했다.[29] 대부분의 한국 언론 보도는 합동조사단의 조사 결과 발표에도 불구하고 전만규 씨에게 동조했다. 지금까지 한국 언론들의 관심사는 5월 8일 매향리 사건 그 자체가 아닌, 이 이야기가 어떻게 하면 반주한 미군, 반미 프레임에 들어맞는지였다.

대단원

매향리 사격장 사건 이후 주한 미군은 이 사격장을 정기적으로 사용할 수 없으리라는 걸 알았다. 2000년 8월, 주한 미군은 기총 사격 훈련용으로 사용하던 사격장 해변의 이용을 종료했다. 2003년 11월, 주한 미군은 사격장을 영구적으로 폐쇄하는 과정에서 사격장의 행정 업무를 한국 정부로 이관했다. 그동안 한국의 미국 조종사들은 동남아시아, 괌, 알래스카의 사격장까지 날아가 의무 훈련을 실시했다. 2005년 매향리 사격장은 공식적으로 폐쇄됐으나 한국 정부는 그때까지도 주한 미군에게 대체 부지를 제공하지 않았다. 한국 정부는 직도를 대체 사격장으로 정했지만 현지 주민과 서울의 활동 가들이 반대했다. 마침내 미국의 장성들은 한국이 한반도 내에서 적합한 훈련장을 제공하지 않으면 30일 내로 미군 항공기들을 철수시켜야 한다고 사실상의 최후통첩을 보냈고, 한국 정보는 2007년 주한 미군에게 직도 사격장을 준비하여 개장했다. 중앙정부는 지방정부와 지역 주민들이 반대하는 것을 철회하도록 설득하기 위해 지방정부에 3340억 원의 사업비를 지원했다.[30]

한편 2000년대 중반까지 매향리 주민들은 보상을 요구하는 일련의 소송에서 승소하고 있었다. 법정에서 주민들의 최종 승리는 한국 정부가 한미 SOFA의 조항을 거론하면서 주한 미군이 한국 법정에서 명령한 보상금의 일부를 지불하라고 요구하면서 또 다른 논란이 됐다. 주한 미군은 또 다른 한미 SOFA의 조항을 거론하면서 이를 거부했다. 한국 언론은 일제히 한국 정부 편을 들어 주한 미군의 입장을 비난했다.

매향리 사격장의 보도 프레임

매향리 사격장에 대한 한국 언론의 보도 프레임은 미국인들이 매향리 주민들에게 버거운 짐을 지우고 있다는 것이었다. 상황에 대한 언론의 묘사는 종종 과장됐긴 했으나 그 자체로는 부당한 지적이거나 한국만의 문제는 아니었다. 당시 한국 언론들이 지적한 바와 같이 미국의 자치령 푸에르토리코에서도 비슷한 논란이 벌어지고 있었다. 비에케스 섬의 주민들은 섬의 일부를 미 해군이 폭격 훈련장으로 사용하는 데 반대하고 있었다. 저명한 미국 및 국제 인사들의 지지에 힘입은 대중 시위로 인해 사격장은 2003년 폐쇄됐다.

그러나 매향리 사격장에 대한 한국 언론의 보도는 그 전년도 가을부터 시작된 주한 미군에 관한 강력한 내러티브의 한복판에서 벌어진 것이었다. AP가 1950년의 노근리 사건을 보도하면서 시작된 이 내러티브는 포름알데히드, 에이전트 오렌지, 그리고 주한 미군과 미국의 비행들로 인해 더욱 악화됐다. 미국에 대한 한국인들의 불만은 한국에 대한 미국 특히 주한 미군의 오만과 불손함에 의해 증폭됐다. 그리하여 매향리 사격장 문제에서도 오직 이러한 프레임에 부합하는 요소들만 상세히 보도됐다. 대부분의 한국인들은 주한 미군이 한국에 남아 있기를 원했으나 한국 언론은 독자들에게 왜 훈련장이 필요하며 왜 매향리보다 더 나은 해결책이 제시되지 않았는가는 설명하려고 하지 않았다. 전만규 씨와 다른 이들의 과장과 왜곡에 의문을 제기하는 이는 없었다. 팩트가 존재하지 않을 때는 윌슨과 같은 이들의 근거 없는 주장이 곧바로 제공됐다.

한미 SOFA 개정

한미 SOFA는 1999~2002년 동안 중대한 이슈였다. 그러나 이 문제의 근원은 훨씬 더 멀리 거슬러 올라간다. 1945년 미국의 한국 주둔과 한국전쟁이 그 근원이라 할 수 있다. 한미 SOFA는 거의 모든 한국인에게 한미 동맹의 근본적인 '불공평'과 '불평등'을 상징해왔다. 그러나 SOFA는 단순한 상징적 문제보다 훨씬 더 큰 것이었다. 한국인들은 SOFA가 한미 동맹 사이에서 발생하는 모든 문제의 근원이자 이에 대한 실질적인 해결책이 될 수 있으리라고 잘못 여겼다.

SOFA에 대한 한국인들의 감정에 기반한 정치적 압력은 2000년 가을, 미국으로 하여금 협정을 다시 공식 협상하게끔 강요했다. 그전까지 미국은 협정 개정을 기피하는 모습으로 보여 반미 감정을 더 자극했다. 에이전트 오렌지, 포름알데히드, 그리고 매향리 사격장 사건을 비롯한, 주한 미군과 관련된 모든 논란이 발생할 때마다 SOFA 개정을 요구하는 목소리가 물밀듯이 밀려들었다. 개정 협상이 진행되는 동안 SOFA에 대한 논란은 더욱 거세어졌다. 협정의 불공평성에 대해 언론과 대중의 관심이 그 어느 때보다도 높았기 때문이다. SOFA 개정안이 2001년 1월 조인을 마쳤음에도 불구하고, 여기에 쏠렸던 관심들은 이후의 반미 감정과 집회에 영향을 미쳤다. 이듬해 여름, 주한 미군 군인 두 명이 운전하던 군용 차량에 의해 두 명의 한국 여학생이 사망하게 됐을 때 특히 그랬다.

SOFA란 무엇인가

SOFA란 과연 무엇인지 궁금할 것이다. 군에 복무하고 있는 사람들을 제외하면 미국인들 대부분은 SOFA가 무엇인지 거의 모른다. 사실 미국인들은 SOFA라는 약자를 이전에는 본 적조차 없을 것이다. 모든 한국인이 SOFA를 알고 있으며 협정에 대해 강렬한 감정을 갖고 있음에도 불구하고 협정 문서를 직접 읽어본 사람은 극소수다. 한미 SOFA 조항들의 정치적·법적 근거를 연구해본 사람은 훨씬 적다.

외국에 주둔하고 있는 군인의 문제는 언제나 복잡하고 여러 가지 근심걱정들을 동반하기 마련이다. 주둔국의 요청에 의해 주둔하고 있으며, 대부분의 사람들이 주둔군의 존재를 지지하고 있는 주한 미군의 경우에도 그렇다. 양측 정부는 토지와 시설 사용, 관세와 세금, 형사재판관할권 등을 비롯한 엄청난 수의 문제를 조율해야 한다. 군의 존재와 폭발물을 비롯한 위험물들이 연관되는 군 훈련은 더 줄이는 게 불가능한 어느 정도의 위험을 수반한다. 이러한 위험은 군인들 자신은 물론이고 주둔국의 공동체에도 영향을 끼친다. 문화적 차이는 오해와 마찰로 이어진다. 외국 군인도 인간이기 때문에 때때로 범죄를 저지를 것이며 주둔국 공동체의 일원들이 그 피해자가 될 수 있다. 주둔군지위협정SOFA이란 이러한 다양한 사안들을 다룰 때를 규정하는 양자 간의 법적 문서다.[31]

한미 SOFA의 역사

한미 SOFA에 대한 한국인들의 강한 감정은 부분적으로는 주한 미군의 존재가 역사적으로 오래됐으며 주둔 이후 수십 년 동안 한국에서 주한 미군이 큰 역할을 수행했다는 데에 기인한다. 미군은 1945년부터 남한에 주둔하여 1948년 대한민국 정부가 수립될 때까지 신탁통치를 했다. 정부 수립 이후 미국은 약 500명가량의 인원만 남기고 철수했다. 한국전쟁 동안 수십만 명의 미국인이 매년 한국에 배속됐다. 전쟁이 끝나자 미국은 병력을 대규모로 감축하기 시작했다. 1970년대 주한 미군은 4만 명이었고, 오늘날 그 숫자는 2만 8,500명가량이다.

미군정 시기에는 SOFA가 필요치 않았다. 미국이 한국을 통치하는 권한을 갖고 있었기 때문이다. 남한에 정부가 수립되자 미국은 고문관 자격으로 한국에 남을 예정인 자국 군인들의 지위에 대한 행정협정을 체결했다. 오늘날의 SOFA처럼 세세한 것은 아니었지만 이

행정협정은 미국 군인에 대한 형사상의 전속 관할을 허용했다. 다시 말해, 미국 군인이 한국인 또는 미국인에게, 그리고 근무 시간이든 근무 시간이 아니든 범죄를 저질렀을 경우 그에 대한 형사상 처리는 모두 미 정부의 관할하에 있다는 것이었다. 대한민국 정부의 존재에도 불구하고 미군은 한국전쟁 동안 한국 내부의 문제에 큰 역할을 수행했다. 미군의 지위는 1950년 7월 체결된 '대전 협정'에 규정되어 있는데 미군은 자군 소속 인원에 대한 전속 관할을 갖고 있었다.[32]

한국전쟁 이후 미국은 한국과 상호방위조약을 체결했다. 조약의 제4조는 한국에 미군을 주둔시키는 데 대한 법적 근거를 제시하고 있다.

> 대한민국은 상호 합의로 결정된 바에 따라 대한민국 영토에 미국의 지상, 항공, 해상 전력을 배치할 권한을 미국에 허락하며 미국은 이를 수용한다.[33]

마침내 1966년에 수립된 한미 SOFA는 상호방위조약에서 언급한 바와 같이 '상호 합의'였다.

상호방위조약을 체결하기 전에도 한국 정부는 국내 미군의 지위를 정하기 위해 회담을 열었다. 그러나 1962년까지 미국은 SOFA 체결에 대한 한국 정부의 요구를 거부했다. 가장 큰 이유는 한국의 사법체계가 완전히 성숙하지 않았으며 외국인의 인권을 충분히 보호하지 못할 것으로 여겨졌기 때문이다. 서로 주고받기를 거듭한 82회의 공식 협상 회담을 거친 후 양측은 1966년 마침내 주둔군지위협정에 조인했다.[34] 회담은 한국의 박정희 대통령이 베트남 전쟁에서 미군을 지원하기 위해 매년 3만 3천 명의 군인을 파병하고 있을 때 이루어졌다. 새로운 SOFA는 북대서양조약기구NATO의 미국 SOFA 와 비슷했으나 NATO나 일본의 SOFA에 비해 몇몇 측면에서 한국 측에 덜 전향적이었다. 여기에는 어떠한 상황에서 어느 측이 미군 소속 인원에 대해 형사상 관할권을 행사하고 어느 측이 수사와 재판 과정에서 구금을 할 수 있는지의 문제가 포함되어 있다. 어쨌든 미국은 특정한 상황에서는 미군 인원을 한국 측이 기소하는 데 동의했다.[35] SOFA는 한국의 사법 당국에게 한국 법에 대한 위반 사항 모두에 관할권(다시 말해 수사, 고발, 기소, 처벌)을 우선적으로 행사할 수 있게 했다. 미국 또는 미국 인원이 피해자이거나 공식 업무를 수행하는 중에 발생한 사건에서는 관할권을 우선적으로 행사할 수 있는 권리를 미국이 가졌다.[36]

SOFA는 처음 조인된 1966년부터 많은 한국인에게 불만을 주었고 한국인들은 꾸준히 협정의 개정을 요구했다. 1988년 말, 한미 양국 정부는 개정 협상을 시작했다. 협상을 시작하게 만든 추동력은 두 가지 측면에서 나왔다. 한국 정부는 여론의 증대하는 압력을 받고 있었다. 한국인들은 1987년 민주화와 그 이듬해 성공적인 서울 올림픽 개최가 보여주는 자국의 경제적·정치적 발전에 힘입어, 이제 NATO나 일본이 미국과 맺고 있는 SOFA와 비슷한 수준의 한미 SOFA를 가져야 한다고 느끼고 있었다. 미국 입장에서도 한국에 미군이 주둔하는 데 드는 비용의 일부를 (다른 동맹들과 마찬가지로) 지불할 것을 요청하기로 결정했다. 이는 SOFA 문제에 대해 한국 측의 협상력을 더 높여주었다. 1991년 2월 1일 조인한 최초의 개정안은 한국 측이 요청한 것의 대부분을 받아들인 것이었다. 개정안은 한국 언론과 여론을 전반적으로 만족시켰다. 이들의 관심은 개정안의 실제 내용보다 한국의 SOFA가 주한 미군 주둔 비용을 재정적으로 지원하기로 시작하면서 협상과 연계됐다는 사실에 쏠려 있었다. 최초의 연간 지원 비용은 미화 1억 5300만 달러가량이었다.[37]

개정된 SOFA에 대한 한국인들의 전반적인 만족감은 1995년에 미군 3명이 12세의 오키나와 여성을 강간한 사건에 대한 일본 국민의 분노를 무마하려고 미국이 미일 SOFA를 개정하면서 끝났다. 미일 SOFA가 개정되면서 일본 당국은 살인, 강간과 같은 강력 범죄의 경우에 미군 인원을 기소 전에 구금할 수 있게 됐다. 게다가 일본 당국은 이전부터 관할권을 우선적으로 주장할 수 있는 위법 사항에 대해서는 기소와 함께 이감할 수 있는 권한을 갖고 있었다.[38]

한미 SOFA 재개정에 대한 여론의 압력은 같은 해 지하철에서 벌어진 미군과 한국 시민 간의 난투극으로 더 심해졌다. 한 미군이 한국 여성의 엉덩이를 쓰다듬는 것을 본 한국 남성이 미군에게 항의하면서 사건이 벌어졌다. 해당 여성이 그 미군의 아내였음이 드러날 때까지 한국 언론과 여론 재판에서는 주한 미군 인원을 '무법자'로 묘사한 한국인 측의 관점을 일방적으로 편들었다. 무슨 이유인지 알 수는 없지만 사람들은 SOFA를 개정하면 이러한 문제를 예방할 수 있으리라고 생각했다. 한국 당국은 일본이 1952년부터 누리고 있던 기소 전 구금 권한을 얻는 것이 주목적이었는데 이 사건을 SOFA 개정 협상을 하도록 미국에 압박하는 핑계로 삼은 듯했다. 그러나 미국 담당자들은 일본에게 그런 양보를 했던 것이 실수였다고 생각하기 때문에 다른 나라와의 SOFA에서는 그런 조항을 넣지 않기로 결심한 상태였다. 미국은 심문을 받을 때 미국 측 대리인을 대동할 수 있는 권리가 없다는 사실과 그러한 권리를 침해당한 경우 당시에 했던 진술이 재판에서 제외될 권리가 없다는 사실에도 우려를 갖고 있었다.[39]

1995년 11월 말, 미국과 한국은 두 번째 한미 SOFA 개정 협상을 시작했다. 협상을 하기로 합의하면서 미국은 논란이 되고 있는 형사재판관할권과 구금권 문제에 한정하여 논의를 집중할 것을 촉구했으나 한국 측은 개정 요구 사항에 대한 길다란 목록을 들고 협상장에 들어왔다. 이듬해 가을, 협상은 교착상태에 놓였고 회담은 중단됐다. 내가 1999년 늦여름 서울에 왔을 때 한국 언론은 미국이 SOFA 개정 협상을 재개하지 않으려 한다며 비난하고 있었다. 위에서 언급했다시피 한국 언론은 그 연관성이 얼마나 미약하든지 간에 주한미군에 관련된 거의 모든 이슈를 SOFA 개정과 연관시켰다.

한국 측 담당자와 여론, 언론의 강렬한 압박으로 공식 협상의 재개에 대한 미국의 거부는 약화됐다. 2000년 5월 미국은 한국 측에 초기 구금권(긴급체포 후 재판 때까지 한국 측이 피의자 신병을 확보할 수 있는 '계속 구금권'과는 달리 긴급체포 직후 초기에만 한국 측이 피의자의 신병을 확보할 수 있게 하는 것이다―옮긴이)을 제안했다. 한국 측은 기나긴 요구 사항을 반복하고 그들이 꺼려하는 미국 측의 제안 사항을 언론에 누출하는 것으로 답했다. 한국 언론은 미국의 입장을 비난했다. 그럼에도 불구하고 공식 협상은 8월에 재개됐고 일련의 치열한 회담 끝에 2001년 1월 18일 개정안이 조인됐다. 클린턴 행정부의 임기 만료 이틀 전이었다.[40]

한미 SOFA 개정안에 대해 한 미국 연구자는 다음과 같이 평가했다.

… 미국은 대한민국이 제시한 대부분의 사안에 동의했다. 그들이 받아들일 수 없다는 걸 알고 있었던 일부 사안은 제외됐다. 여기에는 무죄판결에 대한 항소와 (미국과 달리 한국은 일사부재리원칙이 적용되지 않는다), 공식 업무 여부를 결정하는 데 한국 법원이 최종 결정권을 갖는 것 등이 포함되어 있었다. 가장 논란이 심했던 구금권 이슈에 대해 한국 경찰은 살인과 강간의 경우 구금권을 가질 수 있었으며 다른 중범죄의 경우 기소와 함께 구금을 할 수 있게 됐다. 이는 일본의 경우를 제외하면 중대한 양보였다. 다른 어느 국가와의 SOFA에서도 이러한 구금권 관련 조항이 없다. 게다가 새로운 협정은 본문에 미국이 대한민국의 환경 관련 법, 규제, 기준을 존중한다는 내용을 담고 있었다. 양측은 또한 환경 관련 기준을 명기한 부속 양해각서MOU에 서명했다. 환경 관련 내용은 다른 SOFA에서는 전례 없는 것이었다. **전체적으로, 최종 개정안은 한미 SOFA를 현존하는 협정 중 주둔국에게 가장 유리한 협정 중 하나로 만들었다**(강조는 저자).[41]

개정이 완료되자 당시 한국 측 협상 팀을 지휘하던 외교관 송민순은 이제 한국이 세계에서 가장 훌륭한 SOFA를 갖게 됐다고 한국 언론에 선언했다. (송민순은 나중에 진보 성향의 노무현 대통령의 외교안보정책실장과 노무현 정부의 마지막 외교부 장관을 지냈으며, 외교관직에서 은퇴하고 나서는 민주당의 비례대표로 국회에 들어갔다.) 그럼에도 불구하고 당시의 반反주한 미군 분위기에서 언론과 진보 NGO들은 개정안을 비판하면서 (비록 그 강도는 약해졌으나) 추가적인 개정을 요구했다. 그러나 1년 후 여학생 두 명이 주한 미군의 사고로 사망했을 때 이러한 요구는 다시 최고점으로 치솟게 된다.

왜 한국인들은 SOFA가 불공평하고 불평등하다고 여기는가

앞서 제시한 한미 SOFA의 역사와 그 해설은 왜 한국인들이 그토록 강렬하고 일관되게 SOFA가 불공평하다고 여겼는가 하는 이유를 일부 제시한다. 미국은 1966년까지 한국과 완전한 SOFA를 맺지 않았으며 그해 조인한 최초의 협정은 일본이나 NATO 파트너 국가들과 맺은 협정보다 한국에게 덜 전향적인 요소들을 갖고 있었다. 1991년 개정안은 그러한 문제점을 대체로 수정했으나, 1995년 일본의 SOFA 개정은 한국인들로 하여금 똑같은 개정을 요구하게 만든 주요인이 됐다. 보수와 진보 언론을 막론한 SOFA에 대한 강력한 비판은 2001년의 두 번째 개정 이후에도 계속됐다. 진보 성향의 김대중 정부도 두 번째 개정안에 만족을 표시했음에도 불구하고 말이다. 분명 한미 SOFA에 대한 한국인의 불만은 미국의 다른 동맹국들이 누리고 있는 것과 동등하게 전향적인 조항을 갖고자 하는 단순한 욕망보다 복잡한 것이었다.

나는 한국인들이 한미 SOFA를 매우 비판하는 이유 중 하나가 그들이 협정에 대해서 거의 아는 바가 없기 때문이라는 걸 알았다. 그들이 알고 있는 것은 비판적인 언론 보도나 어디서 짤막하게 들은 것이 전부였고, 이는 주변 사람 모두가 한미 SOFA는 불공평하고 불평등하다고 생각하고 있다는 사실로 인해 더 강화됐다. 물론 어디서나 언론은 나쁜 소식과 비판에 집중한다. 한국 언론이 한미 SOFA가 기본적으로 괜찮다는 좋은 소식에 많은 지면을 할당할 리 없었다. 게다가 이미 대부분의 한국인들이 한미 SOFA를 비판하는 상황에서, 협정에 대해 글을 쓰는 사람들은 자연스레 기존의 분위기에 휩쓸려 이미 내려진 결론을 뒷받침하는 주장을 제시할 것이었다. 그리고 일부 진보 NGO들은 정말로 주한 미군의 철수를 목표로 삼고 있었다. 일반 대중으로부터 그러한 입장에 대한 지지를 얻을 수 없다는 걸 알고 있던 그들은 대신 주한 미군 인원의 비행과 SOFA의 문제점들에 집중했다. 인식론적으로 말하자면, 최초의 개정안이 한미 SOFA를 미국과 다른 국가와의 SOFA와 매우 유사하게 만든 이후에도, SOFA에 대한 한국 언론의 보도는 이미 미국 측에 불리한 상황이었다.

1999년부터 2002년까지 서울에서 근무하면서 수많은 한국인이 왜 미국 군인이 한국 법정에서 재판을 받지 않는지 이해할 수가 없다고 말하는 데에 충격을 받았다. 많은 한국인은 미국이 이를 허용하지 않아 불쾌하다고 말했다. 이들은 미국인들이 자신들을 존중하지 않으며 한국과 한국의 사법체계가 얼마나 발전했는지 이해하지 못한다고 여겼다. 사실 미국 공무원들은 한국이 이룬 엄청난 발전을 인정하고 있었다. 그렇지 않았다면 1991년 한미 SOFA의 개정에 동의하지 않았을 것이다. 특히 내가 2000년에 겪었던 일은 놀라운 것이었다. 크리스텐슨 부대사와 나는 김대중 대통령의 외교안보수석을 오찬에 초대했다. 방 안에서 셋이서만 한국어로 대화하고 있었기 때문에 그는 솔직하고 직설적으로 말할 수 있으리라 생각했던 것 같다. 한미 SOFA의 개정에 대해 이야기하자 그는 갑자기 좌절감을 뚜렷이 드러내며 이렇게 내뱉었다. "왜 미국 군인은 한국인처럼 한국 법정에서 재판을 받을 수 없는 겁니까?"

나는 충격을 받았다. 그는 대통령의 외교안보수석이었을 뿐만 아니라 그전에는 한국군 장성이기도 했다. 그는 분명 수십 년에 걸친 군 경력을 통해 주한 미군 관계자들과 긴밀하게 일할 기회가 많았을 것이다. 게다가 나는 그가 매우 진지하고 책임감 넘치며 능력 있는 이라는 걸 알고 있었다. 그런데 그는 SOFA가 왜 필요한지, 그리고 왜 타국에 주둔하고 있는 외국 군인이 왜 '로마에서는 로마법을 따르라'는 기준에 따라 대우받을 수 없는지에 대해 기본적인 이해를 하지 못하고 있었다.

나는 한국의 외교안보수석에게 한국에 있는 미국 군인은 한국에 놀러온 미국 관광객이나 사업가와는 다르다고 정중하게 설명했다. 미국인 관광객이나 사업가는 물론 한국의 사법권에 온전히 종속된다. 그러나 미군은 미국 대통령이 한국에 파견한 군부대의 일원들이다. 그들은 군율의 지배를 받으며 전투에서 목숨을 바칠 준비가 되어 있다. 다시 말해 이들은 타국의 주권 지역에서 복무하기 위해 파견된 미국 주권의 군사적 부문인 것이다. 이들은 돈을 받고 싸우는 용병이 아니다. 이들을 단순히 관광객처럼 대할 수 없다는 건 분명하다. 이들의 지위에 대해 두 주권국가가 서로 타협을 해야 한다.

게다가 외국에서 직무를 수행 중인 외교관이 특별한 지위를 갖고 있듯, 해외에 파병된 외국 군인 또한 특별한 지위를 가지는 것이 국제적인 관례라고 설명했다. 만일 외교관이 주재국에서 기소 면책권을 누릴 수 없다면 외교관들은 언제든 외교적 · 정치적, 그리고 첩보 측면의 이유로 기소될지 모른다는 공포를 갖고 살아야 할 것이다. 그러한 상황에서는 모든 나라가 위험에 처할 것이다. 때문에 모든 나라는 승인받은 외국 외교관에게 기소 면책 특권을 부여하기로 합의했다. 그러나 외국에 주둔하고 있는 군인은 외교관이 아니기 때문에 그들의 지위가 외교관과 같지 않으며, 그래서도 안 된다. 미국은 오래전부터 한국과 다른 동맹국 및 파트너 국가들과 타협하여, 공식 업무를 수행하다가 범죄를 저질러 고발된 경우를 제외하면 미국 군인들도 현지 법원에서 재판을 받도록 허용하고 있다. (언론은 이를 구분하는 기준이 근무 시간이냐 아니냐인 것처럼 언급하곤 하지만 실제로는 주한 미군 인원이 '근무 시간 중'이었느냐가 관건이 아니라 문제가 되고 있는 위법 사항이 그들의 공식 업무와 연관이 있느냐가 관건이다.) 게다가 한국에서는 한국 군인이 한국에서 저지른 '모든' 범죄를 재판하는 곳이 민간 법원이 아닌 군사법원이다. 미 의회는 결코 어떠한 나라에서도 미군의 근무 중 행위에 대한 재판을 현지 법정에서 하도록 용납하지 않을 것이다. SOFA에 대한 한국의 여론은 매우 강력했지만 미국 의회 또한 미국의 여론을 정확하게 반영하고 있었다.

나의 설명이 한국의 외교안보수석에게 어떠한 영향을 미쳤는지는 모른다. 시간이 더 있었다면 주한 미군이 한국 법을 위반하는 대부분의 경우는 오래전부터 한국의 사법관할권에 포함되어 있었으며, 한국 법무부는 거의 대부분의 주한 미군 관련 강력 범죄에 관할권을 행사했었다고 덧붙였으리라. 또한 SOFA에 관한 다른 이슈들을 거론하면서 외국에 주둔하고 있는 군인의 지위 문제가 외교관의 지위 문제보다 더 복잡해지는 사례를 들려주었으리라. 군인의 외국 주둔은 외교관의 외국 파견과 같이 일반적인 경우가 결코 아니다. 사실 외국에 주둔하고 있는 기지와 병력들은 대부분 미국의 것이다. 빈 협약처럼 국가 간에 조약을 맺을 때 기준이 되는 SOFA가 존재하지 않았기 때문에, 주둔국은 외국의 병력에 대해 최대한의 통제력을 획득하고자 한다. 당연히 미국은 자국 병력에 대해 최대한의 통제력을 유지하는 것을 선호한다. 주둔국들은 미국이 타국과 맺은 SOFA 중 타국에게 유리한 조항에 특히 민감하다. (한국은 특히 한미 SOFA와 미일 SOFA의 비교에 민감하다.) 때로는 주둔국들끼리 서로의 SOFA를 협의하여 서로 협정의 문구와 적용을 배워서 미국으로 하여금 자기 네 국가에 더 유리하게끔 변경하도록 압박하기도 한다. 미국 입장에 서는 어느 한쪽과의 SOFA를 수정하면 다른 주둔군에도 비슷한 요 구를 하게 만드는 선례로 작용할까봐 주의한다.

한국인들이 한미 SOFA를 매우 비판적으로 보는 또 다른 요인은 SOFA가 미국 군인이 '살인을 하고도 도망갈 수 있게' 허용하고 있 다는 믿음이다. 한국인들은 미국의 군사법원이 자국 군인들을 편파 적으로 대했다고 느꼈다. 이는 사실과 다르며 미국 군사법원이 한국 의 민간 법원보다 더 강한 형벌을 내린다는 미국 측의 주장은 한국 사람들에게 별다른 반향을 주지 못했다. 오늘날까지 주한 미군 인원 이 범죄 혐의에 연루되면 한국 언론은 다음과 같은 보도를 관례적 으로 반복한다. "전문가들은 한국과 미국이 SOFA를 개정하기 위해 노력해야 한다고 말한다. SOFA는 미군 인원과 그 가족들이 죄를 저 질렀을 때 그 뒤에 숨을 수 있는 방패처럼 여겨지고 있다. 전문가는 현행 SOFA가 군인들에게 처벌을 받을 수 있지 않다는 잘못된 관념 을 심어주어 도덕적 해이를 불러일으킬 수 있다고 주장한다."[42] 『한겨 레』는 한미 SOFA가 한국을 "미군의 범죄 해방구"로 만들었다고 도 발적으로 주장했다.[43] 한국 당국은 미군의 가족들과 민간인 직원들 에게 전속 관할권과 같은 권한을 행사한다. 아주 드문 경우를 제외 하고는 미국은 한국에 이들을 재판할 법원이 없기 때문이다.

미군들은 무법자 성향이 강하고 한국에서 살인을 저질러도 도망 갈 수 있다는 한국인들의 생각은 상당 부분 도시 괴담 또는 먼 옛 날의 이야기에 기반하고 있는 것이다. 비록 일부 미국 군인이 범죄를 저지르기는 하나 미군의 전문성과 군기는 1970년대에 모병제 군대가 된 이후 상승했다. 1999년 한국에 도착했을 때 내가 보았던 통계는 주한 미군 인원의 범죄율이 오랫동안 감소하고 있었다. 미국 공무원이자 미국 시민으로서 나는 미국 군인들이 범죄의 '광란'을 벌이고 있는 것처럼 한국 신문들이 곧잘 묘사하는 데에 점차 우려하게 됐다. 한국 언론은 매년 '주한 미군이 저지르는 범죄'가 수백 건 또는 수천 건이라고 보도했다. 그러나 한국 언론은 대부분의 범죄가 주차 위반이나 일반적인 교통법 위반이라는 점을 밝히지 않았다. 또한 한국 언론은 주한 미군 범죄의 숫자와 성격을 제대로 비교하지도 않았다. 예를 들어, 주한 미군의 범죄는 한국인이 한국인에게 저지르는 범죄나 한국 군인의 범죄율보다 잦은가? 주한 미군의 범죄율은 미국의 평균 범죄율보다 높았는가? 만일 그렇다면 얼마나 높은가?

하루는 실의에 빠져 한국 국방부 관리에게 전화를 건 적이 있었다. 나는 문제를 설명하고 한국 군인의 범죄율에 대한 정보를 찾을 수 있느냐고 물었다. 한국 관리는 깜짝 놀라 망설이더니 범죄 사례의 숫자는 아마 비교가 불가능할 것이라고 했다. 한국 군인들은 부대를 벗어나는 경우가 별로 없기 때문이라는 게 그의 설명이었다. 알겠다, 그건 이해하겠는데 어쨌든 수치를 아는 게 아무것도 모르는 것보다는 낫지 않겠느냐고 나는 답했다. 그는 다시 망설이다가 이렇게 외쳤다. "미안합니다. 그 정보는 '대외비'로 비공개되어 있습니다." 충격을 받았다. 주한 미군의 범죄 사례는 모든 한국 언론에 주기적으로 보도된다. 왜냐하면 주한 미군은 오랫동안 한국 외교부에 자국 군인들의 처벌 사례를 매월 보고해왔기 때문이다. 그런데 한국군의 범죄율 통계는 국가기밀이라는 것이다!

2012년 294명의 주한 미군 인원(약 0.6퍼센트)이 범죄 사건에 연루됐다. 평균적으로 주한 미군이 연루된 '심각한' 것으로 분류되는 사건은 1년에 25건가량이며 이중 대부분이 폭력과는 연관이 없다. 2012년, 주한 미군 인원의 범죄율은 미국 범죄율의 7분의 1가량이었다.

2001년 한미 SOFA 개정 이후의 상황

2002년 두 한국 여학생의 비극적인 죽음 이후, 또 다른 한미 SOFA에 대한 여론과 언론, 그리고 활동가 단체의 요구는 쉽게 찾을 수 있었다. 그럼에도 불구하고 김대중 정권과 그 뒤를 이은 진보 정부인 노무현 정권은 미국과 새로운 협상을 강요하지 않았다. 마지막 개정이 이루어진 지 2년도 채 되지 않은 데다가, 미국은 어느 국가에게도 주둔국에서 직무 중 발생한 (여학생들이 사망한 사건이 그러했다) 범죄 사항에 대한 사법관할권을 인정하는 SOFA를 개정할 준비가 되어 있지 않음을 분명히 했다. 그 대신 양국 정부는 특별합동실무단을 통해 한미 SOFA의 시행에 긴밀히 공조할 수 있도록 더욱 노력을 기울였다. 주한 미군에서 한미 SOFA에 대한 최고의 전문가인 로버트 T. 마운츠는 언론 인터뷰에서 당시를 이렇게 이야기했다. "… 한미 SOFA가 현저히 개선됐다는 것이 양국 정부의 공통된 견해였다." 그는 또한 "우리 모두는 더 개정을 실시하는 것의 어려움에 대해 잘 알고 있었으며 우리는 합의된 변경 사항을 시행하고 또한 한미 SOFA의 시행을 개선하는 데 노력을 기울였다"고 덧붙였다.[44]

한미 SOFA 개정이라는 요정을 병 속에 그대로 가둬두는 데 다른 요인들도 있었다. SOFA의 시행을 개선하기 위한 양국 정부의 노력 증대와 더불어, 주한 미군 지도부는 언론과 여론의 발화를 일으킬 소지를 가진 문제와 사건들에 신속하게 대응했다. 주한 미군 지도부는 한국 사람들에게 공개적으로 사과를 자주했다. 한국이 세계 안보 문제에서 보다 적극적인 역할을 수행하기 시작하면서 외국에 평화유지군을 파병하기도 했으며, 한국이 주둔국과 SOFA를 체결했던 것도 도움이 됐을 것이다. 한국이 아프가니스탄이나 키르기스스탄과 SOFA를 맺으면서 한국 정부도 모든 경우에 자국 인원에 대한 사법 관할권을 유지할 것을 주장했다.

이에 관하여 한 한국 관리의 놀라운 용기가 있었다. 2003년 초 외교부에서 한미 SOFA를 맡고 있던 젊은 외교관 신맹호가 SOFA에 대해 쓴 칼럼이다. 두 한국 여학생이 죽은 2002년의 사고와 마찬가지로 외국 군대가 공무를 수행하다 발생한 사건은 군대 파견국이 재판권을 행사하는 것이 세계 모든 SOFA의 기본 원칙이며 미국 SOFA만의 것이 아니라고 단호하게 말한 것이었다.[45] 그는 키르기스스탄과 한국이 맺은 SOFA도 같은 조항을 갖고 있음을 지적했다. 게다가 한국이 키르기스스탄과 맺은 SOFA에는 한국 군인이 저지른 범죄에 대해서는 직무 중이건 직무 중이 아니건 간에 모두 한국군 당국이 해당 인원을 재판할 권한을 가졌다. 그는 또한 미국의 법 문화는 사고나 의도하지 않은 사망 사건에 대해서 한국보다 더 관대하다고 지적했다. 신맹호는 한국과 미국의 SOFA가 왜 불공평하지 않으며, 왜 미국이 다른 국가들과 맺은 SOFA에 비해 열등하지 않은지를 설명했다. 그는 한미 SOFA에 대해 사실과 다른 잘못된 주장과 해석을 반복한다며 한국 언론과 교육자들을 모두 비판했다. 이로 인해 그는 물론 한국 언론과 네티즌들에게 크게 비난받았다.

그럼에도 불구하고 한미 SOFA는 이 책에서 다루고 있는 모든 주한 미군 관련 이슈들 중에서 한국 언론과 한국 국민들에게 잠재적인 폭발력을 지니고 있는 이슈로 남아 있다. 대부분의 한국 사람들은 여전히 SOFA가 불공평하고 불평등하다고 여기고 있다. SOFA가 주한 미군으로 하여금 스스로를 보호하고 주한 미군 인원이 한국인들에게 마구 범죄를 저지를 수 있게 한다는 오해에 더해, 오늘날 한미 주둔군지위협정에서 가장 어려운 이슈는 바로 주한 미군의 감축과 기지 통폐합으로 인해 한국 정부에 반환되는 주한 미군 기지들의 환경오염 문제다. 한국 정부는 '오염을 일으킨 자가 비용을 부담한다' (오염자부담원칙)는 원칙을 고수하고 있다. 그러나 미국 의회의 의사와 마찬가지로, 미군 기지가 반환되고 나면 환경 정화는 주둔국의 책임이라는 게 미국의 세계 정책이다. 미국과 한국은 이 문제에서 교착상태에 있다. 만일 주한 미군이 자신과 연루된 환경문제를 효과적으로 대처하지 못하고 다시 진보 세력이 힘을 얻게 되면 한미 SOFA는 한미 동맹에서 논란의 주된 쟁점이 될 것이다.

제5장

부시의 역습

대북 정책

❖

1999~2000년 사이 한국에서 대중의 반미 감정을 자극했던 대부분의 이슈는 주한 미군과 관련된 것이었다. 그러나 김대중 대통령(1998~2003)과 그 뒤를 이은 노무현 대통령(2003~2008)의 진보 정부를 가장 격앙시켰던 것은 조지 W. 부시 대통령의 대북 정책이었다. 물론 김대중 대통령과 노무현 대통령 모두 반미주의의 부상과 주한 미군을 둘러싼 일련의 논란들을 우려하고 있었다. 하지만 이들의 초점은 그보다는 북한에 대한 포용 정책과 화해에 크게 쏠려 있었다. 김대중 대통령과 노무현 대통령의 진보적인 지지자들도 부시 대통령의 대북 정책을 우려했는데 심지어 일부 보수적인 한국인들도 미국 대통령이 한국 대통령의 중심 정책을 거부할지 모른다는 민족주의적 감정으로 적어도 잠시나마 불쾌감을 느꼈다. 김대중 대통령은 자신의 대북 정책으로 2000년 노벨 평화상을 수상했다.

당시 미국과 한미 관계에 대한 오늘날 한국 사람들의 기억은 조지 W. 부시 행정부 특히 부시 행정부의 대북 정책에 대해 부정적인 것으로 채색되어 있다. 부시 행정부의 대북 정책과 김대중 대통령에 대한 부시 대통령의 불손함 등에 사람들의 악감정이 뒤섞이면서 2002년 말 반미 감정이 극에 달했고, 이로 인해 2002년 말 대규모 반미 시위가 일어났다고 생각하는 한국인들이 많다. 그리고 그로 인해 2002년 말 대규모 시위로 이어졌다고 여긴다. 심지어 많은 미국의 전문가도 이것이 사실이라고 상정했다.

그러나 실제로는, 한국의 반미 감정은 1999년 가을부터 1950년의 노근리 사건에 대한 엄청난 언론 보도에 의해 급증하기 시작했다. 조지 W. 부시가 대통령에 취임한 2001년 1월보다 훨씬 오래전부터였다. 김대중 대통령과 빌 클린턴 대통령이 개인적으로 친분을 과시하며 대북 정책에서도 긴밀하게 협조하고 있었던 시기에도 한국의 반미 감정은 증가하고 있었다. 심지어 클린턴 대통령이 자신의 두 번째 임기의 마지막 2년 동안 주한 미군 관련 문제에 대한 한국 여론의 우려를 달래기 위해 특히 많은 노력을 기울였음에도 불구하고 말이다. 그러나 대부분의 한국인들 특히 한국 언론이 볼 때 주한 미군 문제에 대한 클린턴 행정부의 노력은 언제나 불성실하거나 늑장 대응이라고 여겨졌다.

한국과의 관계에 대해서라면 조지 W. 부시는 참 운이 없는 편이었다. 주한 미군에 대한 한국의 반미 감정이 15개월째 꾸준히 치솟고 있었으며, 김대중 대통령이 2000년 6월 한국 지도자로서는 최초로 북한의 지도자 김정일과 정상회담을 가진 지 7개월 정도밖에 되지 않은 시기에 미국 대통령으로 취임했기 때문이다. 부시 대통령이 취임했던 당시, 많은 보수파를 포함한 대부분의 한국인들은 북한과의 관계 회복에 큰 기대를 걸고 있었다. 비록 북한은 남북정상회담 이후에도 남한을 경계했으며, 김정일이 서울을 답방하겠다는 확언을 하지 않았음에도 불구하고 말이다.

부시 대통령이 김대중 대통령의 대북 정책에 솔직하게 반대를 표명한 것이 김 대통령과 그의 정부, 그리고 그의 후계자인 노무현과 진보파 지지자들을 깊이 낙담시키고 분노케 한 것은 분명하다. 김대중 대통령에게 북한과의 관계 회복과 궁극적인 통일은 그 무엇보다 중요한 민족적 사명이었다. 민족의 분단은 1950년 전쟁을 의미했으며 전쟁이 어느 때고 다시 발발할 수 있음을 의미하는 것이기도 했다. 이는 민족적으로나 인도적으로나 큰 비극이었다. 두 개의 한민족 국가가 한반도의 안전과 세계 속에서의 지위를 위해 협력하는 대신 서로 경쟁하도록 강요하기 때문이다. 또한 비무장지대를 두고 갈라져, 50년 동안 서신조차 교환하지 못한 이산가족들을 낳았다.

대북 정책을 두고 김대중 대통령이 부시 행정부에 대해 가진 분노는 수년 전부터 발생했던 일련의 주한 미군 관련 문제로 언론과 여론이 갖고 있던 반미 감정과 겹쳐졌다. 언론과 여론은 갓 취임한 젊은 미국 대통령이 자국 대통령의 핵심 정책을 반대했다는 사실에 모독감을 받았다. 또한 제도적으로 강력한 힘을 갖고 있는 한국 대통령의 영향력에 의해 새로운 미국 대통령에 대한 여론은 더욱 악화됐다.

그러나 2000년 6월 이후, 김대중 대통령의 대북 정책에 대해 많은 중도파와 일부 보수파가 처음 가졌던 열광과 김대중 대통령에 대한 지지는 그가 임기를 마치기도 전에 꺾이기 시작했다. 북한은 한국 정부의 노력에도 별다른 호응을 보이지 않아 보수파들로 하여금 햇볕정책의 실효성에 의문을 표하고 더 강력하게 비판하게끔 만들었다. 임기 종료를 2년 앞두고, 김대중 대통령은 의약 분업이나 자신의 가족 및 측근들이 연루된 비리 문제 등 대내적 이슈들로 지지를 많이 잃었다.[1] 노무현 대통령이 임기 첫해부터 개인적인 스타일로 인해 지지도를 깎아먹었고, 2003년부터 한국의 보수 언론은 미국과 주한 미군의 비행을 공격하기보다 진보 세력을 비판하기 시작했다.

김대중의 '햇볕정책'

　김대중 대통령은 북한이 대체로 안보 불안 때문에 그런 행동을 한다고 여겼다. 그가 대통령직에 당선됐던 1997년 12월, 북한은 세계 유일의 초강대국에 지원을 받고 있으며 더욱 국력이 신장한 남한과 대치해야 했다. 김 대통령은 대립 상태가 지속되면 북한은 스스로를 더욱 고립시켜 핵무기 개발을 포기할 가능성이 더욱 낮아질 것이라고 여겼다. 게다가 한민족은 여전히 분단된 상태로 남을 것이고, 이산가족은 영영 서로 만나지 못할 것이었으며, 또 다른 재앙과도 같을 전쟁의 위협도 상존할 것이었다.

　김대중 대통령의 대안은 남쪽이 북한 정권을 약화시키거나 전복 또는 침략하지 않을 것이라는 확신을 제공하는 것이었다. 북한 지도부를 안심시키는 방법 중 하나는 일방적인 지원과 원조를 제공하는 것이었다. 그는 이로 인해 북한이 점차 남한을 신뢰하게 될 것이라고 생각했다. 북이 남측에 대해 어느 정도 안심하면 대내적인 경제적·정치적 개혁에 착수할 것이고, 그러면 남과 북은 서로 화해하고 궁극적으로는 통일할 수 있을 것이라고 생각했다.

　한반도 분단의 역사에 대한 자신의 분석과 한민족의 이익에 대한 자신의 이해를 거의 절대적일 정도로 확신하고 있던 김대중은 수십 년간 그러한 접근법을 옹호해왔다. 이 접근법은 이후 '햇볕정책'이라고 알려지게 됐다. 날카로운 바람이 실패하고 태양의 따뜻함이 성공했다는 이솝의 우화에서 따온 것이다. 취임사에서 김대중 대통령은 민족 분단을 극복하기 위한 자신의 정책 원칙을 분명하게 나열하고 있다.[2]

취임 첫해인 1998년을 IMF 외환 위기의 여파를 처리하는 데 보내고, 김대중 대통령은 1999년 자신의 햇볕정책을 단호하게 실시하기 시작했다. 그는 공개적으로 북한 정부에 자신의 제안에 응답할 것을 요구하는 한편 북에 밀사를 파견하여 고위 관계자들을 만나게 했다. 하지만 뚜렷한 효과는 없었다.

남북 간의 비밀 대화가 계속되고 있던 2000년 3월 9일, 김대중 대통령은 베를린 방문을 계기로 삼아 중대한 연설을 발표하여 북한에 메시지를 보낸다. 「독일 통일의 교훈과 한반도」라는 제목의 연설에서 김대중 대통령은 서독의 정책 중 독일 통일에 기여한 네 가지 요소를 열거했다. 서독의 '민주주의와 시장경제에 기인한 거대한 잠재력', '접촉과 대화, 그리고 데탕트(긴장 완화)와 공존의 체제를 통해 동독의 변화를 이끌어내기 위한' 서독의 동방정책, 인접국의 불필요한 우려를 달래기 위한 서독의 노력, 많은 난항과 제약을 극복한 서독 정부의 꾸준하고 성실한 동독과의 화해, 협력, 교류 추진이 바로 그것이었다.[3]

그 이후 남북 간에 비밀 대화의 속도가 빨라졌다. 2000년 4월 10일, 남쪽의 총선을 사흘 앞두고 김대중 대통령은 6월 평양에서 김정일을 만날 것이라고 발표했다. 한국의 보수 야당은 발표 시점을 두고 부당하다고 항변했다. 그러나 남북문제를 김대중 대통령의 정당을 위해 이용할 수 있다는 야당의 우려는, 어쩌면 이번에야말로 민족 화해와 통일이 눈앞에 다가올지도 모른다는 한국 대중의 환호에 가려졌다. 김 대통령은 정말로 2000년 6월 13일 평양을 방문했다. 이 날짜는 본래 계획된 것보다 하루 늦은 것이었는데 김대중 정부는 협의 막판에 북한의 '기술적' 요구 때문이라고만 말했다. (이 장 마지막에서

이 부분에 대해 다시 이야기할 것이다.)

6월 15일, 여러 회담과 연회를 거친 후 김대중과 김정일은 공동선언을 발표한다.[4] 공동선언에서 두 정상은 양측의 기존 통일 계획의 유사성을 바탕으로 하여 '독립적으로' 통일을 모색하고, 이산가족 일부를 상봉하게 할 것이며, (특정되지 않은) 경제 협력과 인적 교류를 '모든 분야에서' 실시하겠다고 했다. 또한 남북 관계자들이 이러한 합의 사항을 이행하기 위해 곧 만날 것이며 김정일은 김 대통령의 서울 초대를 받아들여 '적절한 시기에' 서울을 방문하겠다고 했다.

역사적인 정상회담이었던 점을 감안해보면 특이할 정도로 간략하고 모호한 합의였다. 1991~1992년의 남북기본합의서와 비교해보면 특히 그렇다. 그러나 남북정상회담이라는 게 역사적으로 전례 없는 것이었다는 사실 그 자체와 한국 언론에 실시간으로 중계되어 은둔형 지도자였던 김정일을 '인간화'하는 데 도움이 된 회담 행사가 양측 지도자들 합의의 얄팍함을 가렸다. 서울로 돌아오면서 김대중 대통령은 김정일과의 회담 결과로 한반도에 다시는 전쟁이 없을 것이라고 단호하게 선언했다. 이는 남한 국민들에게 자신의 대북 정책의 성과를 크게 과장하는 김대중의 성향을 반영하는 것이었다. 내키지 않았던 게 틀림없던 김정일과 통일 방식에 대해 조급하게 합의를 내린 것이나 그 내용을 공동선언에 반영한 것 또한 마찬가지였다.[5] 북한이 이제 화해의 길로 들어설 것이라고 김 대통령이 말하거나 암시했던 것들의 대부분이 실현되지 못하면서 햇볕정책에 대한 남한 대중의 지지는 결국 약화됐다.

클린턴 행정부가 보조를 맞추다

그러나 당시는 여전이 2000년 중반이었고 김대중의 미국 상대역은 그와 개인적으로 훌륭한 관계를 갖고 있으며 열정적으로 그의 햇볕정책을 지지했던 빌 클린턴이었다. 남북정상회담은 북한과 미국 간의 접촉을 증대시키는 데 기여했다. 또한 김대중의 격려에 힘입어 많은 서구 국가가 북한과 외교 관계를 수립하기 위해 몰려들었다. 10월 초 최고위급 북한 장성이 전례 없이 워싱턴을 방문하여 미국 대통령을 평양에 초대한다는 김정일의 친서를 클린턴 대통령에게 개인적으로 전했다.

클린턴은 국무장관인 매들린 올브라이트를 얼마 후 평양으로 보내 평양 방문의 가능성을 타진하는 것으로 응답했다. 올브라이트 장관은 미국 대통령이 평양을 방문하면 당시 북한에 대한 미국의 가장 큰 의제였던 장거리 미사일 개발 사업의 제한을 합의할 수 있겠다고 확신하고 돌아왔다.[6] 이는 북미 관계에서 중대한 진전이 될 뿐만 아니라 한반도의 전반적 상황을 개선시킬 것이었다. 그러나 클린턴 대통령의 임기는 두 달 남아 있었고, 그는 국내의 위기를 처리해야 했다. 11월 7일 대선 결과는 플로리다의 개표 문제로 5주 동안 불확실한 상태였기 때문이다. 우선순위를 정해야 했던 클린턴은 12월 28일, 중동의 평화협상에 집중하겠다고 발표했다.[7] 그는 김정일을 워싱턴에 초대했으나 김정일은 자신의 초대 제안이 먼저였음을 강조하면서 이를 거절했다.[8] 일부의 언급에 따르면 부시 당선인의 캠프가 북한 방문을 지지하지 않는다는 사실에 클린턴은 북한 방문에 열의를 잃었다고 한다.[9]

조지 W. 부시: 북한에 대한 매우 다른 관점

김대중 대통령은 자신의 친구인 빌 클린턴의 결정에 크게 낙심했으나 여전히 자신의 대북 정책의 지혜에 자신감을 갖고 있었다. 정상회담 이후 북한의 호응은 대체로 미미하고, 부시 대통령이 북한의 의도와 햇볕정책의 유용성에 매우 회의적이라는 것을 보여주는 초기의 조짐에도 불구하고, 그는 자신의 대북 정책을 계속할 결심이었다. 김 대통령은 자신보다 한참 어린 미국의 새 대통령을 자기편으로 끌어들일 수 있다는 자신감을 갖고 있었던 것 같다. 그는 많은 한국인과 미국인이 부시 대통령이 적응을 하고 회담을 위해 충분한 준비를 할 때까지 기다리라는 조언을 했음에도 불구하고 조기 정상회담을 밀어붙였다. 동맹국에 전향적인 모습을 보이기 위해 부시 행정부는 마침내 워싱턴 DC에서 2001년 3월 7일 정상회담을 갖기로 합의했다. 이는 부시 대통령이 외국 지도자와 가진 최초의 회담 중 하나였다.

새로 취임한 조지 부시와 조기 회담을 추진한 김 대통령의 결정에 어느 정도 공감한다. 당시 나는 서울의 미 대사관에서 일하고 있었는데 부시 행정부의 전반적인 외교정책이나 대북 정책이 전임 행정부의 정책과 그렇게까지 철저히 다르리라고는 생각하지 못했다. 당시 주한 미 대사는 오랫동안 미 정부 고위직에 근무했던 스티븐 W. 보즈워스로, 그의 판단을 나는 매우 존중했는데, 그 역시 새로운 부시 행정부도 클린턴 행정부와 마찬가지로 결과적으로는 유사한 대북 정책을 택할 것이라고 한국 정부에 말했다. 그 근거로 그는 "미국 외교정책의 목표는 대체로 불변했으며 백악관에서 한 정당이 다른 정당을 교체했을 때도 외교정책이 급격하게 바뀌진 않았다"고 말했다.[10] 나는 심지어 2002년 8월, 워싱턴에 돌아왔을 때까지도 부시 행정부를 특징지었던 완전히 다른 세계관을 이해하지 못하고 있었다는 걸 고백해야겠다. 부시 대통령을 만나고 김대중 대통령이 충격을 받은 것도 전혀 놀라울 게 없었다!

김대중 대통령의 미국 방문은 재앙에 가까웠으며, 이는 김대중 대통령의 남은 임기는 물론이고 후임자의 임기 동안에도 공식적인 한미 관계의 분위기를 결정했다. 젊은 부시 또한 김대중 대통령이 북한에 대한 자신의 관점에 그랬던 것만큼 북한에 대한 자기 관점을 자신하고 있었다. 정상회담에서 부시는 정중히, 그러나 분명히 자신은 김대중보다 북한에 대해 훨씬 회의적이라고 밝혔다.[11] 알려지기로 김대통령은 그들의 입장이 크게 다르다는 데 충격을 받았지만 부시의 태도가 개인적인 모욕이라고 받아들이지는 않았다. 처음에는 한국언론도 문제를 그렇게 표현했으나 스토리라인은 곧 바뀌었다.

정상회담이 진행되면서 새로운 미국 대통령의 입장이 햇볕정책에 장애물이 될 수도 있겠다는 김 대통령과 보좌진들의 우려는 점점 더 커져갔다. 그날 한국 언론은 이를 보도하면서 미국 대통령이 자기보다 연장자인 김 대통령에게 결례를 범하고 있다고 보도하기 시작했다. 특히 언론은 백악관에서 콜린 파월 국무장관으로 하여금 부시행정부는 클린턴 행정부의 대북 정책을 승계할 것이라고 그가 전날 저녁에 언론에 발언한 것을 철회하게끔 했던 것에 주목했다. (파월 장관은 나중에 이에 대해 "스키를 타다 보면 좀 더 멀리 갈 때가 있다. 그게 전부다"라는 말을 남겼다.)[12]

한국 언론은 정상회담 직후의 공동 기자회견에서 부시 대통령이 김대중 대통령에게 불손해 보인다고 지적하기 시작했다. 행사에 대한 짤막한 모두 발언 이후, 부시 대통령은 이렇게 말했다. "우리는 그의 한반도 평화 비전에 대해 **매우 솔직한**(강조는 저자) 논의를 가졌습니다."[13] 그러고는 다음과 같이 덧붙였다. "저는 북한의 지도자에 대해 어느 정도 회의를 갖고 있습니다." 그러나 두 지도자가 대북 정책에 대해 눈높이가 완전히 같지는 않다는 걸 분명히 드러내면서 부시는 자기 방식대로 김대중 대통령과 한미 동맹에 대해 정중하고 예의 바르게 처신하고자 했다. 그는 이렇게 말했다. "여기 대통령 집무실에서 김대중 대통령을 맞이하게 되어 영광입니다. 우리는 매우 좋은 논의를 나누었습니다. 우리는 양국의 긴밀한 관계를 확인했습니다. … 먼저 북한 사람들에게 다가가는 데에 '이 사람this man'의 리더십을 제가 얼마나 높이 사는지 말씀드리고 싶습니다. 그는 지도하는, 그는 지도자입니다. 그리고 우리는 그의 한반도 평화 비전에 대해 **매우 솔직한**(강조는 저자) 논의를 가졌습니다. 우리가 가진 공동의 목표는 … 저는 김 대통령께 우리가 한반도 평화를 위해 노력하길 고대하고 있다는 걸 분명히 밝혔습니다. 우리가 긴밀히 협의하고 꾸준히 연락할 것 또한 말씀드렸습니다. 저는 북한의 지도자에 대해 어느 정도 회의를 갖고 있습니다. 그러나 그 때문에 공동의 목표를 이루기 위한 우리의 노력이 중단되지는 않을 것입니다. 그래서, 대통령님, 환영합니다. 여기 와주셔서 감사합니다."

클린턴 대통령의 대북 정책에 대해 파월 국무장관이 언론에 내비친 긍정적인 평가를 철회했기 때문에 공동 기자회견에서 기자가 처음 한 질문은 어쩔 수 없이 다음과 같은 것이었다. "대통령님, 국무장관이 저희에게 각하께서 북한 정권에 놀아나지 않을 것임을 분명히 밝히셨다고 말했습니다. 이에 대해 더 자세히 설명해주시겠습니까? 그리고 한국 측이 성급히 북한과 화해하고자 하는 것이 북한으로 하여금 해야 할 양보를 하게끔 강요하지 못하고 있다고 우려하고 계십니까?"[14] 그에 대해 답변하면서 부시 대통령과 김대중 대통령은 그들의 입장이 그렇게까지 다른 것은 아니라는 인상을 주려고 노력했다. 그러나 김대중 대통령이 부시 대통령으로 하여금 햇볕정책을 지지하게끔 설득하는 데 실패했다는 것은 불을 보듯 분명했다.

많은 한국 언론과 햇볕정책을 지지하는 미국인들은 부시 대통령의 김대중 대통령에 대한 결례와 북한에 대한 다른 관점, 그리고 북한을 대하는 방법 등을 비판하기 시작했다. 여기에는 부시 대통령의 일천한 외교 경험과 요령 부족과 같은 여러 가지 요인이 있었지만 1년 반 전부터 한국 언론이 꾸준히 만들어내고 있던 주한 미군의 오만함과 한국 사람에 대한 불손함 등 스토리라인도 한몫했다.

이러한 분위기에서 많은 한국인은 부시 대통령이 김대중 대통령을 개인적으로 무시하고 있었다고 확신하게 됐고, 이러한 측면을 입증하는 증거들을 찾아내 제시했다. 부시 대통령이 김대중 대통령을 개인적으로 무시하고 있었다는 증거로 제시된 것 중 가장 기괴한 것은 공동 기자회견에서 부시 대통령이 김 대통령을 '이 사람this man'이라고 불렀다는 것이었다. (부시 대통령은 공동 기자회견의 모두 발언에서 "… 먼저 북한 사람들에게 다가가는 데에 '이 사람this man'의 리더십을 제가 얼마나 높이 사는지 말씀드리고 싶습니다"라고 말했다.) 정상회담 이후 한국 언론은 이에 대해 많은 것을 며칠 몇 주씩 쏟아냈다. 모든 한국인은 중고등학교에서 영어를 배우지만 부시 대통령을 비난한 사람들은 'this man'을 '이 사람'이라고 직역하는 초보적인 실수를 저질렀다. 한국어에서 '이 사람'이라는 표현은 '이 양반'이라는 표현과 비슷한 의미거나 오히려 더 나쁘게 받아들여진다. 'this man'이 무례한 표현이 아니라는 미국 사람들의 항변은 불신과 맞닥뜨려야 했다. (나는 당시 내 한국 상대역들에게 내 결혼식에서도 목사가 나의 한국인 신부에게 '이 사람this man'을 남편으로 맞이하겠느냐고 말했다는 점을 상기시켰다.)[15] 국회 부의장은 부시 대통령에게 항의 편지를 쓰겠다고 선언하기까지 했다. 그는 "그 같은 표현은 적절한 해명이 없을 경우 한국 국민들의 자존심을 상하게 할 수 있다고 생각한다"고 편지에 썼다.[16]

북한에 대한 한미 간 이견이 악화되다

서울의 주한 미 대사관에서는 부시 대통령이 정상회담과 공동 기자회견의 여파에 대해 전해 듣고서는 당황했다고 들었다. 그러나 그것이 북한과 햇볕정책에 대한 부시 대통령의 관점을 바꾸어 놓지는 못했다. 그는 이전부터 뜻했던 대로, 행정부 담당자들에게 대북 정책을 검토하라고 지시했다. 대북 정책에 대해 미국 정부의 각 부처 간 회의가 한미 정상회담 이후 시작됐는데 각 부처 간 견해차가 상당했다. 파월 국무장관과 리처드 L. 아미티지 차관은 클린턴 행정부의 대북 정책과의 연속성을 선호한 반면, 체니 부통령과 럼스펠드 국방장관은 북한과 대화하는 데에 별다른 메리트가 없다고 여겼다.

대북 정책 검토 보고서의 결론이 언론에 유출되면서 백악관은 2001년 6월 6일 긴급하게 부시 대통령의 이름으로 보도자료를 발표했다. 한국 외교장관이 워싱턴에 도착하기 몇 시간 전이었다. 미국 정부의 본래 의도는 한국 외교장관과 논의를 거친 뒤 대북 정책의 검토 결과를 성명으로 발표하는 것이었다.[17] 「대북 정책 검토 완료에 대한 성명」이란 이름이 붙은 이 짧은 문서의 핵심 부분은 다음과 같았다.

저는 저의 안보 팀에게 북한에 대해 진지하게 논의하도록 지시했습니다. 논의는 북한의 핵 활동에 대한 제네바 합의 이행 사항의 개선, 북한의 미사일 개발에 대한 검증 가능한 통제와 미사일 수출 금지, 그리고 재래식 군사 위협 완화 등의 폭넓은 의제들을 다루었습니다. 우리는 남북 화해와 한반도 평화, 미국과의 건설적인 관계, 그리고 동북아 지역 안정 증대에 기여할 수 있는 포괄적인 대북 정책의 맥락 속에서 이러한 논의들을 계속할 것입니다. 이는 지난 3월 저와 한국의 김대중 대통령이 만나 논의했던 목표들입니다. 저는 김 대통령과 함께 일할 것을 기대하고 있습니다. 우리의 접근법은 북한이 관계 개선의 의지가 얼마나 진지한지를 보여줄 수 있는 기회를 줄 것입니다. 북한이 긍정적으로 반응하고 적절한 행동을 취하면 우리는 북한 주민들을 돕고 제재를 완화하며 기타 정치적 절차를 밟아 나갈 것입니다.[18]

성명서의 내용은 전향적으로 들리도록 쓰여 있었지만 저간의 사정을 아는 전문가들은 부시 대통령의 대북 정책이 클린턴 대통령의 대북 정책과 엄청나게 다르다는 것을 즉각 알아차렸다. 북한과의 핵 관련 합의의 '이행 사항의 개선'이란 표현은 미국이 북한에 경수로 원자력 발전소 두 개를 건설해주기로 한 1994년 제네바 합의에 대해 부시 행정부가 갖고 있는 큰 불만을 반영하는 것이었다. 미사일 개발에 대한 '검증 가능한'이란 표현은 부시 행정부가 북한을 불신하고 있다는 것을 보여주고 있었다. 사실 부시 행정부의 많은 인물이 북한과 어떠한 합의를 하더라도 만족할 정도로 검증을 하는 것이 거의 불가능하리라고 여겼다. 클린턴 행정부는 핵과 미사일 문제에 집중했는데 성명서의 '(북한의) 재래식 군사 위협 완화'라는 언급은 부시 행정부의 새로운 요구 사항을 의미했다. 많은 전문가는 북한이 이 조건을 결코 받아들이지 않을 것이며, 따라서 이는 북한이 긍정적으로 반응하지 못하게 만드는 독소 조항이라는 걸 부시 행정부가 알았어야 했다고 생각했다.

2001년의 남은 기간 동안 북한과 관련해서는 아무런 일도 없었다. 2000년 6월 남북정상회담 이후는 물론이고 부시 대통령의 당선과 취임 전까지도 북한은 남측과 여러 차례 회담을 가졌고, 북한 관계자들이 남한에도 여러 차례 방문했다. 그러나 그 결과물은 김대중 대통령과 정부가 제시했던 것보다 훨씬 덜 고무적이었다. 북한은 때로 여러 가지 핑계를 댔다. 어떤 때에는 핑계 대기를 순전히 김대중 정부에 떠넘기기도 했다. 김대중 정부는 국내의 햇볕정책 지지를 유지하기 위해서 북한의 무반응을 해명해야 했다.

2001년 9월 11일 미국에서 발생한 테러리스트의 공격은 부시 대통령이 북한에 대해 갖고 있는 '강성' 태도를 더더욱 바꾸기 어렵게 만들었다. 미국은 이제 테러리스트의 위협에 온 정신이 팔려 있었으며, 다음 달에 아프가니스탄을 침공하고 점령하는 것으로 대응했고, 2003년 3월에 시작될 이라크 침공 및 점령을 준비하고 있었다. 세상을 이분법적으로 보는 부시 대통령의 성향은 더 강해졌다. 미국의 국방 정책은 보다 강력하고 덜 외교적인 어휘로 표현됐다. 북한을 비롯한 모든 위협에 선제적 공격을 공개적으로 지지하기도 했다.

2002년 1월 29일, 부시 대통령은 연두교서에서 이라크, 이란과 함께 북한을 거론하면서 그 유명한 '악의 축'이라는 표현을 썼다. 그는 이렇게 말했다.

> 이러한 국가들과 이들의 테러리스트 동맹들은 세계의 평화를 위협하는 악의 축을 형성하고 있습니다. 대량살상무기를 추구하는 이들 정권들은 심대한 위협인 데다가 현재도 계속 증가하고 있는 위협입니다. 이들은 이러한 무기들을 테러리스트들에게 제공하여 테러리스트들이 자신의 증오를 표현할 수 있는 수단을 줄 수 있습니다. 그들은 우리의 동맹들을 공격하거나 미국을 협박하려들 수도 있습니다. 그러한 경우 무관심의 대가는 재앙에 가까울 것입니다. … 저는 위험이 존재한다면, 사건이 발생할 때까지 기다리지 않겠습니다. 위기가 다가오고 있을 때 주저하지 않겠습니다. 미합중국은 세계에서 가장 위험한 정권들이 세계에서 가장 파괴적인 무기로 우리를 위협하도록 두지 않겠습니다.[19]

김대중 정부는 부시의 연두교서가 미국의 대북 정책에 미칠 영향과 북한의 반응을 우려하며 충격에 빠졌다. 실제로 연두교서의 표현은 9·11 테러 이후 북한에 대한 미국의 입장이 더욱 강성이 됐음을 보여주고 있었다. 그리고 북한의 공영 매체는 남한이 우려했던 대로 반응했다. 한국 언론도 김대중 정부의 심정과 정책을 어느 정도 반영하여 부시 행정부에 매우 비판적이었다. 그리고 그다음 달 유타에서의 쇼트트랙 경주 논란과 6월 주한 미군의 장갑차에 치인 심미선 양과 신효순 양의 사망이 뒤따르면서, 미국에 대한 한국의 여론은 보다 거세졌다.

그럼에도 불구하고, 파월 국무장관의 압박도 있었고 동맹인 한국을 무시하는 것처럼 보이지 않게 하기 위해 부시 대통령은 이 기간 동안 미국과 북한의 외교적 접촉을 허용했다. 이러한 접촉은 2002년 늦봄 무렵이 되자 부시 행정부 출범 이래 최초로 미국 정부의 여러 부처 인사로 이루어진 팀이 평양에 공식 회담을 위해 방문하는 것을 미국이 고려할 정도로 발전했다. 회담은 부시 행정부가 대북 정책 검토 결과를 발표하면서 언급됐던 '포괄적 접근법'에 기반할 것이었다.

그러나 그때 당시 미국의 정보 당국은 북한이 비밀리에 농축우라늄 생산을 추진하고 있다는 정보를 입수한 상태였다. (농축우라늄은 핵무기 개발에 사용될 수 있었다.) 이는 1994년 제네바 합의의 명시적인 위반까지는 아니더라도 그 합의 정신에 근본적으로 위배되는 것이었다. 제네바 합의는 북한의 플루토늄 생산 사업을 중단하고 궁극적으로는 폐기하여 북한의 핵무기 추구를 끝내기 위해 이루어진 것이었다. (플루토늄은 핵무기를 만들 수 있는 또 다른 핵분열성 물질이다.) 그 결과 미국의 고위 당국자들은 여름에 실시할 예정이었던 평양 방문을 2002년 가을까지 연기하기로 결정했으며 북한 측에 제시할 성명서와 논점들을 우라늄 농축 문제에 초점을 두고 새로 작성하라고 지시했다.

2002년 8월, 나는 국무부 한국과장으로 부임하여 워싱턴 DC에 막 돌아와 있었다. 전임 과장이자 오랜 친구인 에드 동이 며칠 동안 사무실에 나와서 내가 새 업무에 적응하는 것을 도와주었다. 2년 만에 직무를 마치게 되어 안도하는 기색이 역력했던 에드는, 나를 맞이하자마자 모나리자의 미소를 지으며 "자네가 당장 읽어야 할 게 있다네"라고 말했다. 나는 국무부 정보조사국으로 가서 정보기관의 보고서를 읽었다. 북한이 비밀리에 대규모의 우라늄 농축을 시도하고 있다는 것이었다. 그때 나는 워싱턴에서 보내게 될 2년이 내가 서울에서 보냈던 3년보다 결코 행복하지 못하리라는 걸 깨달았다.

2002년 9월과 10월 국무부 한국과의 나와 내 직원들은 북한을 상대할 때 필요한 부시 행정부의 새로운 입장과 논점에 관한 문서 초안을 작성하느라 매우 바빴다. 경험이 풍부한 페리얼 사이드 차장이 나를 도와주고 있었지만 우리가 작성한 초안은 국무부의 정무직 상관들에게 퇴짜를 맞았으며, 다시 작성한 초안도 마찬가지였다. 특히 국가안전보장회의NSC에서 그랬다. 그제서야 나는 부시 행정부 지도부의 사고방식이 얼마나 다른지 파악할 수 있었다.

10월 3~5일, 나는 국무부의 동아시아태평양담당 차관보였던 제임스 켈리가 이끄는 소규모 미국 사절단의 일원으로 평양을 방문했다. 미국이 북한의 비밀 우라늄 농축 사업을 알게 됐으며 이를 중단하길 요구한다는 걸 북측에 알리기 위해서였다. 우리는 북한에 우라늄 농축 사업이 폐기되지 않으면 결코 미국과 관계를 개선할 수 없을 것이라고 알렸다.

물론 우리는 북한 측에 우리 결론의 기반이 됐던 정보를 제공하지는 않았다. 우린 그저 결정적인 정보를 갖고 있다고만 말했다. 우리의 방북 결과가 공개됐을 때 많은 언론 매체가 우리의 성명 내용을 오해했다. 우리가 북한의 우라늄 농축에 대한 구체적인 정보를 북한에게 제공했다고 여긴 것이다. 나는 이 중대한 오해를 바로잡기 위해 무던히 노력했다. 켈리 차관보가 발표할 공개 연설문도 준비했다. 그는 언론 보도를 정정하는 내용의 발표를 했으나 그땐 이미 늦었다. 언론은 이를 받지 않고 오보를 계속했다. 최초의 오보가 스스로 생명력을 얻는 강한 성향이 있으며 완전히 바로잡히지 못하게 되는 경우가 많다는 걸 다시금 깨달았다.

우리가 평양에서 가진 회담 초반에 북한은 우라늄 농축 사업을 단호하게 부인했다. 그러나 우리의 마지막 회담에서 강석주 외무성 제1부상(제네바 합의 당시 미국과 협상을 했던 인물이다)은 사업의 존재를 부인하지 않았다. 바로 전날 그의 부하가 화를 내면서 사업의 존재를 부인했던 것과는 뚜렷한 차이였다. 그는 대신 북한은 우라늄 농축과 같은 기술을 개발할 권리가 있으며 그보다 훨씬 강력한 기술들도 갖고 있다는 걸 강조하기 시작했다. 그는 30분에 걸쳐 장광설을 늘어놓았다. 그는 어젯밤에 북한의 관계 부처 지도부가 만나서, 미국이 **먼저** 북한의 체제를 인정하고 북한 정부와 평화협정을 체결한 다음, 북한의 대외 경제 관계에 개입하는 것을 중단하면 우라늄 농축에 대한 미국의 우려를 불식시켜줄 용의가 있음을 결정했다고 우리에게 알렸다.[20]

강석주가 "우리는 우라늄 농축을 하고 있다"고 말한 것은 결코 아니었으나 논의의 맥락과 그의 발언을 볼 때, 그가 자신의 혐의를 부인하지 않으며 북한은 이에 대해 협상할 용의가 있음을 미국 측이 이해하기를 바라고 있었다는 것이 분명했다. 비록 북한의 조건에 따른 협상이었으며, 우라늄 농축 사업은 제네바 합의의 근본적인 위반임에도 불구하고 말이다. 내가 몇 개월 전에 겪었던 것과 비슷하게, 강석주와 그의 동료들은 부시 행정부의 태도가 클린턴 행정부의 그

것과 판이하게 다르다는 것을 아직 이해하지 못하고 있었다. 강석주는 자신의 발표를, 당시 미국 측에게는 기괴한 것으로 여겨졌던 제안으로 끝맺었다. 부시 대통령과 김정일은 정상회담을 기대해야 한다는 것이었다.

미국 측은 강석주가 그의 부하들이 그랬던 것처럼 우라늄 농축 사업의 존재를 부인하는 대신 사실상 그 존재를 인정한 것에 깜짝 놀라 평양에 있는 영국 대사관으로 달려가 워싱턴에 전갈을 보냈다. 영국 대사관만이 보안이 유지되는 통신선을 사용할 수 있었다. 그곳에서 나는 논의 내용을 정리하고 강석주의 메시지에 대한 우리의 공통된 이해를 담은 전문을 작성했다. 팀의 다른 인원들에게 내용을 보여주고 그들이 제안한 몇몇 소소한 수정 사항을 반영한 후, 전문을 워싱턴으로 전송했다.

이튿날 아침, 우리는 즉각 서울을 방문한 후 도쿄로 향했다. 양국의 수도에서 켈리 차관보는 북한 측과의 회담 내용을 핵심 인사들에게 브리핑했다. 서울에서 우리는 당시 김대중 대통령의 외교안보수석인 임동원과 각계 부처 관계자들을 만났다. 임동원은 큰 충격을 받은 게 틀림없어 보였다. 내게는 우리가 강석주가 말한 바를 오해했거나 우리가 들은 바를 제대로 얘기해주지 않는 것으로 임동원이 여기는 듯해 보였다. 나는 그때나 지금이나 그러한 의구심을 말끔하게 해소하기 위해 당시 우리가 한국 측에 브리핑할 때 더 자세하게 이야기했어야 했다고 생각한다. 그러나 우리는 강석주의 말을 오해하지 않았고 동맹국인 한국에 거짓말을 하고 있는 것도 아니었다. 진실은 우리가 김대중 정부에 전달한 정보가 햇볕정책의 근간을 약화시켰다는 것이다. 임동원은 이를 즉각 알아차렸기 때문에 깊은 우려를 표한 후 미국의 말을 믿지 않기로 했다.

이미 상당히 껄끄러웠던 김대중 정부와 부시 행정부 사이의 관계는 김대중 대통령의 남은 임기 동안 결코 회복되지 못했다. 이 일이 있기 전에도 김대중 정부의 고위 공무원들 중 다수는 부시 행정부를 깊이 불신했었다. 이들은 한국 언론을 상대로 한 백그라운드 브리핑에서 공개적으로 자신들의 감정을 표출했다. 그들은 수년 전에 이미 북한이 우라늄 농축과 관련하여 다른 국가 정부들과 교류하고 있었다는 정보를 입수했으며, 그 정보를 미국 정부에도 제공했었다고 말했다. 또한 그들은 북한의 우라늄 농축이 2002년까지는 실시되거나 충분히 발달하지 않았다고 보았으며, 따라서 햇볕정책을 위기에 빠뜨리면서 우라늄 농축 중단을 요구할 필요가 없었다고 주장했다.

그러나 우라늄 농축 문제가 외교적으로 어떠한 결과로 이어질지에 대한 김대중 정부의 우려는 충분히 근거 있는 것이었다. 부시 행정부의 상층부는 북한의 우라늄 농축 문제 해결의 거부를 제네바 합의의 이행을 중단하고 사실상 제네바 합의를 무효화하는 데 사용할 수 있어 기뻐했다. 그 즉시 북한은 외국의 조사관들을 영변의 핵시설에서 내쫓았으며, 2003년 1월 10일 핵확산방지조약NPT에서 탈퇴하겠다고 선언했다. NPT를 탈퇴한 국가는 북한이 최초였으며 북한은 지금도 NPT를 탈퇴한 유일한 국가다. 이로 인해 교착상태가 됐으며, 결국 2006년 북한의 첫 핵실험과 보다 성공적이었던 2009년의 두 번째 핵실험, 그리고 2013년의 세 번째 핵실험으로 이어졌다.

지금 돌이켜보면 북한이 대규모 우라늄 농축 사업을 벌이고 있었다는 것은 객관적으로 살펴볼 때 분명하다. 우리의 평양 방문 결과가 언론에 유출됐을 때 북한 측은 처음에는 2002년 10월 4일 우리의 회담 결과에 대해 미국 측이 발표한 내용을 부인하지 않았다. 그러나 김대중 정부와 러시아, 중국 등의 정부가 우리가 보고한 내용을 북한에 추궁하자 북한 측은 미국이 오해했거나 거짓말을 하고 있다고 말했다.

처음에는 국제사회에 우라늄 농축에 대해 공개적으로 무어라 말해야 할지 혼란을 겪었지만 북한은 그 이후 수년간 우라늄 농축 사업을 추진하고 있었다는 것을 단호하게 부인하기 시작했고, 심지어 우라늄 농축에 관심조차 없었다고 주장해왔다. 그러나 2010년, 그들은 나의 스탠퍼드 대학 동료인 지그프리드 헤커 박사에게 영변의 핵시설에 있는 완벽하게 갖춰진 고급 우라늄 농축 시설을 보여주었다. 북한의 핵 개발 사업에 대한 세계적인 민간 부문 권위자인 헤커 박사는 이전에도 영변에 여러 차례 방문했지만 당시의 방문 이후 북한이 만들어 놓은 것에 '경악했다'고 썼다. 그는 북한이 결코 그들이 주장한 것처럼 그렇게 짧은 시간 동안에 농축 시설을 개발할 수 없었으리라고 결론지었으며, "북한 내 다른 곳에 고농축우라늄HEU을 생산할 수 있는 비밀 시설이 존재할 가능성이 매우 높다"고 말했다.[21]

미국이 북한의 우라늄 농축 사업을 언론에 공개했던 2002년 10월, 김대중 대통령은 이미 의약 분업과 자신의 가족 및 측근이 연루된 비리 스캔들 등으로 개인적 지지를 상당히 잃은 상태였다. 이로 인해 햇볕정책에 대한 대중의 지지도 어느 정도 상실했는데 김 대통령의 너그러운 태도에 비해 북한의 호응이 없다는 것이 더 심각한 문제였다. 북한의 우라늄 농축에 대한 미국의 폭로는 최후의 일격과 같았다. 김대중 대통령의 후계자인 노무현 대통령은 2003년 2월 취임하면서부터 자신만의 햇볕정책을 추진했으나, 한국 보수의 지지를 얻지 못했으며 북한 측의 호응을 얻지 못했다. 노무현은 임기 마지막 달에 김정일과 단 한번 정상회담을 가질 수 있었다. 김대중 대통령 때의 정상회담과 마찬가지로 노무현 대통령의 정상회담은 총선 전에 열렸다. 이는 한국 보수층을 더욱 분노하게 만들었는데 노무현이 북한 정권과 짜고 한국의 유권자들을 조작하려는 시도로 보았기 때문이다.

나는 북한의 지도부가 결코 2000년 6월의 첫 남북정상회담에서 김대중 대통령과 그의 정부가 공개적으로 묘사했던 것처럼 남한과 적극적으로 교류할 생각이 없었다고 확신한다. 김대중 대통령의 비전에 공감하는 사람의 증언을 보아도 김정일과 그의 관료들은 매우 주저하는 모습이었다.[22] 김정일은 남북공동선언이나 통일 방식에 관심이 거의 없었다. 이산가족 상봉을 논의할 때도 북한 측은 처음부터 남측에게 소규모의 상징적인 상봉 행사 이상의 것을 준비하고 있지 않음을 분명히 했다. 비록 김대중 정부는 공개적으로 더 큰 규모의 상봉 행사가 뒤따를 것이라고 밝혔지만 말이다. (김대중 정부 입장을 고려해서 첨언하자면, 김대중 정부의 관계자들은 그렇게 공개적으로 발표하는 것이 북측을 압박하여 보다 실질적인 이산가족 상봉 행사를 가능하게 할 수 있으리라 생각했을 수도 있다.)

한국 대중은 2003년 2월, 김대중 대통령이 퇴임한 지 1년이 지나서야 그가 김정일과 정상회담을 하기 직전, 비밀리에 북한에 1억 5천만 달러가 넘는 현금을 현대그룹을 통해 보냈음을 알게 됐다. 김 대통령의 평양 방문이 마지막 순간에 하루 늦춰진 것은 분명 김 대통령을 맞이하기 전에 자금을 손에 쥐어야겠다는 북한 측의 강력한 주장 때문이었으리라.

정상회담이 이루어진 여름부터 이미 남측 정부가 북한에 정상회담을 수락하는 대가로 돈을 지불했다는 소문은 돌고 있었지만 그에 대한 확인은 북한이 남한의 구애에도 전향적인 모습을 보이지 않은 채로 3년 가까이가 흐른 2003년 2월에 이루어졌다. 이 폭로는 김대중에게 당혹스러운 일이었으며 그의 업적 대부분에 먹칠을 했다. 특히 햇볕정책이 그랬다. 또한 그의 대북 정책으로 2000년에 수여된 노벨 평화상까지도 그 빛이 바랬다. 불행은 이것으로 그치지 않았다. 2003년, 남한 정부를 대신하여 북한에 돈을 전달했다고 재판을 앞두고 있던 현대그룹 창업주 아들이 사무실 건물 12층에서 뛰어내려 자살했다.

그러나 나는 지금 너무 앞서 나갔다. 당시 내 동료들이 북한의 비밀 우라늄 농축 사업에 대한 정보를 가지고 평양에서 북한 측을 상대하고 있는 동안에도 한국에서 언론과 여론은 또 다른 주한 미군 관련 사고에 깊이 매몰되어 있었다. 우리는 먼저 어떠한 정책과도 상관없었던 반미주의 사건을 되짚어본 다음, 당시의 주한 미군 관련 사고를 살펴볼 것이다.

제6장

쇼트트랙 사건

❖

　새로 취임한 워싱턴의 조지 W. 부시 행정부와 곧 퇴임하는 서울의 김대중 정부 사이에 북한을 어떻게 다룰지에 대한 견해차는 점차 악화되고 있었지만, 2001년은 한국의 반미 시위 측면에서 볼 때 상대적으로 조용한 시기였다. 부시는 2001년 1월 대통령에 취임했고, 9월 11일 테러리스트 공격이 세계를 경악시켰을 때 아직 자신의 행정부를 제대로 꾸리지 못한 상태였다. 초반에는 한국을 포함한 전 세계에서 미국에 동정이 쏟아졌다. 그럼에도 불구하고 한국에서는 미국에 대한 부정적인 감정들이 강력하게 축적된 상태로 물밑에 흐르고 있었다. 이는 곧 가장 놀라운 이슈로 확 불타오를 것이었다.

　이 책에서 다룬 모든 반미주의 사례는 한국 내 주한 미군의 존재 또는 북한을 어떻게 다룰지에 대한 논란과 연관되어 있다. 이 사례들은 단지 정치적인 영향뿐만 아니라 정책적인 중요성에 의해 선택된 것이다. 다만 이 사례 하나만큼은 예외다. 이 장에서는 1998년부터 2003년 기간 중 미국에 대한 여론 선호도를 최악으로 만든 단 하나의 스포츠 경기 판정(미국인이 아닌 심판이 내린 것이다)을 다룬다.[1] 이는 2002년 2월 8일부터 24일까지 미국 유타 주에서 열렸던 동계올림픽의 1,500미터 쇼트트랙 경주에서 한국 선수인 김동성이 실격한 사건을 가리킨다. 한국인들에게는 간단히 '오노 사건'으로 알려져 있

---

* 이 장은 존 슬랙이 2007년 동북아와 미국과의 관계에 대한 나의 서울대학 국제대학원 강의에 제출했던 논문을 기반으로 쓴 것이다. 2009년 슬랙 군은 서울대학 국제대학원에서 한국학으로 석사 학위를 받았다. 메릴랜드 출신인 그는 미국에서 공부하는 국제 학생들을 돕고 있다.

는데 이는 일본계 미국인 운동선수인 아폴로 오노의 이름을 딴 것이다. 한국인들은 그가 자국의 영웅이 땄어야 할 금메달을 빼앗았다고 비난했다.

오노 사건이 단지 상징적인 피해만 입혔다는 바로 그 이유 때문에 이 사건은 한미 관계에서 정체성과 민족주의가 얼마나 중요한 요소인지를 잘 보여준다. 또 하나 특이한 점은, 이 사건에서 민족주의적 분노를 일으킨 것이 비단 한국 언론만이 아니었다는 사실이다. 미국 언론도 선정주의적이고 민족주의적인 사건 보도에 일조했다. 양측의 기자들은 상대방 국가의 사람들을 비판하고 자극하기에 몰두한 것처럼 보였다. 이 사례가 중요한 이유는 인터넷 시대에 서로 경쟁하는 민족주의를 조명했기 때문만은 아니다. 이 사건으로 인한 한국인의 분노는 의심의 여지없이 수개월 후 주한 미군 차량에 의해 한국의 여학생 두 명이 사망한 사건에 대한 한국의 반응을 격화시키는 데 일조했다.

사건의 배경

오노 사건이 발화시킨 논란과 분노를 이해하기 위해서는 전체 맥락을 살펴보는 것이 중요하다. 2002년 동계올림픽은 처음부터 많은 논란에 싸여 있었다. 심지어 올림픽이 열리기 훨씬 전부터 문제가 있었다. 1999년, 솔트레이크시티 관계자들이 2002년 동계올림픽을 유치하기 위해 국제올림픽위원회IOC의 임원들에게 뇌물을 주었다는 언론 보도가 있었다. 조사가 실시되고 나서 IOC 임원 네 명이 사임했고 여섯 명이 퇴출됐으며 열 명이 경고를 받았다. IOC는 개혁을 약속했지만 이 논란으로 인해 유타 주 솔트레이크시티에서 열리는 동계올림픽의 정당성에 의문이 제기됐다.[2] 올림픽의 개회식도 논란이 됐다. 미국은 올림픽 경기장에 9·11 테러로 무너진 세계무역센터에서 회수된 국기를 가져오겠다고 고집을 부렸다. 국제올림픽위원회는 정치적 상징은 올림픽 정신에 부합하지 않는다며 거부했으며, 많은 한국인은 올림픽이 미국의 기념행사로 변질되고 있다고 느꼈다.[3]

그러나 올림픽 대회 도중 피겨스케이팅에서 불거진 스캔들에 비하면 이는 약과에 지나지 않았다. 많은 북아메리카의 시청자는 캐나다 선수들이 금메달을 땄어야 했다고 여겼는데 러시아 선수들에게 패하여 금메달을 놓쳤다. 심사위원 중 한 명인 프랑스의 마리-렌 르 구뉴가 프랑스의 스케이트연맹이 러시아 선수들의 점수를 캐나다 선수들보다 높게 주라고 자신을 압박했다는 보도가 나오면서 스캔들이 일어났다. (이후에 그녀는 자신의 발언을 철회하고 캐나다 팀이 러시아 팀보다 더 나았다고 말하라는 압박을 받았다고 주장했다.) 여론의 반응은 매우 강력하여, 국제스케이트연맹ISU의 회장인 옥타비오 친콴타와 IOC 회장 자크 로게는 2월 15일 캐나다 팀에게도 똑같은 금메달을 수여하겠다고 발표한다. 당시 동계올림픽에서 발생한, 이 전례가 없는 행동은 북아메리카인들을 기쁘게 한 반면 러시아인들을 분노하게 했다.

이 스캔들은 한국인과 아무런 관계가 없었으나 동계올림픽 중 한국의 비분을 자극했다. 한국 사람들은 피겨스케이팅의 사례처럼 자국의 선수들도 불공평하다고 여겨지는 판정을 뒤집을 수 있으리라는 희망을 초반에 가졌다. 그러나 그렇게 되지 못할 것이라는 걸 깨

닫자 비통한 심정이 됐다. 한국인들은 판정을 뒤집으려는 노력이 실패한 것을 두 스캔들이 본질적으로 다르기 때문이 아닌, 북아메리카 언론이 한국인들에게 공감하지 않기 때문이라고 여겼다. 어떤 한 사람은 한국 신문의 편집자에게 이런 편지를 썼다.

한국인들은 '항의'했던 것이지 '불평'한 게 아니었다. 캐나다가 금메달을 강탈당했다고 느꼈을 때 했던 것, 그리고 미국의 스케이트 선수가 부정 출발을 했지만 제지를 받지 않았을 때 항의했던 것과 똑같은 방식이었다. 결과적으로 캐나다는 금메달을 얻었고 일본은 IOC로부터 공식 사과를 받았다. 그런데 한국은 무엇을 얻었나? 한국의 항의는 간단히 거부당했으며 '심각한 이미지 손상'을 입었다.[4]

그러나 전반적으로 한국 언론은 피겨스케이트 논란에 대해 그리 많은 관심을 기울이지 않았다. 한국에서는 쇼트트랙 스피드스케이트가 다른 경기보다 더 중요했기 때문이다. 1992년까지 한국 선수는 한번도 동계올림픽에서 메달을 딴 적이 없었다. 그러나 그해 프랑스 알베르빌 동계올림픽에 쇼트트랙 경기가 포함되면서 한국은 네 개의 메달을 땄다. 모두 쇼트트랙에서였다.[5] 쇼트트랙 경기의 성공으로 한국은 2002년까지 세 번의 동계올림픽에서 메달 순위 10위권 안에 들 수 있었다.[6] 솔트레이크시티 동계올림픽 이전까지 한국이 동계올림픽에서 얻은 9개의 메달이 모두 쇼트트랙에서 나온 것이었다. 한국인들에게는 특히 한국 언론에게는 쇼트트랙에서 승리하는 것이 국가의 자존심 문제였다.

2002년 동계올림픽에 거는 한국의 기대는 상대적으로 침착했다.

총 메달 순위 10위권 내 진입과 금메달 세 개는 성취 가능한 목표이긴 했으나 확실한 것은 아니었다. 젊은 한국 여성 팀은 양양 A와 양양 S로 이루어진 관록의 중국 팀에 비해 약해 보였다. (이름이 똑같은 이 두 중국 선수는 자신들을 각각 자신이 태어난 달의 약자(8월 August와 9월 September)로 서로를 구별했다.) 그러나 남성 부문에서는 상황이 훨씬 희망적이었다. 1998년 나가노 동계올림픽에서 두 개의 금메달을 땄던 김동성은 2000~2001년의 부상에서 회복했으며 솔트레이크시티 동계올림픽 전의 월드컵 경기에서 1위를 달리고 있었다. 그의 경쟁자로는 중국의 리자준, 언제나 위협적인 캐나다 팀, 그리고 김동성의 컨디션이 최상이 아니었던 2001년 월드컵 경기에서 우승했던 미국의 아폴로 안톤 오노가 있었다.[7]

미국인들은 김동성에 대해서 아는 게 거의 없었다. 반면 아폴로 안톤 오노는 미국에서 상당히 유명했다. 일부분은 일본에서 열렸던 1998년 동계올림픽처럼 낮은 시청률이 재현되는 걸 원하지 않았던 미국 언론의 절실한 노력 덕택이었다. 쇼트트랙에 친숙한 미국인들은 거의 없었지만 여러 가지 사항이 미국 언론의 관심을 오노에게 모이도록 했다. 그는 집안 환경이 부유하지도 않았고 편부모 가정에서 아버지가 키웠다. 언론에 의해 널리 알려진 그의 반항적인 10대 시절과 그의 자유분방한 성격은 젊은 시청자들을 끌어들일 수 있을 것 같아 보였다. 그에겐 특유의 염소수염을 비롯하여 나름의 스타일이 있었다.[8] 또한 그는 논란을 일으키는 데 주저함이 없었다. 올림픽 선수 평가 경기에서 그는 팀 동료가 올림픽 팀에 들어오게 하려고 마지막 경주를 포기했다고 비난을 받은 바 있었다. 이는 미국 언론이 그를 더 주목하게 만들 따름이었다.

그리하여 미국 언론은 안톤 오노와 그가 보여주는 빠르고 자극적이며 때로는 폭력적인 쇼트트랙 스포츠를 미국 대중에게 소개하고자 했다. 『스포츠 일러스트레이티드』는 오노를 표지에 실었고, 『USA 투데이』는 올림픽 미리보기 섹션에서 그를 다루었다. NBC-TV는 그에 대한 특집 프로그램을 방영했고, NBC의 보도 부스에 오노의 아버지를 초대하여 오노의 경기를 보게 했다.[9] 오노는 금메달 네 개를 노리는 것으로 보도됐지만 대부분의 예측은 잘해봐야 그가 금메달 한 개 정도를 딸 수 있으리라고 봤다.[10]

쇼트트랙 경기는 2월 13일에 시작했다. 각각의 쇼트트랙 경기는 단 한번의 경기로 판정을 가르는 토너먼트 방식으로 구성되어 있는데, 첫 라운드 다음 쿼터파이널(준준결승)이 이어지고 그다음 세미파이널(준결승)과 파이널(결승전) A, B로 끝이 난다.[11] 남자 쇼트트랙 경기 순서는 다음과 같았다.

1. 2월 13일 수요일: 계주와 1,000미터 1라운드
2. 2월 16일 토요일: 1,000미터 쿼터파이널, 세미파이널, 파이널 A/B
3. 2월 20일 수요일: 1,500미터 1라운드, 세미파이널, 파이널 A/B
4. 2월 23일 토요일: 500미터 1라운드, 쿼터파이널, 세미파이널, 파이널 A/B 및 계주 파이널

첫 번째 쇼트트랙 경기는 계주였다. 미국과 이탈리아, 오스트레일리아 팀을 상대하는 한국의 남성 팀은 메달을 딸 가능성이 높았다. 그러나 경기 결과는 처참했다. 한국 팀은 파이널에도 진출하지 못했다. 한국 팀의 선수 민룡이 미국 팀의 러스티 스미스를 추월하려다

가 넘어진 것이었다. 한국 언론은 스미스가 민 선수를 친 것처럼 보도했으나 스미스 선수가 리드하고 있었다는 사실은 그에게 어드밴티지를 주었다.[12] 한국 팀의 코치 전명규도 판정이 공정했다고 말한 것으로 보도됐다. 그래서 한국 언론은 당시 사건을 별다르게 보도하지 않았다. 그러나 문제의 1,500미터 경기에서 사건이 발생하자 민룡-러스티 스미스 사건은 불공정한 판정의 또 다른 사례로 꾸준히 언급됐다.[13]

그다음 경기는 김동성 선수가 1998년 동계올림픽에서 금메달을 목에 건 적이 있었던 1,000미터 경주였다. 당시 16세의 스케이트 신동이었던 안현수가 김동성과 함께 출전했다. (4년 후 토리노 동계올림픽에서 안현수는 금메달 세 개를 목에 걸었다. 2014년 소치 올림픽에서도 세 개의 금메달을 땄다.) 김동성과 안현수는 모두 첫 라운드와 쿼터파이널을 통과했다. 그러나 세미파이널에서 김동성은 파이널 진출에 실패했다. 많은 한국 관객이 중국의 리자준 선수가 김동성에게 반칙을 했다고 여겼으나 오스트레일리아 출신의 주심은 김동성이 혼자서 넘어졌다고 주장했다. 전명규 코치는 반칙이 선언되지 않자 낙담했다고 말했다. 그러나 그는 공식적으로 판정에 항의하지는 않을 것이라고 말했다. 쇼트트랙에서 그랬던 전례가 없었기 때문이다.[14]

그럼에도 불구하고 안현수가 파이널에 진출함에 따라 한국인들은 1,000미터 경기에서 메달을 확보할 수 있으리라 기대하고 있었다. 안현수와 함께 오노, 리자준, 캐나다의 마티유 투르콧, 오스트레일리아의 스티븐 브래드버리가 출전했다. 한국 관객들은 이 경주의 마지막 바퀴를 당시 리드하고 있던 오노와 리자준의 몸싸움으로 묘사했다. 결승선을 앞둔 마지막 코너에서 네 명의 선수가 모두 넘어지고 당시

꼴찌를 하고 있던 브래드버리가 결승선을 먼저 통과해 금메달을 따게 됐다.[15] 오노는 빠르게 일어나 결승선을 통과하여 은메달을 땄는데 서두른 나머지 자신의 스케이트 날에 허벅지를 베이기까지 했다. 가뇽이 3위, 안현수가 4위를 했으며 리자준은 실격당했다.

안현수가 4위로 경기를 마쳤다는 사실에 한국 언론은 크게 실망했다. 한국 언론은 모든 탓을 오노와 리자준에게 돌렸다. 그 둘이 계속 몸싸움을 벌이면서 속도가 줄어들었고 그 사이에 작은 틈이 생겼다. 안현수가 그 사이로 들어가려 했다가 모두 넘어진 것이다. 한국 관객들은 안현수가 단지 운이 없었다고 여겼다. 선두 그룹에서 서로 밀치고 있는 와중에 무고하게 엮였다는 것이다. 리자준이 넘어지자 오노는 균형을 잃고 안현수를 쓰러뜨렸다.[16] 그러나 전명규 코치는 다르게 보았다. 그는 안현수가 좀 더 경륜이 있는 스케이트 선수였다면 그렇게 빨리 끼어들지 않았을 것이라고 말했다. 전명규 코치는 김동성이 출전했더라면 금메달을 딸 수 있었을 것이라고 굳게 믿었다.

미국 언론은 이러한 사건의 전환에 대해 상당히 다르게 반응했다. 그들은 오노에게 아무런 잘못이 없다고 여겼다. 많은 언론 매체에서 심지어 안현수가 연쇄 충돌의 원인이라고 비난했다. 예를 들어 『뉴욕 타임스』는 안현수 그 사이를 비집고 통과하려는 "뻔뻔한" 시도를 했으며 "놀랄 것도 없이 … 선수들이 날아가 버렸다"고 썼다.[17] 전직 스피드스케이트 선수였던 TV 아나운서 에릭 플레임은 오스트레일리아 출신의 심판 짐 휴이시가 안현수를 실격시키고 재경기를 지시하지 않았다며 심판을 비난했다.[18] 오노는 나중에 그가 넘어진 것이 안현수가 추월을 시도하면서 발생한 신체적 접촉 때문이었다고 말했다.[19] 한국의 기자와 논평가들은 그러한 보도에 격분했다. 그들은 사건을 오노 탓으로 돌리며 미국 언론이 오노를 이번 동계올림픽의 스타로 만들고 동계올림픽을 상업적으로 흥행시키기 위해 이 사건을 이용하고 있다고 주장했다.[20]

그러나 많은 미국인에게 안톤 오노가 누구인가를 보여준 것은 1,000미터 경주 결과에 대해 오노가 한 다음과 같은 말이었다.

> 나의 여정은 메달을 획득하는 것에 있는 것이 아닙니다. 올림픽 경기의 출발선에 설 수 있는 것과 경기를 경험하고 나의 최선을 다하는 것입니다. 그런 것(금메달이 아닌 은메달 획득)은 이런 스포츠에서 일어나곤 하는 일입니다. 그게 제 삶의 목표입니다. 저는 제 경기 내용에 행복했습니다.[21] … 저는 은메달을 땄으니 불평할 수 없죠.[22]

미국인들에게 그의 이러한 태도는 그를 둘러싸고 벌어지고 있는 규칙에 대한 논쟁보다 더 높은 차원으로 그를 올려놓았다. 미국인들은 금메달 애호가들이 겨우 은메달 딴 것을 괴로워하고 실망하는 것에 익숙했다. 그들은 오노가 경기 결과를 실망하기에 충분하다고 여겼으나 그는 자신에게 주어진 은메달을 불평 없이 기쁘게 받아들였다. 그러한 상황에서는 오노가 받은 은메달이 금메달보다 더 많은 존경심을 받게 했다고 해도 과언이 아니다.[23]

한국 언론은 물론 오노의 영웅적인 면모를 보지 않았다. 한국 언론은 그를 말썽쟁이로 묘사했다. 경기에 대한 오노의 발언을 다룬 한국의 보도는 그가 "쇼트트랙은 피겨가 아니다. 결과에 대해 더 이상 불평하지 않는다"고 말하는 것으로 끝맺었다.[24] 한편 언론이 소위 편파 판정에 대해 꾸준히 불만을 제기하자 책임 있는 위치에 있는 이들이 압박을 받았고 한국인인 김운용 IOC 부회장은 공식적으로 항의하겠다고 말했다. 이미 이 시점에, 『한겨레』 보도에 따르면 경기들의 결과에 격분한 한국 네티즌들의 강력한 사이버 시위가 잇따랐다고 한다.[25] 이러한 경기들이 논란이 되기는 했지만 아직 진정한 '오노 사건'이 되기에는 부족했고, 단지 오노 사건을 위한 바탕을 만들었을 따름이었다.

오노 사건

이 때문에 한국인들은 2월 20일 수요일에 예정된 경기에 큰 기대를 품었다. 그때까지 한국 팀은 2002년 동계올림픽에서 메달을 두 개만 획득한 상태였다. 여성 1,500미터 경주에서 얻은 금메달 한 개와 은메달 한 개였다. 수요일의 경기는 그 숫자를 두 배로 늘려줄 것으로 기대됐다. 여성 팀은 계주 파이널에 진출했고 안현수와 김동성 모두 1,500미터 1라운드를 통과했다. 안현수는 세미파이널에서 실격하지만 김동성은 손쉽게 세미파이널을 통과했으며 그날 저녁의 파이널에서도 문제없이 승리할 것으로 보였다. 여성 계주 팀이 중국을 물리치고 금메달을 따면서, 그날 저녁은 한국 팀에게 더할 나위 없이 완벽해 보였다.

남성 1,500미터 파이널 경기에는 김동성, 오노, 리자준, 이탈리아의 파비오 카르타, 캐나다의 마르크 가뇽, 프랑스의 브뤼노 로스코 등 선수 여섯 명이 출전했다. 일곱 바퀴를 남겨두고 김동성은 선두에

섰다. 오노는 마지막 바퀴까지 최하위에 머물러 있다가 갑자기 다른 선수들을 제치고 김동성의 뒤를 바짝 따라붙었다. 오노는 결승점 반대편의 코스에서 김동성을 추월하려고 했으나 추월하려던 바로 그 순간에 마치 밀쳐져 균형을 잃은 것처럼 손을 하늘로 들었다. 김동성은 계속 나아가 오노보다 빨리 첫 번째로 결승선을 통과했다. 한국 팀은 그날 저녁 두 번째 금메달을 딴 것으로 보였고, 오노는 솔트레이크시티 동계올림픽에서 두 번째 은메달을 딴 것 같았다.

결승선을 지나면서 김동성은 태극기를 쥐고 잠깐 동안 승리를 기념하는 한 바퀴를 돌았다. 편파적인 관중(대부분 미국인이었다)의 강력한 야유 속에서 오스트레일리아 출신의 심판 짐 휴이시는 심판 부스로 갔다. 미국인들이 기대하고 있던 발표가 이어졌다. 김동성은 진로 방해로 실격 처리되고 오노에게 금메달이 주어졌다. 리자준의 메달 색은 동에서 은으로 바뀌었고, 캐나다의 가농이 동메달을 받았다. 넌더리가 난 김동성은 오노가 관중의 박수를 받는 동안 태극기를 빙판 바닥에 내던졌다.

단지 오노가 나왔기 때문에 경기를 관람한, 쇼트트랙에 익숙하지 않은 미국 시청자들을 위해서 진로 방해에 대한 짧은 강좌가 필요했다.[26] 진로 방해의 기술적 정의는 '부적절하게 다른 선수의 진로를 가로지르거나 어떠한 식으로든 방해하는 것'이다. 다시 말해 쇼트트랙 선수들이 각각의 레인에 따라 달리지는 않아도 각각의 선수들은 다 자신만의 '진로'가 있다. 이는 다른 선수가 의도적으로 침해해서는 안 되는 것이다. 한 선수가 추월을 시도할 때 앞서 있는 선수는 단지 다른 선수가 뒤에서 따라붙는 것을 막기 위해 방향을 바꾸어서는 안 된다. 일반적으로 진로 방해 반칙이 발생했는지를 판단할 때에는

선두에 있는 선수에게 유리하게 해석한다. 그러나 결국 판정은 심판들의 재량에 달린 것이다.[27]

한국 논평가들이 판정에 격렬하게 반발했다. 김동성이 오노 앞으로 움직였다는 것을 인정하면서도 이들은 김동성이 오노의 진로를 방해하기 위해 움직인 게 아니라 그저 자기 자신의 진로를 따라간 것뿐이라고 말했다.[28] 전명규 코치[29]는 경기가 끝난 후 미국 언론과 인터뷰를 하지 않았으나 한국 언론에 했던 말들이 영어로 번역되어 미국 언론으로 흘러들어갔다.

> 이건 너무하다. 말도 안 된다. … 누굴 믿어야 할지 모르겠다. … 오노는 할리우드에서 배우들이 연기하듯 행동했다. … 경기가 이렇게 판정된다면 대체 경기를 하는 의미가 무엇인가?[30]

한국 언론은 또한 오노가 김동성을 추월할 만큼 스피드가 없었기 때문에 진로 방해 판정은 "정말 이해할 수 없다"고 보도했다.[31] 한국의 쇼트트랙 전문가는 모두 판정이 불공평했다는 데 동의했다.[32] 한국의 어느 신문은 일본 쇼트트랙 감독 가와카미 다카시가 김동성이 한 행동이 반칙이라면 쇼트트랙에선 모든 선수가 실격이 돼버린다고 말했다고 인용했다.[33]

오노 사건에 대한 한국 언론의 전반적인 반응은 상당히 부정적이었지만 매체의 정치적 성향에 따라 그 정도는 각기 달랐다. 보수 언론인 『조선일보』는 공개적으로 판정의 공정성에 의문을 제기하면서 『로이터』, 『르몽드』, 『요미우리신문讀賣新聞』, 『타임스』, 『뉴욕타임스』를 비롯하여 비슷한 시각을 제시한 세계 언론들을 인용했다. 한편 『조선일보』는 오노 사건이 반미주의의 원인이 되어서는 안 된다고 주장했다. 또한 『조선일보』는 김동성이 태극기를 내던진 것을 비난하면서 한국 선수들에게 스포츠 이벤트에서 보다 반듯한 매너를 갖추어 행동할 것을 촉구했다.[34]

그러나 『한겨레』를 비롯한 다른 한국 언론은 보다 반미적인 어조를 띠고 있었다. 이들 언론의 기사들은 오노가 심판을 매수하거나 그의 '할리우드 액션'(전명규 코치의 발언에서 따온 것이다)으로 김동성에게서 금메달을 훔쳐갔다고 주장하면서 판정을 매도했다. 이들은 미국 언론이 '영웅 만들기'에 치중했다고 비난했으며 동계올림픽이 미국의 자축을 위한 잔치 외에 아무것도 아니게 됐다고 주장했다. 솔트레이크시티 동계올림픽에서 오노 사건 이전에 있었던 민룡의 계주 1라운드 탈락과 1,000미터 경기에서 김동성과 안현수의 실망스러운 성적이 다시 거론되면서 모두 미국의 탓이 됐다. 상당수의 한국 언론이 다른 논란들을 지적하면서 당시 동계올림픽의 평판을 떨어뜨리려고 했다.[35] 심지어 출국 금지 당한 러시아 측이 제기한 몇몇 문제들에서 러시아 편을 들기도 했다.

외국의 많은 이가 한국인들의 불만에 동의했지만 4등으로 들어온 파비오 카르타만큼 적극적인 사람도 없었다. 그는 판정이 "도저히 이해할 수 없는 일"이라며 "오노를 총으로 쏴버려야 한다"라고 말했다.[36] 『타임스』("오노의 오버액션으로 심판이 오심했다"), 여러 일본 신문("올림픽에서 스포츠 정신을 훼손시키는 일이 없도록 특단의 조취를 취해야 한다"), 그리고 많은 이탈리아 언론이("김동성은 경기에서 우승했으며 금메달을 받아야 한다") 당시의 결정이 잘못됐다는 데 동의했다. 그래서 한국 언론은 전 세계가 자신들의 판정 비난에 동의하는 것처

럼 묘사해도 정당화될 수 있으리라 여긴 듯하다.[37]

　그러나 실제로는 판정이 정당하다는 데 동의하는 이들도 있었다. 물론 판정으로 득을 본 선수들이 여기에 포함되어 있다. 동메달을 딴 가농은 판정을 "좋은 것"이라고 했다.[38] 2등으로 들어온 리자준은 "판정을 존중한다"고 말했다.[39] 네덜란드 선수 케이스 위퍼만은 "김동성이 움직였을 때 나는 그대로 끝났다는 걸 알았다. 그건 여지없이 진로 방해였다"라고 말했다.[40] 그러나 판정에 대한 철석같은 지지는 압도적인 것과는 한참 거리가 멀었다. 아마도 판정에 대한 가장 대표적인 언급은 1,000미터 경기 우승자인 브래드버리의 발언일 것이다. 그는 "나는 그보다 훨씬 노골적인 진로 방해를 많이 봤다. 내가 심판이 아니라 다행이다"라고 말했다.[41]

　한편 오노는 진로 방해가 맞다고 분명히 밝혔으며, 실격에 대해 김동성에게 어떠한 동정도 보이지 않았다. 제이 레노의 심야 TV 토크쇼에서 오노는 이렇게 말했다. "그래서 그(김동성)가 자신의 진로에서 나의 진로로 움직여 나를 가로막았고 그때 판정이 내려졌다."[42] 다른 때에는 이렇게 회상했다. "나는 최대한 오래 기다리려고 했다. 선수들이 몰려 있었다. 나는 코너에서 세게 가속을 붙이며 나왔고 그를 매우 가까이 따라붙었다. 그의 안쪽으로 파고들자 그가 내 쪽으로 움직이면서 내 진로를 약간 바꿨다."[43] 그는 논란이 있는 실격 처리로 인해 금메달을 땄다는 사실에 전혀 불편함이 없어 보였다. "나는 여기 와서 최선을 다했으며 금메달을 땄다. 난 지금 만족한다. 날 사막에 던져놓고 묻어버린다 해도 상관없다."[44] 오노는 다음과 같이 덧붙였다. "그러나 내가 어떤 색의 메달을 갖든 나는 행복했으리라 생각한다."[45]

미국 언론이 전반적으로 오노의 승리에 긍정적이었지만 몇몇 전문가들은 판정에 의구심을 표현했다. 스포츠 채널 「폭스 스포츠」의 해설가 한 명은 "김동성은 오노, 휴이시, ISU, 그리고 성난 미국 군중의 연합에 당했다"고 주장했다.[46] 『USA 투데이』의 한 칼럼니스트는 "만일 잡지 표지들을 연일 장식하고 있는 아폴로 안톤 오노가 터치파울로 실격당했으면 미국인들은 어떻게 생각했을까" 하고 의문을 표했다.[47] 다른 미국인들은 이들처럼 가혹한 평가를 내리진 않았지만 쇼트트랙 경기에 대한 무지로 판정 자체에 더 의심을 갖게 된 것 같았다. 그들이 동계올림픽에서 본 쇼트트랙 경기는 난투극과 같은 스포츠였다. 그리고 김동성에 대한 실격 판정은 이전의 경기에서 벌어졌던 보다 폭력적인 반칙에 비해 사소해 보였다. CNN의 필 존스는 "아시다시피 이전 경기들에는 온갖 아수라장이 벌어졌는데 한국 선수가 오노를 살짝 막았다는 이유로 그렇게 큰 벌칙을 받는다는 게 내게는 좀 이상하게 느껴졌다"고 말했다.[48] 결국 대부분의 미국인들은 그냥 그것을 '심판의 판정'[49] 또는 '아슬아슬한 상황에서 간발의 차로 벌어진 일'[50] 정도로 받아들인 것으로 보인다. 심판의 판정이 좀 엄격했던 것 같아 보였지만 대부분의 관객은 그대로 받아들이려고 했다.[51]

사건의 여파

한국올림픽위원회는 거의 즉시 판정에 대해 IOC와 ISU에 공식적으로 항의했다. 나중에는 스포츠중재재판소에까지 이를 가져갔다.

한국에서 압박을 받고 있던 김운용 IOC 부회장은 자크 로게 IOC 위원장에게 개인적으로 항의하겠다고 약속했다. 일군의 한국인들은 솔트레이크시티의 로펌 매닝, 커티스, 브래드쇼 & 베드나르를 고용하여 심판을 상대로 소송을 준비하겠다고 발표했다. (소송은 제기되지 않았다.)

결국 판정을 뒤집고자 했던 한국의 노력은 수포로 돌아갔다. IOC는 해당 사안이 "ISU의 문제"라고 선언했다. ISU는 판정을 두고 "심판의 소관"이라고 말했으며 단순히 한국인들이 좋아하지 않는다는 이유로 이를 철회할 수는 없다고 했다.[52] 피겨스케이팅의 판정 논란에서는 심사위원이 불법적인 행동을 고백했지만 휴이시의 경우는 달랐다. 심지어 ISU 회장인 옥타비오 친콴타가 판정의 재검토를 허락하겠다고 말했음에도 불구하고 김동성이 진로 방해를 저질렀다는 자신의 기존 판정을 그대로 관철했다.[53] 스포츠중재재판소는 한국올림픽위원회의 항의를 받아들이지 않기로 결정했다고 발표했다. 한국 측에 보다 유리하게 결과를 조정하겠다는 희망이 모두 사라진 것이다. 당황하고 격분한 한국 팀은 (러시아 팀이 그랬듯) 폐회식을 보이콧하겠다고 위협했다. 그러나 결국 한국 팀도 폐회식에 참가했다.

한편 한국의 일반인들은 비공식적인 온라인 항의 운동을 통해 목소리를 높이고 있었다. 김동성을 실격시킨 판정에 대해 NBC가 인터넷에서 실시한 비공식 투표에서 15만 명이 넘는 응답자 중 98퍼센트가 김동성에게서 금메달을 앗아간 결정이 잘못됐다고 투표했다.[54] 일부 한국인들은 심지어 미국인들도 판정에 화가 났다는 증거로 이 투표 결과를 들었으나 실제로는 한국인들이 다른 한국인들에게도 투표 참여를 적극 권한 결과인 듯하다. 여기에 더해, 인터넷에 능숙한 한국인들은 미국올림픽위원회에 항의 이메일을 보내기 시작했고, 미국올림픽위원회는 약 1만 6천 건의 이메일을 받고 나서 홈페이지 서버를 내려야 했다.[55] IOC 웹사이트에서도 같은 일이 벌어졌다. 두 사건 모두 이메일을 보낸 IP 주소가 한국인 것으로 확인됐다. 적어도 두 곳의 오노 팬사이트가 같은 공격을 받았다.

쏟아진 항의 편지들 중에는 오노에 대한 살해 협박을 담은 것이 최소 40개는 있었다. 오노는 올림픽이 끝날 때까지 특별 경호를 받았다. FBI는 협박 편지에 대한 수사를 지휘했으며 이를 '사이버 테러'로 간주한다고 표명했다. 그러나 많은 이메일이 한국의 PC방과 같은 익명의 위치에서 전송됐기 때문에[56] 할 수 있는 일은 거의 없었다.

한국의 사이버 시위대는 오노와 동계올림픽에 직접적으로 연계된 웹사이트들에 메시지를 보내는 것으로 그치지 않았다. 그들은 타깃을 더 넓혔다. 격분한 메시지들이 한국 국회에 보내졌다. 미국의 차세대 전투기를 구매하지 말라는 메시지들이 국방부에 쏟아졌다. 김동성을 지지하거나 솔트레이크시티 올림픽을 비난하는 수많은 포털 사이트와 웹 카페가 개설됐고, 수천 명의 사람이 그곳에 글을 올렸다. 격분한 네티즌들은 심지어 솔트레이크시티 올림픽을 비난하는 글을 웹사이트 전체에 올리기까지 했다. 대전의 케이블 TV 사업자는 시청자들이 한시적으로 CNN을 보지 못하게 했다. CNN의 동계올림픽 보도가 편향됐다고 여겼기 때문이다.[57]

한국인들은 곧 미국의 행동에 또다시 격노하게 된다. 이번에는 한 코미디언 때문이었다. 2월 20일, 「투나잇 쇼」의 오프닝에서 호스트인 제이 레노는 김동성의 1,500미터 경기 실격을 이야기했는데 그는 낙담한 한국인들이 화가 난 채 집에 가서는 자기 개를 발로 찬 다음

먹었다고 농담을 했다. 제이 레노의 언급은 한국에서 대대적인 분노를 일으켰다. 레노는 수천 통의 항의 이메일을 받았고 NBC의 서버는 일시로 닫혔다. 한국인 5만 명으로 이루어진 단체가 레노에게 사과와 보상을 요구하는 소송을 제기했다. 레노는 결코 공개적으로 사과하지 않았지만 나중에 일단의 한국계 미국인들에게 당시 발언을 유감스럽게 생각한다고 말했다.[58]

한국에서 오노에 대한 증오는 곧 반미주의로 발현됐다. 오노는 경멸의 대상이 됐다. 그의 사진은 화장지에 찍혀서 나왔고 '사기의 제왕'이라는 영화 패러디 포스터에도 나왔다.[59] 『한겨레』는 대중의 '미국산 제품 불매 운동'을 보도했다.[60] 『한겨레』는 또한 코카콜라(2002년 월드컵 공식 후원사였다)의 판매량이 한국에서 급감했다고 보도했으며 말보로 담배와 스타벅스 카페의 매출 감소도 오노 사건에 대한 반응 때문일 수 있다고 보도했다. 오노의 스폰서였던 나이키도 불매 운동의 대상이 됐다. 장혜원 주한미국상공회의소 과장은 매출 감소가 최근의 반미주의에 일부 원인이 있는 것 같다고 말했다.[61]

한국에서 대중 시위가 열리면서 미국 언론도 마침내 이를 알게 됐다. 한국에 대한 미국의 반응은 그리 긍정적이지 않았다. 일부 미국 언론은 김동성의 반칙이 사소한 것이었다는 점에서는 한국인들과 같이 공감했으나 한국의 대대적인 반응에 대해서는 오기로 치부했다. 미국인들은 판정을 내린 심판이 미국인이 아니었다는 사실이 미국을 탓하는 한국 시위대의 입장을 약화시킨다고 여겼다. 특히 이 사실이 한국인들이 과도하게 반응하고 있다는 미국인들의 시각을 강화시켰다.[62] 이들은 한국인들의 시위를 '스포츠맨 정신 부족' 또는 '민족주의적 매도'로 간주했다.[63]

솔트레이크시티 동계올림픽은 2월 24일 일요일에 끝났다. 미국인들은 동계올림픽 사상 최고의 성적을 거둔 것을 축하했다. 금메달 10개, 은메달 13개, 동메달 11개로 전체 메달 수에서 3위를 했다. NBC는 매우 높은 시청률이 나와 큰 수익을 거둬 자축했다. 좋은 성적을 거둔 미국 선수들은 자신의 금메달을 후원금으로 바꾸고자 텔레비전 토크쇼에 출연했다. 오노는 미국인들의 관심을 한 몸에 받고 「투데이 쇼」, 「투나잇 쇼」, 「로지 오도널 쇼」, 「코난 오브라이언 심야 쇼」를 비롯한 미국 최고의 토크쇼들에 등장했다.[64]

한편 한국은 매우 다른 입장에 놓여 있었다. 여성 팀이 금메달 두 개, 은메달 두 개, 동메달 세 개를 거둔 것은 그 어떤 이의 기대치보다도 높은 것이었지만, 남성 팀은 단 하나의 메달도 따지 못했다. 한국은 금메달 두 개로 올림픽 랭킹 14위를 차지했는데 일본(21위)보다 높았지만 중국(13위)보다는 낮았다. 대부분의 한국인들은 부진한 성적보다 미국이 한국 선수와 국민에게 범한 무례에 몹시 화가 나 있었다.

김동성은 2002년 동계올림픽에서 메달을 따지 못했으나 고국에 돌아와 따뜻한 환영을 받았다. 인천국제공항에 500명이 나와 그를 맞이했다. 그들은 올림픽에서 수여되는 금메달과 똑같은 크기와 무게, 그리고 모양을 가진 금메달을 김동성에게 선물했다. 김동성은 나중에 그가 졸업한 고려대학 총학생회로부터도 금메달을 받는다. 3월이 되자 김동성은 캐나다에서 열린 세계쇼트트랙선수권대회에 출전하여 여섯 개의 금메달을 땄다. 한국인의 관점에서 볼 때 선수권대회에 오노가 참가하지 않아 진정한 복수를 이룰 수 없었지만 김동성의 성취에 한국인들이 느낀 자부심이 줄어든 것은 아니었다.[65]

그러나 세계쇼트트랙선수권대회에서 김동성이 보여준 실력은 오노 사건에 대한 한국의 반응을 잠재우기에는 역부족이었다. 2002년 6월, 한국과 일본이 공동 개최한 2002년 월드컵 축구대회를 취재하러 한국을 찾은 미국 기자들은 한국인들이 여전히 오노에 집착하고 있는 것을 보고 어리둥절해했다. 월드컵 개최 전, 『복스 매거진』의 설문에 응답한 한국 대학생들 중 절반 이상이 한국에서 열릴 월드컵 경기에 '가장 반갑지 않은' 관객으로 오노를 꼽았다.[66] 한국인들이 오노를 여전히 기억하고 있을 뿐만 아니라 계속 그를 혐오하고 있다는 사실은 많은 미국인에게 충격이었다.

미국과 한국은 월드컵 축구 경기에서 서로 붙을 예정이었다. 한국이 16강에 진출하기 위해서는 미국과의 경기에서 반드시 이겨야 했다. 이는 오노 사건으로 인해 이미 팽팽했던 긴장감을 완화시키는 데 아무런 도움이 되지 못했다. 적어도 한미 관계를 위해서는 다행스럽게도 한국과 미국의 경기가 무승부로 끝났다.[67] 한미 축구 경기에 쇼트트랙에 대한 항의가 일어나자 많은 미국인은 놀랐다. 미국 팀이 1 대 0으로 앞서고 있을 때, 한국의 축구 스타 안정환이 동점골을 넣었다. 골을 넣은 직후, 안정환과 그의 팀원들은 한국 팬들을 위해 경기장의 끝으로 달려가 당시 1,500미터 경기 장면을 재현했다. 팀 동료 이천수는 오노 역할을 맡았다. 미국 팀에 한 골을 넣음으로써 한국 축구팀이 오노 사건에 어느 정도 복수했다는 사실을 강조하기 위해서였다.

당시 축구 경기에서 한국 팀이 보여준 쇼는 많은 한국인에게 카타르시스를 주었을지 모른다. 그러나 오노에 대한 한국인들의 증오를 끝내지는 못했다. 이듬해, 미국 쇼트트랙 팀은 한국에서 열리는 쇼트트랙 경기 참가를 취소해야 했다. 오노가 협박을 받았기 때문이다. 2004년 한국 기자들은 한국계 미국인 골프 선수 크리스티나 김이 오노가 '귀엽다'고 발언하자 그녀를 괴롭혔다.[68] 2005년, 마침내 오노가 쇼트트랙 경기를 위해 한국에 돌아왔다. 경호는 철통같았고 오노는 언론 접촉을 대부분 피했다. 오노는 두 번 실격당했으나 그럼에도 불구하고 금메달 두 개를 딸 수 있었다. 당시 텔레비전의 해설가 중 한 명은 다름 아닌 김동성이었다.[69]

사건의 결말

분명 오노 사건은 단순한 '심판의 재량'으로 인한 분노보다 더 많은 것이 연관되어 있었다. 솔트레이크시티 올림픽은 시작부터 노골적인 미국 민족주의의 표현과 불공정한 판정으로 여겨진 것들 때문에 한국인들을 화나게 했다. 한국인들은 1999년 이래로 주한 미군 관련 사건들과 부시 대통령의 대북 정책에 대한 반감으로 미국에 비판적 태도를 갖고 있었고, 이는 오노 사건에 격렬하게 반응하는 원인이 됐다.

판정이 유일한 문제였다면 한국인들은 그런 판정을 내린 오스트레일리아 출신 심판 짐 휴이시에게 초점을 맞추었을 것이다. 그러나 휴이시가 자신의 판정을 옹호한 이후에도 그는 오노가 그랬던 것처럼 증오의 대상이 되지 않았다. 한국인들은 그 대신 오노와 미국 언론을 주된 악당으로 삼았다.[70] 한국인들의 마음속에서 오노는 잘못된 판정이 내려지도록 의도적으로 심판을 혼동시켰고, 그럼에도 불구하고 미국 언론은 오노를 향해 박수갈채를 보냈다. 제이 레노의 농담에 의해 이러한 인식은 더 악화되어 커다란 반미 감정을 불러일 으켰다.

　오노 사건은 언론 매체의 힘을 보여주었다. 이는 태평양을 사이에 둔 두 나라 모두에 적용되는 것이었다. 사실 오노 사건은 대체로 한국과 미국의 언론들이 각자의 이익을 위해 만들어내고 지속시켰다. 그러나 논란을 지속시키는 데 양국의 언론이 행했던 역할은 확연히 달랐다. 한국 언론은 거의 예외 없이 판정이 잘못됐다고 비난했고 오노를 사기꾼 취급했다. 이에 대해서는 논의의 여지가 거의 없다. 전직 한국 쇼트트랙 팀 스태프였던 이준호는 오노 사건이 발생했을 때 프랑스 팀 감독으로 경기장에 있었다. 그는 판정이 어떤 쪽으로든 날 수 있었다고 여겼다. 그가 한국의 방송사 해설위원들에게 "말도 안 되는 판정"이라고 해설한 이유가 무엇이냐고 물어보니 "한국 가서 받을 비난이 두렵다"는 얘기를 들었다고 말했다.[71]

　미국 언론의 대부분이 오노 편을 들었다는 건 사실이지만 많은 미국의 기자와 해설가들이 해당 판정에 대해 잘못됐거나 의심스럽다는 의견을 분명히 피력했다. 그러나 미국 언론은 스스로가 미치는 영향에 대해 전반적으로 무지한 듯 보였다. 한국 언론은 미국의 언론 보도를 면밀히 관찰하고 있었고, 한국의 기분에 무감각한 미국의 논평은 태평양을 가로지르는 분노에 기름을 끼얹었었다. 무엇보다도 미국의 언론은 쇼트트랙에 대체로 무지했으며, 한국인들의 쇼트트랙에 대한 열정도 잘 몰랐다. 미국 언론에게 쇼트트랙은 아폴로 안톤 오노가 뛰었던 무대 그 이상도 그 이하도 아니었다.

　오노 사건은 '사이버 전戰'의 새로운 시대를 열기도 했다. 웹은 판정의 불공정함을 보도한 뉴스가 급속도로 확산되도록 도왔으며, 분노한 팬들로 하여금 김동성을 위로하고 오노와 미국인들을 비난하게 만들었다. 한국인들은 오노 사건과 관련하여 그들의 분노를 돋우었던 단체들의 웹사이트를 공격하기도 했다. 이러한 온라인 시위가 실제 세계에서 대규모 반미 시위로 이어지진 않았으나, 2002년 월드컵에서 한국과 미국이 붙었던 경기와 관련된 반미 행위 등을 포함하여 반미 시위를 기획하는 데 온라인을 효과적으로 사용한 선례를 남겼다.[72]

오노 사건과 그 여파는 일부 미국 언론으로 하여금 한국의 감정에 좀 더 민감하게끔 만들었다. 예를 들어 2004년 아테네 올림픽에서 미국 선수 폴 햄이 부분적으로 심판의 분명한 실수 때문에 한국 선수를 이기고 금메달을 땄을 때 일각에서는 햄에게 스포츠맨답게 메달을 포기하라고 촉구하기도 했다. 이런 이야기를 한 미국 기자들 중 스포츠 칼럼니스트인 마이크 셀리직은 오노 사건을 언급하면서 그런 요청을 했다. 그는 당시 자신이 심판의 결정을 공공연하게 지지했더니 한국에서 엄청난 양의 비난 메일이 와서 한국에서 오는 이메일을 차단했다고 했다. 그럼에도 불구하고 그는 자신의 칼럼에서 한국인들을 비판하는 대신 다음과 같은 것을 배웠다고 썼다.

… 그 일을 통해 나는, 한국에서 당시 사건이 우리 못지않게 승자가 나오기를 염원하고 있는 사람으로부터 작은 영광을 빼앗아가려는 미국의 음모로 받아들여지고 있다는 걸 가르쳐주었다. 햄의 금메달이 한국 선수의 희생으로 얻게 됐다는 건 놀랄 정도로 불운한 일이다. 그러나 그 나라에서는 미국이 세계를 지배하고 모든 금메달을 가지기 전까

지 만족하지 못하는 오만하고 고집스러운 집단이라는 증거로 받아들여진다.[73]

오노 사건에 대한 한국인들의 심정은 그해 나중에 벌어지는 반미 감정의 대규모 분출에 기여했다. 한국 언론에서 (『한겨레』 경우) 1998년부터 반미 보도가 늘어나고 많은 사람이 주한 미군 관련 사건과 대북 정책에 관한 양국의 고위 관계자 사이의 의견 충돌을 인지하게 된 이후, 오노 사건은 역사 문제나 주한 미군 관련 협정, 대북 정책을 잘 알지 못하거나 거의 신경 쓰지 않던 평범한 한국 사람들에게도 반미 감정을 심어 놓았다. 금메달 '도둑' 안톤 오노와 '비열한' 미국 언론의 행위 너머로 한국인들은 오만한 미국을 보았던 것이다. 한국인들이 냉담하다고 여긴 방식으로 행동함으로써 미국인들은 의도치 않게 보통의 한국인들 사이에서 크게 증대한 반미주의의 분위기에 이바지한 셈이다.

에필로그: 오노의 유산

오노는 여전히 국제적인 수수께끼 같은 인물로 남아 있다. 어떤 이들에게 오노는 미국의 위대한 점 전부를 대변한다. 열심히 일하는 모습, 겸손, 대담성, 실패를 통해 일군 승리, 감사할 줄 아는 마음, 열린 마음, 그리고 다른 사람들이 자신을 어떻게 생각하는지 신경 쓰지 않는 성격처럼. 그러나 다른 이들에게 오노는 미국의 나쁜 점 모두를 대변한다. 오만함, 교활함, 게으름, 폭력, 괴롭힘, 그리고 다른 이들의 권리나 기분에 대한 무관심. 오노는 한국인들이 미국을 좋아하지 않는 것에 있어서 살아 있는 상징이 됐다. 2004년부터 한국의 주요 사전은 '오노이즘Ohnoism'이라는 단어를 추가했는데 그 의미는 "뻔뻔하고 양심 없는 짓을 하는 일을 반대하는 운동"이다.[74]

한국이 2006년 올림픽 쇼트트랙을 석권하면서 오노에 대한 감정은 어느 정도 가라앉았다. 그러나 오노가 500미터 경기에서 딴 금메달은 반칙으로 먼저 출발한 덕택이라고 널리 여겨졌다. 오노는 2007년 미국의 유명인사들이 등장하는 춤 경연대회에서 1등을 했는데 그렇다고 해서 한국에서 그의 이미지가 좋아진 것은 아니었다. 사실 몇몇 한국인들은 이를 오노의 연기자적 자질에 대한 또 다른 증거로 보았다. 2007년 3월 밀라노에서 열린 쇼트트랙 경기에서 오노는 한국의 송경택 선수 다음으로 결승선을 통과했다. 솔트레이크시티에서 있었던 일이 기이하게 반복되어 한국 선수는 진로 방해로 실격당했고 오노가 금메달을 차지했다.[75] 사람들은 자극을 받았지만, 시위 같은 건 없었다.

2005년 여름 오노는 한국을 방문하여 한국 쇼트트랙 팀과 연습하기로 결심했다. 한국 언론과 관계를 개선하는 것이 그의 목표 중 하나였다. 인터뷰에서 그는 한국의 쇼트트랙 강세에 존경을 표하고 한국 사람들과 오해가 풀리기를 바란다고 말했다. 한국 텔레비전은 오노가 한국 선수들과 스케이트 타는 모습을 보여줬다.[76]

2006년에는 스포츠 해설가인 신명철이 솔트레이크시티 동계올림픽 이후 최초로 오노에 관해 긍정적인 글을 발표한다. '시민 기자'들의 온라인 포럼인 『오마이뉴스』에 신씨는 2006년 올림픽 1,000미터 경기에 대한 질문에 오노가 답변한 것을 썼다. 이 경기에서 한국 선수가 1, 2위를 차지하고 오노는 3위를 차지했다. 한 기자가 오노에게 한국 선수들의 전술에 대해 물어보았다. 한국 선수들이 자신을 상대로 팀플레이를 펼쳤다고 말하게끔 자극하려는 것이었다. 그러나 오노는 그저 한국 선수들이 정말 훌륭한 경기를 펼쳤다고 말했다. 신명철은 이 이야기를 하고선 "이제 아폴로 안톤 오노와 한국 쇼트트랙 스피드스케이팅 선수들과의 나쁜 인연은 끝난 듯하다"라고 썼다.[77] 그럼에도 불구하고 한국 언론은 계속 오노를 한국의 적처럼 대했다. 그에 관한 뉴스는 항상 뭔가 스캔들의 기미와 함께 전해졌다.

2014년, 오노는 선수에서 은퇴하고 NBC에서 쇼트트랙 해설위원으로 일했다. 이 일로 그는 이제 선수가 아님에도 불구하고 다시 언론의 조명을 받았다. 해설가로 일하면서 오노는 한국인들에게 감명을 주었다. 2014년 동계올림픽 도중, 한국 언론은 오노가 한국이 승리한 3,000미터 계주에서 중국 여성 팀의 실격에 동의했다고 보도했다.[78] 과거에 오노와 결코 친했다고 할 수 없는 『한겨레』조차도 오노를 다른 시각에서 바라보는 듯했다. 오노는 당시 성공한 안현수도 매우 높게 평가했다고 보도됐다. 『한겨레 21』에 실린 스포츠평론가의 기고문에서는, '바로 그' 오노가 한국인을 극찬했다며 놀라는 것 같았다.[79]

그러나 아마도 오노와 한국 언론에 얽힌 가장 큰 뉴스는 트위터에 올린 커피 한잔에 관한 것이리라. 선수였다가 해설가가 된 김동성은 자신의 트위터에 오노가 소치 동계올림픽에서 스타벅스 커피를 사주었다고 썼다. (그곳에서 스타벅스는 NBC센터에만 있어서 미국의 증명서가 있는 사람만 들어갈 수 있었다.) 오노는 김동성에게 해설 잘하라며 커피를 갖다주었다고 했다. 김동성은 이에 대해 "철들었나봐요"라며 친근하게 말을 남겼다.[80] 둘은 나중에 사진도 같이 찍었다. 『한겨레』에 쓴 글에서 김동성은 자신은 오노를 용서했고 그래서 더 편한 느낌이라고 썼다.[81]

한국 주류 언론도 마침내 오노를 보다 동정적으로 다루기 시작했고, 그러한 기사에 대한 온라인 댓글 역시 일반 한국인들도 이제 오노를 용서하고 한국 제1의 적으로 대하지 않으려 한다는 걸 보여주었다. 그러한 글들에는 오노에 대한 심경의 변화를 "시간이 약이다"라고 표현하고 있기도 했다.

그렇다면 오노 사건의 궁극적인 중요성은 무엇인가? 많은 한국인은 여전히 그 사건을 두고 스포츠맨답지 않은 행위라고 하며, 오노가 그때 얻은 금메달을 앞으로도 계속 '훔친' 것으로 묘사할지 모른다. 그리고 만일 또 다른 올림픽 관련 논란이 발생할 경우 특히 미국이 관련될 경우 일부 한국인들은 이를 오노 사건과 비견할 것이다. 그러나 무엇보다도 오노 사건은 관계란 양쪽 모두에 의해 만들어지는 것이며, 오노 사건은 단지 '사건'보다 더 많은 것을 포괄하고 있다는 걸 보여준다. 관점은 시간이 지나면서 변할 수 있으며 실제로도 변한다. 오노 사건은 한 관계가 유지되고 강해지기 위해서는 양쪽의 노력이 필요하다는 걸 상기시켜주는 사례다.

제7장

클라이맥스
56번 지방도의 비극

대북 정책에 대한 부시 대통령과 김대중 대통령의 인식 차는 근본적인 것이었다. 2002년 1월 부시 대통령이 연두교서에서 북한을 소위 '악의 축'에 포함한 것이 상징적인데 이는 김대중 대통령과 그의 정부를 계속 괴롭혔다. 또한 2월의 쇼트트랙 경기 논란은 한국 여론을 격노하게 했다. 그럼에도 불구하고 2002년 늦봄, 한국은 들떠 있었다. 5월 31일부터 6월 30일까지 한국과 일본이 국제축구연맹FIFA 월드컵 축구 대회를 공동으로 개최할 예정이었기 때문이다. 동아시아에서 월드컵이 열리는 건 처음이었다. 한국은 상대적으로 강한 선수단을 갖고 있었고 한국인들도 기대가 컸다. 지난 3년간 가장 어려웠던 주한 미군 관련 이슈들도 대체로 해결됐거나 관리가 되고 있었고, 나는 여름에 워싱턴으로 돌아갈 예정이었다.

　　기대했던 대로 한국은 한국에서 열리는 월드컵 경기에 참가하는 많은 나라의 선수단들을 훌륭하게 맞이했다. 한국 팀은 이기고 있었고 모든 연령의 한국인들 특히 젊은이들이 열광하고 있었다. 한국 곳곳의 장대한 새 경기장에서 경기들이 열리는 것 외에도 당국은 서울과 다른 주요 도시의 거리에 경기 관람을 할 수 있도록 거대한 텔레비전 화면을 설치했다. 내 아내와 아이들, 그리고 나는 서울 도심의 역사적인 광화문 교차로 근처에 살았고, 한국의 '붉은 악마' 응원단과 함께 축구 경기를 즐겼다.

　　관중들은 충분히 행복해할 만했다. 그들의 나라가 월드컵을 개최하는 특권을 얻었고 성대하게 잘 치르고 있었다. 그들의 국가대표가 이기고 있었기 때문에 그들은 축제와 자유의 분위기 속에서 다른 한국인들과 함께 이를 만끽하고 있었다. 가장 어린 세대들을 제외한 많은 한국인은 지금 응원하고 있는 이 길거리가 불과 15년 전까지만 해도 민주화를 위한 대규모 시민 집회가 열렸던 곳이라는 것을 기억했다. 젊은이들에게는 경기 방송이 끝난 이후 거리를 청소하는 것이 시민으로서의 자부심이었다. 이러한 가두행진 파티는 한국 민족주의의 찬양이었을 수도 있지만 한국 사람들은 호기심을 갖고 끼어드는 외국인들도 환영했다. 당시는 전국적으로 열광의 도가니였다. 그래서 서울에서 북쪽으로 좀 떨어진 곳에서 발생한 비극적인 죽음에 초기에는 한국 언론도 여론도 크게 인지하지 못하고 있었다.

사고의 발생

6월 13일 목요일 아침, 중학교 학생 심미선과 신효순 양은 친구의 생일 파티에 가기 위해 서울과 비무장지대 사이에 있는 도시인 양주의 56번 지방도 옆 끝을 따라 걷고 있었다. 호송 중이던 주한 미군의 제2보병사단의 차량 두 대가 두 학생을 지나쳤다. 좁고 갓길이 따로 없는 2차선 지방도로는 주한 미군 차량보다 폭이 불과 몇 센티미터밖에 넓지 않아 주한 미군 관계자는 오랫동안 한국 당국에 이에 대한 우려를 표명해왔던 터였다.

호송 행렬의 세 번째 차량은 탱크와 비슷하게 생긴 차량으로 불도저처럼 커다란 날이 전면에 달려 있었는데 이 때문에 차량의 앞쪽을 볼 때 사각지대가 있었다. 페르난도 니노 병장은 관제병이었고 마크 워커 병장은 운전병이었다. 관제병은 운전병에게 길 앞에 있는 위험

가능성을 미리 경고하는 역할이 있었다. 그러나 차량은 소음이 너무 심해 서로 대화하기 위해서는 헤드셋을 써야 했다. 차량이 두 여중생 가까이에 있던 커브길에 다가가고 있었을 때 (여중생들은 그들의 오른 편에 있었다), 또 다른 주한 미군 호송차량이 맞은편에서 오고 있었 다. 호송대의 선두에 있던 주한 미군 인원이 위험신호를 니노에게 보 냈다. 맞은편에서 오고 있는 호송차량과 길가에 걷고 있던 여중생들 을 보았던 니노는 워커에게 헤드셋을 통해 경고를 보냈다. 워커는 나 중에 장비 이상 또는 통신 혼선으로 니노의 경고를 듣지 못했다고 말했다. 그는 두 여학생은 보지 못했으나 맞은편에서 오고 있는 차 량은 보았기 때문에 차량을 피하기 위해 오른쪽으로 이동했다. 그의 차량은 두 여학생을 쳤으며 여학생들은 그대로 압사했다. 호송대는 정지했고 지역 당국과 희생자 가족들이 곧 도착했다.

다른 끔찍한 사고와 마찬가지로 이 사건도 여러 가지 상황으로 인한 결과였다. 그중 하나만 없었더라도 그런 사고는 발생하지 않았 을 것이다. 여중생들이 생일 파티에 좀 더 빨리 또는 늦게 출발했더 라면, 도로가 좀 더 넓었거나 갓길이나 보행로가 있었더라면, 호송대 인원들이 사전에 통신 장비를 잘 점검했더라면, 그 순간에 맞은편에 서 차량이 오지 않았더라면, 니노와 워커의 차량 오른편에 사각지대 가 없었더라면, 그리고 니노 병장의 경고가 워커 병장에게 닿았더라 면 이 비극은 발생하지 않았으리라. 그러나 분명 이는 일련의 불운한 상황들로 인해 발생한 비극적 사고였음에도 불구하고 대부분의 한 국인들은 이 사고를 미국과의 관계에서 매우 중요한 의미를 갖고 있 는 행위로 해석하게 된다.

그리하여 이 사건은 3년 전부터 시작된 반미주의 현상의 클라이맥스가 된다. 한국 언론은, 심지어 '친미적'인 보수 언론조차도 일방적인 보도로 가득했고 미국에 욕지거리를 계속했다. 그러한 유의 보도는 12월쯤 끝났는데 그전까지 서울을 비롯한 한국의 주요 도시에서는 수십만 명의 활동가와 일반 시민들이 거리에 나와 한국 사상최대의 반미 시위를 벌였다.

미국의 초기 반응

한국인과 한국 언론이 여전히 월드컵 축구에 몰두하고 있던 것과는 달리, 미 대사관과 주한 미군 사령부에서는 위기의식이 있었다. 비극이 발생한 지 한두 시간 후 나의 직속 상관인 에번스 J. R. 리비어 부대사가 대사의 집무실 바로 옆에 있는 자기 사무실에서 내게 전화를 걸었다. 오랜 친구이자 외교관으로 일하기 전에는 주한 미군에서 근무한 노련한 한국통인 리비어는 2000년 가을부터 부대사직을 맡았고, 2001년 9월 보즈워스 대사가 한국을 떠나고 그 후임인 토머스 C 허버드가 오기까지 긴 공백 기간에 대리 대사로 근무하고 있었다. 리비어는 내게 주한 미군으로부터 방금 사람이 사망한 사고를 보고받았다고 말했다. 사고의 세부 사항을 언급하면서 그는 단호하게 말했다. "상황이 안 좋아질 거야, 아주." 나의 반응은 순진했다. "그렇지만 의도적인 게 아니었잖습니까. 끔찍한 사고이자 비극이죠. 분명 다들 그렇게 볼 겁니다." 리비어는 다시 말했다. "아니야. 안 좋아질 거야, 아주." 한편 허버드 대사와 주한 미군 사령관 리언 라포테는 이미 연락을 했고, 그들도 사안의 심각성을 즉각 인지했다.

주한 미군과 대사관 지도부는 빠르게 움직였다. 사고 당일 허버드 대사는 외교부 장관에게 전화를 걸어 유감을 표명했다. 니노와 워커의 부대가 속해 있던 제2보병사단의 사단장 러셀 L. 아너레이 소장은 서면으로 애도 성명을 발표했다. 미8군 사령관 다니엘 R. 자니니 중장은 이렇게 썼다. "이 비극적인 사건으로 우리는 깊은 슬픔에 빠졌습니다. 저의 진심 어린 애도를 여중생들의 가족에게 전하고자 하며 이 사고를 철저히 조사할 것을 맹세합니다."

이튿날 주한 미군 측은 보상금 지급을 위한 서류 작업을 하면서 희생자 유가족들에게 장례식 준비 등을 위해 조의금 100만 원을 전달했다. (이후 주한 미군은 희생자의 가족들에게 각기 1억 9500만 원을 지급했다.) 6월 15일 아너레이 소장은 미군 기지 부속 예배당에서 유가족들을 만났다. 6월 18일, 고위급 주한 미군 및 한국군 관계자들과 주한 미군 복무자 수백 명과 함께 아너레이 소장은 캠프하우즈에서 여학생들을 추도하는 촛불집회를 가졌다. (한국인들이 촛불집회를 시작한 것은 나중의 일이었으며, 이는 단지 신효순 양과 심미선 양을 추도하기 위해서가 아니라 미국에 반대 시위를 하기 위해서였다.) 주한 미군 병사들은 기부 운동을 펼쳤으며, 2만 2천 달러(한화 2500만 원가량)를 모아 유가족에게 전달했다. 한편 리비어 대리 대사가 이끄는 주한 미 대사관은 미 대사관저 근처에 있는 역사적인 한국 교회에서 추도식을 가졌다. 6월 19일 주한 미군과 한국 경찰의 합동수사단은 유가족들에게 사고에 대한 조사 결과를 브리핑했다. 이 시기 주한 미군과 미 대사관에서는 각급 관계자들끼리 수많은 회의를 가졌는데 이중 많은 회의에 한국 관계자들도 배석했다. 유가족들에게 적절한 조치를 취하고 언론과 여론의 반응에 대응하기 위해서였다.

7월 초, 주한 미군 사령관 라포테 대장은 사고에 대해 주한 미군이 자체적으로 진행한 철저한 범죄 조사 결과를 받았다.[1] 7월 3일 그는 성명을 발표했다. "미 육군은 이 비극적 사고에 대한 모든 책임을 인정합니다. 저는 우리가 이 두 가족에게 끼친 형언할 수 없는 비탄과 슬픔에 대해 사과합니다." 그는 이렇게 덧붙였다. "잘못을 바로잡아 다시는 이러한 일이 발생하지 않도록 하는 것이 저희의 직업적 책임입니다. 저는 이에 대해 어떠한 타협도 용납하지 않겠습니다." 같은 날, 주한 미군 법무관들은 니노와 워커를 과실치사죄로 기소했다.

이 시기 주한 미군은 유가족들을 위해 희생자들을 추도하는 추모비도 준비하고 있었다. 9월 18일, 제2보병사단의 장병들은 유가족과 함께 사고가 발생한 곳 근처에서 추모비 준공식에 참석했다. 추모비에는 다음과 같은 글귀가 새겨져 있었다.

불의의 사고로 열다섯 꿈 많은 나이에 생을 접은 신효순과 심미선. 모든 이들의 가슴에 인간의 존엄성을 일깨워준 그대들의 죽음을 애도하고 그대들의 죽음이 헛되지 않도록 할 것을 약속하며 용서와 추모의 뜻을 모아 이 추모비를 세우고 추모시를 바칩니다.

한국의 초기 반응

사고가 발생한 지 몇 주 후 나는 국무부로 발령을 받아 한국을 떠났다. 그때까지 여론의 반응은 나의 낙관적인 평가가 맞은 것 같았다. 적어도 리비어가 우려했던 것처럼 상황이 재앙처럼 발전하지는 않을 것 같았다. 한국인들은 여전히 월드컵 경기에 관심이 쏠려 있었고 역대 월드컵 어느 때보다도 좋은 성적을 내고 있어 희열에 차 있었다. 6월 25일 한국은 4강전에 강력한 독일 팀과 격돌했다. 난전 끝에 한국 팀은 0 대 1로 석패했다. 그럼에도 불구하고 한국인들은 매우 기뻐했으며 자신의 나라를 자랑스러워했다. 자국 팀이 잘했기 때문만이 아니라 월드컵을 성공적으로 공동 개최했고, 그 과정에서 많은 즐거움을 누렸기 때문이다. 게다가 세계에 한국이 얼마나 발전했는지를 보여줄 수 있었다. 한국 언론은 물론 이러한 국가적 축하의 분위기에 취해 있었다.

그래서 주한 미군의 사고가 발생한 직후에 나온 짤막한 보도 외에는 6월 말까지 이에 대한 한국 언론의 보도나 논평은 거의 없었다. 미국의 조의를 표하는 성명이나 사고에 대해 책임을 지는 행동들을 보도한 것은 거의 전무하다시피 했으며, 그마저도 인지하는 한국 사람들은 별로 없었다. 미국의 발언이나 행동은 종종 미국이 여론의 비난을 무마하기 위해 필요한 최소한만 하고 있다며 미국에게 '진정성이 없다'는 사설이나 여중생들의 죽음은 미국이 한국인들을 무시하며 냉담하게 대하고 있다는 증거인 '불공평한 한미 SOFA'의 결과라는 주장과 결부지어졌다.

진보 NGO들이 개입하고 언론이 뒤따르다

6월 말, 진보 NGO들이 이 사고에 관심을 기울였다. NGO들은 곧 이 문제를 다루기 위한 '범국민위원회'를 조직했다. 이러한 위원회는 통상적으로 수십 수백여 개의 진보 NGO를 포함하고, 당면한 '위기'에 대응하여 단합과 개별 단체들의 노력을 집중하라고 강조한다. 이들 진보 NGO 중 몇몇은 규모가 크고 조직도 탄탄했지만 다른 단체들은 소수의 인원으로만 구성되어 있었다. 몇몇은 상대적으로 온건하고 실용주의적이었지만 어떤 단체들은 급진적이었으며 몇몇 단체는 노골적으로 반反 주한 미군 의제를 갖고 있었다.

한국이 월드컵 4강전에서 패한 다음 날인 6월 26일, 수백 명의 분노한 시위대가 사고를 항의하기 위해 미군 기지에 침입하려고 했다. 한국 언론은 인터넷 언론 『민중의소리』 '기자' 두 명이 시위 도중 캠프 레드클라우드에 침입했다고 담담하게 보도했다. 한국 언론은 기지의 경비를 서고 있던 미군이 '기자'들을 체포한 것에 대해 감정을 아꼈다. 미군이 기지에 침입을 시도한 둘을 즉각 한국 경찰에 인도했음에도 불구하고, 언론은 주한 미군이 침입을 시도한 두 명을 때리고 수갑을 채워 구금했다는 '증인'들의 증언에 따라 한국 경찰이 조사를 하고 있다고 보도했다. (아마도 그 '증인'들도 시위대의 일원이었을 것이다.) 게다가 언론은 시위대가 건물에 돌을 던져 주한 미군 인원 상당수에게 상해를 입혔다는 사실을 무시했다.

2주가 채 되지 않아 한국 정부가 만든 인권위원회는 폭력 시위 중 불법적으로 미군 기지에 난입하여 주한 미군 인원이 한시적으로 구금한 두 명의 한국 '기자'를 학대했다는 혐의에 관하여 정보를 제공할 것을 주한 미군에 요청했다. 주한 미군 측은 그러한 문의는 외교부를 통해 전달해야 한다고 적절하게 답했다. 8월 16일 인권위원회는 주한 미군이 사고에 대한 정보 요청에 제대로 응대하지 않았다는 이유로 1천만 원의 과태료를 부과했다. 인권위원회는 주한 미군이 기지 내의 경찰 행위에 관여했기 때문에 주한 미군을 '국내'의 법인격 체로 간주하는 것이 정당화되며 직접 과태료를 부과하는 것도 정당화된다고 주장했다.[2] 이는 SOFA와 반대되는 주장이었으며 당국의 월권 행위였다.

한국 언론이 뒤따르다

이때부터 한국 언론이 활동가들의 시위를 먼저 보도하면서 이 문제를 주목했다. 예를 들어 6월에는 사고에 대해 두어 건의 짤막한 기사만 발행했던 영자 신문 『코리아타임스』가 7월에만 12개의 기사를 발행했다. 아래의 기사 내용 일부는 한국 언론의 전형적인 보도 태도를 보여주고 있으며, 이야기가 얼마나 빠르게 발전했는지를 보여준다.(이하 강조는 저자)

7월 4일: 경찰청은 … 5월 31일부터 6월 30일까지 … 단 11건의 불법 또는 폭력 시위가 발생했다고 말했다. … 한 경찰관은 "폭력 시위는 대부분 주한 미군의 장갑차에 의해 두 명의 십대 소녀가 사망한 사고에 의해 발생했다"고 말했다.

7월 5일: 주한 미군 사령관 리언 J. 라포테 대장은 지난달 미군 장갑차에 의해 두 여중생이 사망한 사고에 대해 사과했다고 어제 발표된 주한 미군의 성명서가 밝혔다.

7월 10일: 국내 민간단체들은 합심하여 미군의 고압적인 태도와 무성의함을 지적하고 있다. … 주한미군범죄근절운동본부 활동가 제종철 씨는 "주한 미군이 살인 사건에 대한 책임을 회피하려고 하는 게 명백하다"고 주장했다. … "주한 미군 사령관은 사고가 발생하고 22일 동안 심지어 공식 사과조차도 발표하지 않았다. 그는 사고 발생 직후 사과를 했어야 했다. …"

7월 11일: 일단의 국회의원이 어제 정부에게 지난달 발생한 두 한국 소녀의 사망과 관련된 사건에 대해 사법 관할 우선권을 포기할 것을 주한 미군에 공식적으로 요청하라고 요구했다.

7월 11일: 두 한국 소녀의 사망에 관한 검찰의 수사가 미군들이 어제 검찰에 출두하지 않아 난항에 부딪혔다. … 한미 합동수사단은 사망 사건이 우발적이었다고 결론지었으나 유가족과 활동가들은 군인들이 살인죄로 기소되어야 한다고 주장했다.

7월 13일: 한나라당은 주한 미군에게 두 명의 한국 소녀의 사망으로 기소된 두 명의 미군에 대한 사법관할권을 포기할 것을 촉구했다. … 주한 미 대사 토머스 허버드는 **두 미군 병사는 형법상 과실의 죄가 있으며** 곧 기소될 것이라고 최근 말했다.

7월 17일 헤드라인: **여중생들의 죽음에 대해 부시 대통령의 사과를 요구하는 학생연대 발족**

오늘은 의정부 '청소년의 날'이다. 최소 수백 명의 중고등학생이 의정부역 앞에 모여, 지난달 군사훈련 중 미군 장갑차에 의해 두 명의 여중생이 사망한 사건에 대해 조지 W. 부시 미국 대통령의 사과를 요구하는 추모 콘서트를 벌일 예정이다. … 이들 단체는 백악관, 주한 미군, 미 대사관의 홈페이지에서 온라인 시위도 벌일 계획이다. … 25세 활동가 김도영 씨는 "미군이 여성을 성희롱하면 미국 대통령이 사과를 하는데 두 명의 한국 소녀가 사망했음에도 주한 미군의 사과는 공식적이지도 않았으며 '사과'라는 단어조차도 담고 있지 않았다"고 말했다. 의문스러운 정황이 목격자들에 의해 발표되면서 분노가 번지고 있다. 많은 이가 주한 미군이 인근 지역 주민들을 무시하고 기초적인 안전 조치도 취하지 않았다고 여기고 있다. … 심지어 주한 미군 철수를 촉구하고 있는 민간단체들의 반미 캠페인은 과거 미군들이 저지른 무수한 범죄들을 목격한 현지 주민들의 대대적인 참여로 크게 성공적이었다.

7월 20일: 지난달 미군 장갑차에 치여 세상을 떠난 두 소녀의 유가족들이 각각 1억 9500만 원의 보상금을 받을 예정이라고 법무부가 어제 발표했다. … 신효순 양과 심미선 양의 가족들은 책임 있는 관계자들이 한국에서 재판 받을 것을 요구했다. 유가족은 사건과 연관된 7명의 주한 미군 군인을 고소했으며 조지 W. 부시 대통령의 공식 사과를 요구했다.

7월 23일 헤드라인: **주한 미군 사법관할권 포기 않을 듯**
주한 미군이 지난 6월 15세의 여중생 두 명의 목숨을 앗아간 사고에 대한 사법관할권을 포기하라는 한국의 요청을 거부할 것 같다고 국방부 대변인이 어제 말했다. 황의돈 국방부 대변인은 사고를 일으킨 제2보병사단의 페르난도 니노와 마크 워커 병장이 사고 당시 공식 임무 중에 있었기 때문에 사법관할권 포기 요청이 받아들여지지 않을 것이라고 말했다. "한미 SOFA는 **애초부터 불평등했다.** ··· 미군들이 공식 임무 중에 사고가 발생했기 때문에 (관할권 포기 요청이) 받아들여지지 않을 듯하다"고 황 대변인은 말했다. ···

7월 30일: 의정부지방검찰청은 어제 두 여중생의 사망과 관련되어 기소된 두 미군 병사의 심문을 요청했다. 몇 주째 소환 요청을 거부하던 제2보병사단의 마크 워커 병장과 페르난도 니노 병장은 오늘 사건을 맡은 조정철 검사 앞에 자진 출두했다. 미군이 사건을 무시했다는 것에 대한 반대 시위가 전국적으로 번지면서 반미 시위를 주도하던 위원회가 본부를 의정부에서 서울로 옮겼다. 집회는 이번 주 수요일과 토요일에 서울에서 열릴 계획이다.

7월 31일 헤드라인: **여중생 사망에 관하여 민간단체 지도자들이 미 대사를 만나다**

서울의 미 대사 토머스 허버드는 어제 다시 한 번 미국의 군용 차량에 치여 숨진 두 명의 십대 소녀에 대해 사과했으나 사건의 법적 관할권은 자신의 손을 벗어나 있다고 말했다. ··· 회의에 참석했던 시민사회단체연대회의의 김제남 씨는 "대사는 사고에 대해 깊이 사과한다고 말했으나 주한 미군은 사건 이후 할 수 있는 모든 것을 했다고 말했다. 우리는 그에 동의하지 않는다"고 말했다. ··· 여중생들의 죽음은 종교단체들로 하여금 한미 SOFA 개정을 촉구하게 만들었다. 국내 법정에서 재판이 치러질 것을 요구하는 시위가 어제도 계속됐으며 일군의 학생들이 미8군 사령부에 침입을 기도했다.

언론 보도의 헤드라인과 발췌문이 보여주듯 사고에 대한 한국 언론의 초기 보도는 일방적이고 극단적이었다. 반미적이며 반反주한 미군적인 일부 NGO들을 포함한 진보 활동가 단체들은 비극을 정치화하는 데 앞장섰다. 한국 언론은 활동가들의 발언과 '의심'을 무비판적으로 자세히 보도했다. 한미 SOFA는 물론 한국에 극도로 불공평한 것으로 여겨졌다. 미국의 사과와 행동은 너무 부족하며 늦고, 그리고 '무성의'한 것으로 묘사됐다. 기초적인 팩트들도 잘못 보도됐다. 『코리아타임스』 7월 13일 자 기사는 허버드 대사가 "두 미군 병사는 형법상 과실의 죄가 있다…"고 말했다고 한 것이 그 일례다. 허버드 대사가 실제로 한 말은 두 군인이 과실치사로 재판받을 것이란 사실에 관한 언명이었다. 이와 비슷하게 '성희롱'에 대해 미국 대통령이 개인적으로 사과했다는 것은 오키나와에서 미군 세 명이 12세의 오키나와 소녀를 윤간한 것을 클린턴 대통령이 사과한 것을 가리키는 것이다.

한국 언론의 사건 보도는 처음부터 문제가 많았음에도 불구하고 사건 발생 후 초기에 한국 언론의 논평은 꽤 절제되어 있었다. 예를 들어 6월 29일 자「두 여중생의 죽음을 이성적으로 다루어야 할 필요」라는 제목의 사설을 통해 『동아일보』는 주한 미군을 비판하면서도 절제된 언어를 사용했다.

일부 시민 단체와 대학생들이 항의 집회를 벌이는 과정에서 미군부대 철조망을 절단기로 자르고 기지 내로 들어가려 한 것도 유감스러운 일이다. 이런 방식으로는 문제가 해결될 수 없다. … 미군 기지도 한국의 군사시설보호법에 따라 보호를 받는다. 일부 시위대가 미군 기지 진입을 시도하는 과정에서 미군 병사 9명이 부상당했다. … 고의로 사람을 죽인 살인과 교통사고 등에 의한 과실치사는 법률적으로도 엄연히 구분된다. 조사 결과가 나와봐야 알겠지만 일본 오키나와 주둔 미군의 여학생 강간 사건이나 주한 미군 영안실에서 독극물을 한강에 방류한 범죄와는 달리 고의성이 없는 과실 범죄일 가능성이 크다. 따라서 이 사고를 계기로 일부 시민 단체와 대학생들이 미군 철수 또는 반미를 주장하는 것은 설득력이 적다.

그러나 7월 2일이 되자 보수지조차도 상당히 민족주의적인 논조로 돌변했다. 한 예로 『중앙일보』 논설위원 한천수는 「월드컵에 가려진 아픔들」이란 제목의 칼럼을 썼다. 그는 칼럼에서 이렇게 썼다. "월드컵의 환호에 가려 관심을 끌진 못했지만 우리가 외면해서는 안 될 이웃 사람들의 아픈 얘기도 많았다. 그중에는 주한 미군이 설치한 전력선에 감전되어 투병 생활을 하다가 끝내 숨진 한국인 노동자와 주한 미군 장갑차에 치여 숨진 두 여중생이 있었다. 이 안타까운 사고도 처음엔 월드컵 뉴스에 묻혔으나 시민 단체 대책위가 구성돼 사고 경위 규명 등을 놓고 미군 측과 갈등을 빚으면서 뒤늦게 이슈화됐다. 사고의 파장은 항의 집회 때 빚어진 미군의 폭행에 대한 국가인권위 진정, 장갑차 사고 책임자 제소, 주둔군지위협정 개정 요구 등으로 확산되고 있다. … 우리가 월드컵의 열기 속에서 경험한 것이 지역과 세대와 계층을 넘어선 공동체의 하나됨이라면, 이젠 나눔을 위해 일상의 주변으로 따뜻한 시선을 돌려야 할 때가 아닐까."

시간이 지나면서 한국의 언론 보도와 논조는 좌우를 막론하고 점차 민족주의적으로 변하고 어조에도 화와 격분이 섞였다. 니노와 워커는 사고 직후 웃고 농담하고 있었다는 잘못된 보도가 나갔다. 주한 미군 관계자들은 사고를 사과하는 대신 사고가 어떻게 발생했는지 '뻔뻔스럽게' 설명하려든다고 비난받았다. 그리고 사고에 대한 팩트와 주한 미군이 사안을 어떻게 처리했는지에 대해 더 많은 근거 없는 '의심'과 '혐의'들이 제기됐다. 온라인 언론사들은 특히 근거 없는 '혐의'들을 제기하는 데 심했다. 이들은 심지어 희생자들의 짓이겨진 끔찍한 시체 사진을 발행하기까지 했다.

요구 사항은 꾸준히 그 수위가 높아졌다. 일반적인 '사과'를 요구했던 초기의 목소리는 7월 중순이 되자 미국 대통령의 사과를 요구하는 목소리로 바뀌었다. 처음에는 철저한 조사를 촉구하던 것이 한미 합동 조사를 요구하기 시작했다. 그러고는 피의자를 한국 법정에서 재판하라고 요구했다. 이미 개정한 지 2년이 채 되지 않았음에도 불구하고 SOFA를 다시 개정하라고 요구하는 목소리도 한국 사회 전반에 퍼져 있었다.

악순환이 계속됐다. 사고에 대한 한국인들의 반응은 초기에는 좌파 단체들이 주도했다. 이들 단체 중 일부는 그 지향점이 뚜렷하게 반미주의적이었고 급진적인 대학생 단체의 지원을 받고 있었다. 대부분이 미국에 비판적이었던 386세대 출신인 한국 언론인들은 사실 확인도 제대로 하지 않고 기사를 썼다. 정당들은 좌우를 막론하고 그 뒤를 따랐다. 이미 대선 캠페인의 중간 시점이던 상황에서 진보파 정치인들은 의심의 여지없이 사고의 여파가 보수 후보들의 당선 가능성을 떨어뜨리라는 걸 알고 있었고, 떨어지는 지지율로 초조했던 우파 정치인들은 미국을 비판하는 데 좌파를 능가하고자 했다. 언론은 이들 정치인의 반응도 보도했다. 언론사들은 미국의 오만과 무례에 대한 격분을 표현하는 데 서로 경쟁했다. 대중의 여론은 따라서 더욱 가열됐고, 미국의 비행에 대한 보다 극단적인 보도와 보다 격노한 논평이 가져올 수 있는 이득이 높아지자 언론도 여기에 반응했다.

사실 미국은 활동가들과 언론이 7월에 요구했던 것들을 오래전에 실시한 상태였다. 앞서 언급했듯, 6월에는 한국 언론들이 주한 미군과 미 대사관 관계자들의 반응을 짤막하게만 보도했었다. 그들은 사고 직후에 이미 깊은 유감과 애도를 표했으며 그 이후에도 이를 반복했다. 보상금은 유가족들에게 빠르게 전해졌다. 사고에 대해 웃고 농담하는 것과는 달리, 니노와 워커는 여중생들의 죽음으로 실의에 빠져 있었다. 주한 미군 인원들은 추도식에 참석하고 자발적으로 성금을 모아 유가족들에게 전달했다. 초기 한미 합동수사단의 결과는 명확하고 정확했으며 그에 대해 심각한 이의가 제기된 사례는 없었다. 여중생들은 여러 요인이 복합적으로 결합된 비극적인 사고로 사망했다. 이에 대한 책임은 한국과 미국 모두가 공유하는 것이었다. 미국이 이행하지 못했던 하나의 요구 사항은 바로 두 미군을 한국 법정에 세우는 것이었다. 여기서부터는 한국 정부가 문제가 됐다.

한미 SOFA 논란

위에서 언급했듯, 주한 미군은 7월 3일 니노와 워커가 군사재판에 회부될 것이라고 발표했다. 만일 과실치사 혐의에서 유죄가 선고되면 그들은 "최고형으로 불명예제대, 모든 급여와 수당 몰수, 최하위 계급으로 강등, 6년 이하의 징역"을 받게 될 것이었다.[3] 이 결정은 한미 SOFA에 전적으로 부합하는 것이었다. 한미 SOFA는 주한 미군 인원이 직무 수행 중에 저지른 범죄로 기소될 경우 미군 당국에 의해 재판을 받는다고 특정하고 있다. 엄격하게 따지자면 미 관계자들이 두 군인을 한국 사법 당국에 넘길 수 있었지만 미국은 직무 중에 발생한 위법 사항의 경우에는 그렇게 하지 않았다. 미국이 과거에 한국의 사법 당국에 자국 군인을 인도한 적이 있었다는 한국 진보 세력의 언급은 현실을 오도하는 것이었다. 미국이 자국 군인을 직무 중에 발생한 범죄로 한국 당국에 인도한 사례는 단 하나만 있었는데 이는 사고가 아닌 의도적인 범행이었기 때문이다.[4]

한국 정부의 유관 관계자들은 한미 SOFA 개정과 미국의 입장을 잘 알고 있었다. 그러나 여론의 압박에 굴복한 듯, 한국 검사는 7월 10일 주한 미군의 사법관할권 포기를 요청함으로써 사건에 대한 관할권을 얻고자 했다. (흥미롭게도 그는 1991년 한미 간 합의에 의해 한국 측이 주한 미군 인원이 직무를 수행하는 중 사고가 발생했다는 주한 미군의 결론을 "의심하거나 제척除斥(법률용어로 '배제하여 물리치다'라는 뜻─편집자)"할 수 있다는 점을 사용하지 않았는데 이는 그가 이것이 전형적인 '공무' 사례라는 걸 알고 있었기 때문일 수도 있다.) 이는 물론 진보 활동가 단체, 언론, 그리고 여론의 전폭적인 지지를 얻었다. 당시에는 심지어 김대중 대통령까지도 언론 인터뷰에서 한미 SOFA를 비판했다. 한편, 위에서 언급한 바와 같이 국방부 대변인은 공무 중 발생한 사건은 주한 미군이 우선적으로 관할권을 지닌다는 조항을 언급하면서 7월 22일 언론 브리핑에서 주한 미군이 한국의 관할권 포기 요청을 받아들이지 않을 것이라고 말했다. 그는 그 이유를 한미 SOFA가 "애초부터 불공평한 것이기 때문"이라고 했다.

관할권을 한국 정부에 이양하지 않겠다는 주한 미군의 7월 27일 공식 성명은 활동가 단체와 언론으로부터 열화와 같은 반응을 일으켰고 이는 몇 주간 이어졌다. 이때 발생한 여러 사건 중, 대학생 단체인 한총련 소속 학생들이 7월 30일 주한 미군 본부에 침입을 기도한 일이 있었다. 이튿날 불교도들이 전국적인 집회를 열었다. 8월 초, 150개 시민 단체 대표들이 미 대사관 밖에서 집회를 열어 미군 병사들의 관할권을 한국 당국에게 넘길 것을 요구하고 부시 대통령에게 보내는 항의 서한을 낭독했다. 8월 8일, 유가족들은 미국 정부는 물론이고 한국 정부까지 사건에 대한 처사를 두고 힐난한 것으로 보도됐다. 당시 '유가족들과 협력 중'인 것으로 알려진 진보 단체 '민주사회를 위한 변호사 모임'(민변)은 사고에 대한 팩트와 처벌에 관한 주한 미군의 결정에 다섯 가지 '의구심'을 제기하는 성명을 발표했다.

무죄 선고로 인한 논란

주한 미군이 워커와 니노를 미 군사재판에 회부한다고 공식적으로 발표한 9월 13일부터 재판이 열린 11월 말까지 한국 언론은 주로 다른 이슈들로 관심을 돌렸다. 특히 북한의 우라늄 농축으로 인한 북핵 위기에 많은 관심을 쏟았다. 그러나 니노의 군사재판이 11월 18일에 열렸다가 11월 20일에 무죄 선고로 끝나고, 별개로 진행된 워커의 군사재판이 11월 21일에 열리고 11월 22일에 무죄 선고 되자, 한국은 격노했다. 주한 미군 관계자와 공보관들은 군사재판의 절차를 대중에게 설명하기 위해 모든 것을 다했고 일반인이 재판을 참관할 수 있게 했으며 절차들을 투명하게 했다. 미국 관계자들은 한국 중앙정부의 관계자들에게 미국의 사법체계에서는 이런 사건에서 과실치사로 유죄판결을 이끌어내기가 어려울 것이라고 조용히 귀뜀했다. 한국 정부 관계자들은 한국 대중에게 이러한 가능성을 알려주는 데 별다른 노력을 기울이지 않은 듯했다.

11월 21일 자 『중앙일보』는 사설에 다음과 같이 썼다. "아직 남아 있는 운전병 마크 워커 피고인에 대한 처벌도 기대하기 어려운 분위기다. 아무리 팔이 안으로 굽는다지만 무고한 두 명의 목숨을 앗아간 사고를 저질러 놓고도 책임지는 사람이 없는 결과가 됐으니 지나치다는 느낌을 지울 수 없다." 같은 날 『경향신문』은 사설에 이렇게 썼다. "예상하지 못했던 결과다. … 그동안 미군 측은 사건에 대해 말 바꾸기와 군색한 변명을 계속해왔고 그럴수록 의혹을 증폭시켜왔다. … 이들이 무죄라면 누가 잘못했다는 말인지, 콜린 파월 미 국무장관, 주한 미군 사령관의 사과는 무슨 의미였는지 스스로 답해야 한다. 이 재판은 적어도 한국인의 관점에서 무효라고 선언하지 않을 수 없다."

11월 22일 자 사설에서 『한국일보』는 이렇게 썼다. "그들의 억울한 죽음은 결국 본인들 잘못이라는 말인가. … 미 국무장관과 주한 미군 사령관의 사과와 동떨어진 재판 결과다. … 피해자만 있고 가해자는 없는 무죄 평결은 무효다."

다른 한국 언론과 마찬가지로 이들 신문은 한국의 정치 스펙트럼 전반을 대변함에도 불구하고 어떻게 두 미군이 무죄판결을 받을 수 있는지 이해하지 못했다. 그러나 한국과 미국의 사법 문화 차이는 결코 비밀이 아니다.『중앙일보』의 김영희 기자는 엿새 후에 이렇게 썼다. "과실치사 사건의 경우 한국에서는 일단 유죄판결을 내리되 집행유예로 실형實刑은 면제해주는 것이 보통이다. 그러나 미국의 경우는 고의성이 없다고 판단되는 과실치사 사건은 무죄 평결을 받는다." 누구도 법적으로 죄를 짓지 않았다면 왜 고위 미국 관료들이 사과를 했느냐는『경향신문』과『한국일보』의 질문에 답하자면, 미국에서 소송 당사자들은 형사소송이 걸릴 수 있는 사안에 대해서는 선입견을 피하기 위해 사과하지 말라는 조언을 자주 듣는다. 56번 지방도 사고의 사례에서 한국의 미국 관계자들은 사안을 사고로 보고 초기에 미국의 법적 절차를 따랐다. 노골적인 사과보다는 유감과 애도를 표한 것이었다. 한국에서는 이럴 때 분명한 사과를 해야 한다며 한국인들이 항의하자 미국 관료들은 그렇게 했다. 주한 미군 사령관 라포테 대장은 7월 3일에 사과를 하고 그 이후에도 수없이 사과했다. 한국 문화에 대해 보다 민감하게 반응하고 한국의 여론을 달래기 위해서였다. 역설적이게도『경향신문』을 비롯한 다른 한국 언론은 이제 사과를 법적으로 죄가 있음을 인정한 것으로 해석하고 있었다. 바로 그 이유 때문에 미국 관계자들이 처음에 '사과'라는 단어를 쓰기 망설였음에도 불구하고.

재판에 대한 다른 주장들도 제기됐다.『조선일보』11월 22일 자

사설은 이렇게 주장했다. "애당초 큰 기대를 한 것은 아니지만 그래도 **우리는 한국민의 정서를 조금이라도 이해하려**(강조는 저자) 애쓴 판결을 기대했었다. 그러나 그 기대는 어긋났다." 편집자들은 자신들의 발언이 두 피고의 행동을 법에 의해서가 아닌, 한국인들의 기분을 달래기 위해 미국 배심원들이 유죄판결을 내리고 처벌해야 한다고 주장하는 것처럼 보일 거라는 걸 몰랐던 것 같다.

11월 22일에는 『한겨레』는 다음과 같이 썼다. "주한 미군 군사법원이 '무죄'를 평결한 것은 대한민국 국민을 업신여기는 '도발'이다. … 우리는 더 이상 주한 미군을 상대로 문제를 제기할 생각이 없다. 한국과 미국이 진정 '우방'이라면 조지 부시 대통령이 먼저 공개 사과하고 재판권을 즉각 한국에 넘기기 바란다. 김대중 정부는 물론이고 대통령 선거에 나선 '유력 후보'들도 재판권 이양과 주둔군지위협정 개정에 대해 분명한 '소신'을 밝힐 때다." 11월 25일 자 사설에서 『한겨레』는 또 다음과 같이 썼다. "이번 재판은 한미 주둔군지위협정(소파)이 얼마나 우스꽝스러우리만치 불평등한지를 극적으로 보여주었다. … 한국인의 법의식은 그런 재판, 그런 주둔군지위협정을 용납할 수 없다. 배심원 모두 피고인과 직업적 동질성과 공감대를 가진 사람들로 구성되는 재판은 미국식 사법제도의 기준에 비추어서도 말이 되지 않는다. 무죄 평결 후 불붙은 시위는 이렇게 최소한의 자존심마저 짓밟힌 한국인들의 분노의 목소리다."

몇몇 한국 언론인들은 주한 미군의 발언과 행동을 어느 정도 변호하기도 했다(비록 이들조차도 미국이 사안을 보다 제대로 다루지 않는다며 큰 실망감을 표현하곤 했지만). 『중앙일보』에서는 변상근 논설위원이 11월 25일 자에 다음과 같이 썼다.

미국 법정에서 교통사고는 고의성 여부가 형사책임 유무를 판단하는 주요 기준이 된다. 미군 장갑차의 관제병은 사고를 피하기 위해 운전병에게 '정지'를 두세 차례 외쳤으나 통신장비 결함으로 이 외침이 시야가 한정된 운전병에게 전달되지 못해 사고가 났고, 따라서 고의성은 없었다는 것이 평결 요지다. … "주권국가에서 우리가 재판도 못 하나"라는 다그침은 감정적으로 옳지만 법적으로는 무리다. 미국은 53개국에 미군을 주둔시키고 있지만 공무상 사고에 대한 1차 재판관할권을 주재국에 넘긴 예가 없다. 우리 군도 해외 파병에서 사고를 내면 1차 재판관할권은 우리 군이 갖는다. 국가 간 상호주의다. 오키나와 미군의 강간사건은 공무상 사고와는 구분돼야 한다.

시위는 더욱 번지고

무죄판결 이후 며칠이 지나자 시위는 더욱 크게 번졌다. 『동아일보』는 11월 26일 자에 이런 내용의 사설을 냈다. "여중생 2명을 숨지게 한 미군 2명에게 무죄 평결이 내려진 이후 계속되고 있는 시민과 학생들의 반발이 심상치 않다. 어제 아침에는 서울 시내에 있는 미군 시설에 10여 개의 화염병이 날아들었다. '미군에 대한 재판은 끝났지만 한국민의 심판은 끝나지 않았다'면서 여중생사망사건 범국민대책위원회 등 여러 단체들이 다양한 시위와 집회를 계획하고 있어 분노의 물결은 쉽게 잦아들 것 같지 않다." 한국에서 반미 감정을 일으키는 데 북한이 개입하고 있다고 비난하면서 『동아일보』는 미국에게 더 큰 노력을 주문했다. "미국도 해외 주둔 미군이 관련된 사고가 발생했을 때 미국 대통령이 직접 사과한 전례 등을 고려해 보다 적극적인 수습책을 내놓아야 한다. 관련된 미군 2명의 전역 또는 타국 전출로 한국민의 분노를 누그러뜨리기는 어려운 상황이다."

언론의 보도와 논평은 모두 무죄판결로 인한 여론의 분노와 시위를 반영하는 동시에 여기에 불을 지폈다. 주한 미군 웹사이트는 11월 23일과 24일 시위하는 네티즌들의 사이버 공격으로 인해 마비된 것으로 알려졌다. 11월 25일, 민간단체들이 미국에 항의사절단을 보낼 계획이라는 보도가 나왔다. 같은 날 20명의 대학생이 서울의 미군 시설에 화염병을 투척했고, 14개의 민간단체가 미 대사관 근처에서 기자회견을 갖고 부시 대통령의 사과와 한미 SOFA의 개정을 촉구했다. 11월 26일, 50명의 학생 활동가가 주한 미군의 캠프 레드클라우드 기지의 철조망을 끊고 난입하여 "미군들을 처단하자"고 외쳤다가 연행됐다. 그다음 주 한 주 동안에는 경기도 미군 기지에 화염병이 투척되고, 일단의 소설가들이 부시 대통령의 직접적인 사과와 주한 미군 지휘관들의 처벌을 요구했다. 전교조는 학생들에게 '불공평한 한미 SOFA'에 대해 교육할 것이라고 발표했으며 20명의 가톨릭 신부는 일주일간 단식투쟁을 했다. 12월 17일, 미군 중령이 기지 바깥에서 칼을 휘두르는 세 명의 한국인에게 이유 없이 공격을 받았으나 큰 부상 없이 도망칠 수 있었다. 그 밖에도 이 기간 동안 수많은 사건이 있었다. 미국인으로 오해받은 서구인들이 괴롭힘을 당하거나 공격을 당했고, 주한 미군 작전이 방해를 받았다.

이 시기, 한국 언론의 눈에 미국은 계속 옳은 일을 하지 못하고 있었다. 11월 27일 허버드 미 대사는 한국 언론에 이렇게 말했다. "부시 대통령은 … 이 비극에 충격을 받았습니다. 바로 오늘 아침,

대통령은 제게 두 소녀의 유가족과 한국 정부, 그리고 한국 국민에게 자신의 사과를 전달해달라는 메시지를 전했습니다." 그리고 그는 "이 비극적인 사건에 대한 슬픔과 유감"을 표현한 부시 대통령의 메시지를 읽었다. 한국인들은 이를 두고 너무 늦은 데다가 내용도 빈약하다며 비난했다. 많은 사람이 부시 대통령이 성명을 직접 읽었어야 한다고 말했다. 12월 13일, 전화 통화에서 부시 대통령은 김대중 대통령에게 개인적으로 직접 사과를 했다. 백악관 대변인 아리 플레이셔에 따르면 부시 대통령은 또한 향후 그러한 사고를 방지하기 위해 한국 정부와 긴밀히 공조할 것을 맹세했다고 한다. 그럼에도 한국 언론의 반응은 대체로 비판적이었다.

한편 헨리 하이드 하원의원이 이끄는 미국 의회 사절단은 12월 7일 서울 방문을 취소하여 비난을 받았다. 『한겨레』는 12월 9일 자에 미 대사관이 "하이드 의원 일행은 그들이 한국 (반미) 시위대의 관심 대상이 되는 것을 원하지 않았기 때문"이라고 설명했다고 보도했다. 『한겨레』는 다음과 같이 논평했다. "이유가 무엇이든 이들의 갑작스러운 한국 방문 취소는 조지 부시 행정부가 그동안 보여온 오만한 일방주의와 크게 다르지 않다. … 하이드 의원 일행은 방한을 취소할 것이 아니라 오히려 한국을 방문하여 도대체 왜 반미 시위가 들불처럼 번지고 있는지 그 원인과 지금의 심각한 상황을 제대로 파악하여 부시 행정부에 정확하게 알리는 것이 그들의 책무가 아닌가 싶다." 『동아일보』도 『한겨레』와 비슷한 평가를 내렸다. "미 의원 일행은 현장에 와서 들불처럼 번지고 있는 한국인의 분노를 몸으로 느껴야 했다. 그래야 무엇이 문제이고 잘못인지를 제대로 알 수 있었다."

이러한 분위기 속에서 11월 30일 토요일, 무죄판결에 항의하는 촛불집회가 열렸다. 인터넷에서의 참여 촉구에 1만~1만 5천 명가량의 사람이 서울 도심의 미 대사관 근처 광화문 교차로에 모였다. 그 다음 주 토요일인 12월 7일에는 촛불집회에 1만 5천~2만 명이 서울에 나왔고, 전국의 30개 도시에서도 집회가 열렸다. 12월 14일 토요일에 서울에서 열린 촛불집회는 그때까지 열린 것 중 가장 큰 규모로 전국 60개의 도시에서 약 30만 명의 사람이 집회에 참가한 것으로 추산된다. 그날 서울 시청 앞에 모인 5만 명의 군중은 항의의 의미로 대형 성조기를 찢었다.

한편 12월 19일에 치러지는 대통령 선거를 앞두고 보수와 진보 후보가 지지율 경합을 벌이고 있던 상황에서, 정당들은 미국에 대한 비판의 강도를 두고서도 조금씩 경쟁하고 있었다. 11월 21일, 세 개의 정당이 니노의 무죄판결에 유감을 표명했고, 한미 SOFA 개정을 정부에 촉구했다. 주요 야당이었던 한나라당은 11월 25일 자기 당의 후보가 대선에 승리하면 한미 SOFA를 개정하겠다고 공언했다. 12월 3일, 27명의 한나라당 의원이 다음 국회 회기에 한미 SOFA 개정을 촉구하는 결의안을 준비하고 있다는 보도가 나왔다. 그리고 한나라당은 니노와 워커를 한국 법정에 세울 것을 촉구하는 청원 운동을 벌였다.

대규모 시위가 벌어지던 당시 서울의 미 대사관을 이끌고 있던 허버드 대사는 2009년에 출간된 회고록에서 보수 '친미' 야당이 대선을 준비하면서 미국을 괴롭히는 역설에 대해 이렇게 표현했다.

국민들은 여중생 치사 사건을 다룬 미국의 태도에 분통을 터트렸고 이것은 노무현 대통령 당선에 결정적 역할을 했다. 노무현 후보가 이 문제에 대해 특별하게 유세를 벌였던 것은 아니지만, 선거 준비 기간 동안 외면당했던 한미 동맹에 뭔가 변화를 추구하려는 사람이라는 것을 한국과 미국 모두 분명히 느꼈다. 선거운동이 막바지에 접어들 무렵 노무현 후보의 경쟁자, 보수파 이회창 후보가 촛불 시위에 참여하고 대통령 사과와 SOFA 개정을 요구하는 탄원서에 서명했다는 사실을 아는 한국인은 거의 없을 것이다(이 후보는 그의 불쾌감을 표시하기 위해 나를 불러 회담을 여는 큰 행사도 벌였다).[5]

12월 15~16일에 실시된 여론조사 결과는 왜 보수 야당까지도 주한 미군과 미국을 비판하고 있었는지를 명확하게 드러낸다. 니노와 워커의 군사재판에 대해 설문하자 응답자의 97퍼센트가 그것이 '불공정'하다는 데 동의했다. 한미 SOFA의 개정이 필요하다는 의견은 96.2퍼센트였고, 45퍼센트가 미군이 한국에서 단계적으로 철수해야 한다고 말했다. 응답자의 20퍼센트는 여중생 사망 사건과 촛불 시위가 대선에서 누구를 지지할 것인가에 영향을 미쳤다고 답한 반면, 북한의 핵 개발이 영향을 미쳤다고 답한 사람은 11퍼센트에 지나지 않았다.[6] 조지 W. 부시 대통령의 '강성' 대북 정책이 당시 급증하고 있던 반미주의의 주요 요인이라는 한국과 한국 전문가 사이에 널리 퍼져 있던 믿음과는 달리, 같은 여론조사에서 44퍼센트의 한국인이 부시의 대북 정책을 지지한다고 답했다.[7]

한국 시위에 대한 미국의 반응

미국 언론은 한국 언론에 비해 사고와 그 여파를 훨씬 적게 보도했다. 『뉴욕타임스』에 실린 최초의 기사는 8월 4일이었다. 사고가 발생한 지 3주가 지난 시점이었으며 그 또한 사고 자체가 아니라 한국 사람들의 시위 때문이었다. 사고 발생일과 11월 30일 사이에 『뉴욕타임스』는 사고와 관련된 기사를 겨우 12건만 발행했다. 대부분의 기사는 간결했다. 사실 300단어를 넘는 기사는 5건밖에 되지 않았다. 한국에서 점차 증대하고 있는 반미주의에 대한 『뉴욕타임스』 최초의 심층기사(1,692단어)는 대규모 촛불 시위 두 건이 일어난 후인 12월 8일이 돼서야 나왔다. 그때에도 기사들은 문제의 근원을 부시의 대북 정책에 대한 한국 대중의 불만으로 해석하고 있었다.

대규모 촛불 시위들이 시작되고 한국의 대선이 가까워지면서 『뉴욕타임스』를 비롯한 미국 언론은 한국에서 반미주의의 확장에 대해 더 많은 보도를 내기 시작했다. 이들은 특히 대선의 맥락에서 반미주의 문제를 다루었으며 한국에서 벌어지고 있는 일에 대한 미국 언론의 시각은 한국 언론의 시각과 상당히 차이가 있었다. 12월 14일 대규모 시위에서 성조기를 찢는 모습이 마침내 주요 미국 텔레비전 방송사들의 이목을 끌었고, 저녁 뉴스에서 이를 방영했다.

한국에 대한 지식도 거의 없고 지난 3년간 한국에서 점증해온 반미주의 분위기를 전혀 모르는 상태에서 촛불 시위를 본 미국의 반응은 처음에는 이해 불능이었고 그다음에는 분노였다. 상대적으로 한국을 잘 알고 있던 미국인들조차도 그 전개에 당황해했다. 조지워싱턴 대학 박윤식 교수는 12월 19일 자 『중앙일보』에 다음과 같이 썼다. "한국에서 현재 진행 중인 대규모 촛불집회와 반미 시위를 보면서 (심지어) 한국 문제에 대해 잘 아는 미국인들조차도 믿을 수 없다는 반응을 보였다."

12월 5일 자 『중앙일보』에는 뉴욕 특파원이 한국의 범국민대책위원회 소속 방미 투쟁단의 미국 방문을 보도했다. 그는 범대위 대표들이 행인들에게 유인물을 나누어주었으나 "미국 시민들의 반응은 시큰둥했다"고 썼다. 기자회견에서도 반응은 "대표단의 말을 제대로 받아 적는 기자도 드물었"을 정도로 "냉랭했다." 기자회견에서 "우리 측 요구가 관철되지 않으면 주한 미군이 한국에 머물기 어려울 것이라고 경고하는 대목에선 고개를 가로젓는 모습도 보였다." 한국 NGO 대표들은 미국 NGO들로부터는 따뜻한 환영을 받았는데 이들은 "미국인으로서 죄의식과 부끄러움을 느꼈다"고 말했다. 이 반응에 기초하여 기자는 이렇게 논평했다. "시작은 미약하다. 그러나 분명 불씨는 지펴졌다. 일부 미국인의 편견과 독선을 녹일 큰 불길로, 이 불씨를 키우는 일은 이제 우리 국민 모두의 몫으로 남게 됐다."

12월 2일 자 논평에서 『한겨레』는 이렇게 썼다. "미군과 미국 정부, 미국 언론이 이러한 한국민들의 반미 감정을 이해할 수 없다는 태도를 취하고 있는 것은 유감스러운 일이 아닐 수 없다. 보상도 충분히 하고 대통령이 주한 미국 대사를 통해 사과의 뜻을 밝혔는데 더 무엇을 요구하냐는 태도가 바로 한국민들을 격분시키고 있는데도 말이다."

상황에 대한 미국의 보도가 늘어나면서 미국인들의 반응도 점차 비판적으로 변했다. 한국의 대선이 시작되기 일주일 전쯤, 특히 한국의 보수 언론은 이를 인지하고 미국의 반응과 한국의 국익에 미칠 수 있는 위험에 대해 보도했다. 여기에는 이러한 상황이 지속될 경우 주한 미군을 감축하거나 심지어 철수할 수 있다는 가능성도 포함돼 있었다. 이들은 한국인들에게 미국에 대한 감정적 접근이나 과민반응은 오히려 해가 될 수 있다는 걸 경고하면서 '반한주의'라는 표현을 썼다.

용두사미: 대선의 여파

12월 19일 대통령 선거에서 진보파 후보 노무현이 보수파 후보 이회창을 49퍼센트 대 47퍼센트의 지지율로 가까스로 물리쳤다. 거의 즉시 미국에 대항하는 시위를 부채질하던 바람이 멈추었다. 진보 NGO 연합의 꾸준한 노력에도 불구하고 촛불 시위의 참가자 수는 수천 명으로 줄어들었고 연말이 되자 수백 명으로 줄었다. 1월이 되자 복음주의적 기독교 단체와 참전용사 단체를 비롯한 한국의 보수 단체들이 미국과 주한 미군을 지지하는 일련의 역逆시위를 이끌기 시작했다.

사건이 이토록 급변한 데에는 여러 이유가 있었다. 의심의 여지없이 대선이 점차 절박해지고 있던 보수 정당으로 하여금 미국을 비판하는 데 진보 정당과 경쟁하게끔 만들었다. 그러나 대선이 끝나자 보수 정치인들은 그들에게 자연스러웠던 쪽으로, 다시 말해 미국과의 동맹을 전반적으로 지지하며 진보파를 비난하는 일에 복귀했다. 진보 정당과 진보 NGO들도 대통령직이라는 큰 상을 얻었고 이제 관심을 새로운 정부를 성공시키는 쪽으로 돌렸다. 미국과의 반목을 계속하는 것은 한국의 국익은 물론이고 노무현 정부의 이익과도 맞지 않았다.

　노무현 대통령 당선인은 선거 이후의 새로운 상황을 분명하게 인식하고 있었다. 12월 28일 한국의 시민 단체들과 두 여중생의 부모들을 만나는 자리에서 그는 촛불 시위를 자제해줄 것을 당부했던 것으로 알려졌다. 그는 또한 공약으로 내건 한미 SOFA 개정보다 북한 핵 문제를 해결하기 위해 미국과 상대하는 것을 우선순위로 삼아야 한다고 말했다. 2003년 1월 13일 노무현은 한국을 방문한 미국 사절단에게 한미 동맹은 "귀중하다"고 말했으며, 15일에는 서울의 주한 미군 사령부를 방문하여 자신이 10년 전에는 철수를 주장했던 주한 미군을 두고 "현재도 한반도의 평화와 안정을 위해서 반드시 필요하고 미래에도 지속적인 역할이 필요하다"고 말했다. 1월 17일 자 『뉴욕타임스』의 보도에 따르면 "자국의 반미주의에 대한 해외의 불안을 달래기 위한 연설에서 노무현은 외국인 투자의 '중심적' 역할을 칭송하고 '미국과 유럽연합의 투자의 중요성은 아무리 강조해도 지나치지 않다'고 말했다. …"『뉴욕타임스』 1월 17일 자에 실린 인터뷰에서 "… 노무현 당선인은 미국에 대한 애정을 열심히 피력했다. 그는 미군의 한국 주둔에 찬사를 보냈고 부시 대통령을 두고 '쿨'하다고 묘사했다." '쿨'하다는 것이 냉정하다는 것을 의미하느냐는 질문에 노무현은 "멋지다, 재미있다, 좋다, 친근하다, 매력적이다, 즐겁다는 의미에서의 쿨이라는 것을 분명히 했다."

　한국 대중은 한미 동맹을 동등한 위상에 놓겠다고 약속한 후보를, 한때 "나는 미국에게 굽실거릴 의향이 없다"고 선언했던 사람을 대통령으로 뽑았다. 시위에 참가한 사람들 대부분은 따라서 새로운 대통령과 그 정부가 한미 동맹에서 인지된 문제들을 해결할 수 있으리라고 여겼을 것이다.

한국 언론은 노무현 당선 이후 미선이 효순이 사건에 대한 대중의 관심이 사라졌으므로, 더는 보도할 이유를 느끼지 못했다. 정치인들과 마찬가지로 기자들도 이제 초점을 새로운 노무현 정부에 맞추었다. 보수 언론에게 이는 미국에 덜 비판적인 태도와 새로운 한국 정부에 더 많은 관심을 가질 것을 의미했다. 한편 진보 언론도 주한 미군에 대한 비판을 자제해달라는 대통령 당선인의 영향을 받았다. 언론의 초점이 바뀌면서 대중적 관심도 감소했다.

결국, 다른 모든 나라의 언론 행태와 마찬가지로 특정 이슈에 대한 보도는 하나의 '스토리라인'을 따르기 마련이다. 스토리라인은 독자들에게 어떠한 의미와 호소를 하는 내러티브를 말하는 것이다. 이야기는, 적어도 특정 이야기에 대한 언론의 관심은 영원하지 않다. 어느 시점에서는 이야기의 끝에 다다르게 된다. 그 이후에도 이야기를 계속하는 것은 의미도 없고 지루하다. 한국인들에게 이 스토리라인은 이제 성인이 되어 마침내 오만하고 모멸적인 미국인들에게 대항할 수 있게 된 한국에 대한 것이었다. 한국인들은 대규모 촛불집회를 갖고 '반미' 대통령을 선출함으로써 미국인들에게 이를 보여주었다. 이야기는 끝났다. 이제 새로운 이야기로 옮아갈 것이다.

왜 이것이 한국에서 그토록 강력한 내러티브가 됐을까? 여러 가지 이유가 있다. 사고 그 자체가 극적이었다. 두 명의 무고한 어린 소녀가 친구의 생일 파티에 가다가 끔찍하고 비극적인 죽음을 맞았다. 그리고 가해자는 주한 미군 인원이었다. 지난 3년간 주한 미군이 한국인들에게 무례함, 오만함, 잔혹함, 그리고 이중성을 보여왔다는 비난을 받던 중 이 사고가 발생했고, 진보 활동가들과 한국 언론은 주한 미군과 미국 관계자들의 최악의 모습을 볼 준비가 되어 있었다. 이들의 노력은 무성의한 것으로 치부됐다. 이 사고는 '불공평한' 한미 SOFA 전체에서 가장 민감한 사안을 건드렸다. 바로 한국인 희생자가 발생한 사건임에도 불구하고 미군을 한국에서 재판할 수 없다는 것이었다. 마지막으로 이 이야기는 한국에서 가장 강력한 기구인 대통령의 선거를 배경으로 펼쳐졌다. 한편 현직 대통령과 대부분의 고위 관계자는 시위대에 공감하고 있었으며, 이 이야기에 다른 측면이 있다는 걸 알려주기 위해서는 거의 아무것도 하지 않았다. 어쩌면 독자는 왜 시위가 더 확산되지 않았는지 의아해할 수도 있다.

제8장

한국의 반미주의
잊혀졌지만 사라지진 않았다

❖

    오늘날 10년도 전에 한국에서 있었던 반미주의의 분출을 기억하는 미국인들은 거의 없다. 어떤 이들은 지금으로부터 반세기 전에 발생했던 노근리 사건의 언론 보도를 떠올릴 것이며, 또 어떤 이들은 2002년 신효순 양과 심미선 양의 죽음으로 발생한 대규모 대중 시위를 기억할 것이다. 그러나 한국에서 반미주의 사건들과 언론 보도의 궤적이 1999년에 시작되어 2002년 대규모 시위의 토대가 됐음을 인식한 미국인들은 거의 없었고, 오늘날 이를 기억하는 사람은 더더욱 적다. 이 시기에 발생한 사건들은 미국이 한국에 대해 갖고 있는 성공한 '친미' 동맹국이라는 내러티브에 부합하지 않았다. 때문에 제대로 연구된 적이 없으며 미국 대중에게 이해된 적은 더더욱 없었다. 한편 이 사건들은 한반도에서 발생한 사건 중 미국의 내러티브에 부합하는 것에 가려졌다. 바로 2006년부터 시작된 북한의 핵실험과 북한의 지도자 김정은이 자신의 삼촌을 2013년에 처형한 것, 그리고 한국에서 2007년과 2012년에 연이어 '친미' 대통령이 선출된 것이 바로 그것이다. 이명박 대통령과 그의 후임자인 박근혜 대통령 아래에서 한국과 미국은 양국 관계가 그 어느 때보다도 좋았다고 칭송됐으며 실제로도 객관적으로 볼 때 그러했다.[1]

    한편 오늘날 한국의 설문 조사 결과는 미국에 대한 대중의 태도와 한미 동맹 및 주한 미군에 대한 지지가 역사적으로 높은 수준에 있음을 보여준다. 한국 언론은 과거보다 주한 미군의 비행 관련 보도를 적게 내보내며 보도의 어조는 전반적으로 공격적이지 않고 솔직한 편이다. 오바마 대통령은 이명박 대통령과 박근혜 대통령 모두와 따뜻한 관계를 유지했으며, 오바마는 한국인들에게도 인기가 높다. 한국 정부 관계자들은 주한 미군이나 양국 간의 문제를 예측하고 관리하고 해결하기 위해 미국 측과 선제적이고 조용하면서도 효과적으로 공조하고 있는 것으로 보인다. 오늘날 역사적인 문제들이 한국인을 만족시키는 방향으로 해결되지 못하면서 한국의 국민적 분노와 정부 및 언론의 비난을 받고 있는 것은 일본이다. 1999~2002년 사이에 미국에 대한 한국의 분노는 한미 안보동맹이 한국의 국가 안보에 극히 중요하다는 믿음 덕택에 어느 정도 자제가 됐다. 오늘날 한국인들은 한미 동맹에 대한 일본의 지지가 북한에 대한 억제와 방어에 필수적이라는 미국 관계자들의 주장을 무시하는 편이다.

이러한 변화는 여러 가지 중요하고 흥미로운 질문들을 던진다. 무엇이 반미주의 분출의 원인이었나? 왜 그렇게 급작스레 끝났는가? 그 이후 한미 동맹에 대한 한국 대중의 지지가 극적으로 증가한 것을 어떻게 설명할 수 있을까? 미국은 적시에 한국의 요구를 만족시키고 미국과 한국의 지도자들이 또 다른 심각한 반미주의의 폭발을 막기 위해 필요한 조정을 취한 것인가? 아니면 1999년부터 2002년까지 있었던 사건들은 여러 가지 상황의 독특한 중첩으로 인해 발생한 일회성 사건일 뿐, 결코 반복될 일은 없는 것인가? 한미 동맹을 소중히 여기는 한국인과 미국인은 이제 더는 한국의 반미주의에 대해 걱정하지 않아도 되는가? 이러한 경험으로부터 우리는 무엇을 배워야 하며 미래에 비슷한 일이 발생하는 것을 막기 위해서는 어떻게 해야 하는가? 여기서 단지 한국에서의 동맹 관리뿐만 아니라 보다 넓은 의미에서, 미국이 타지에서 외교 및 안보 정책을 펼치는 데 도움이 될 교훈을 얻을 수 있을 것인가?

이 마지막 장에서 우리는 이 어려운 문제들을 다룰 것이다. 그러기 위해서 먼저 그동안 실제로 무슨 일이 발생했는지를 살펴보고 원인을 분석한 다음, 해당 사건이 반미주의를 표방하는지 여부와 만일 그렇다면 얼마나 그러한지를 검토하고 사건의 심각성을 평가할 것이다.

실제로 무슨 일이 일어났나

1999년부터 2002년 사이에 한국 언론을 잠식했던 내러티브는 미국인들이 특히 주한 미군이 한국인들을 전혀 존중하지 않는다는 것이었다. 이 내러티브에 따르면 한국전쟁 당시 미국인들은 노근리 마을 근처에서 며칠에 걸쳐 수백 명의 무고한 사람과 어린이를 학살했다. 1960년대에 미국인들은 베트남과 비무장지대에서 한국의 전우들을 말 그대로 에이전트 오렌지로 중독시켰다. 그동안 한국인들은 자신들이 밑바닥에서 출발하여 현대적이면서 정치적·경제적으로 모두 발달한 국가를 건설했다고 느꼈다. 2002년 월드컵의 공동 개최는 효율성과 선의의 표본이었다. 그럼에도 미국인들은 여전히 한국인들을 깔보고 있었다! 심지어 2000년에는 미국인들이 한강에 독극물을 방류하여 서울 시민의 식수원에 독을 풀어놓고 있었다. 그들은 쾌활하게 한국 마을의 문간에서 폭격 연습을 했다. 미국은 한국인과 미국인의 평등을 부정하고 미국 군인을 한국 법정에서 재판하게 하는 대신 자기네들끼리 재판하게끔 만드는 '불공평한' 한미 SOFA 개정을 거부했다. 미국 대통령은 한국 대통령의 대북 정책(한국에서 유일하게 노벨상을 탈 수 있게 했던 바로 그 정책)을 거부하고 심지어 한국 대통령을 '이 사람this man'으로 지칭함으로써 한국 대통령에게 무례를 범했다. 심지어 올림픽 경기에서도 일본계 미국인 아폴로 오노 같은 미국인은 한국 선수들에게 사기를 쳤음에도 미국 언론의 찬사를 받았다. 미군들이 부주의로 한국 여학생들을 장갑차로 치어죽이고서 웃고 떠들었다고 한다.

만일 오늘날 누군가가 한국인들에게 2002년 주한 미군 사고에 대한 당시 한국인들의 반응을 말해주면 어떤 사람들은 과도했음을 수긍할 것이다. 그러나 대부분은 미국 정부가 보다 '성의 있고', '책임 있으며', '세심한' 방식으로 대응했어야 한다고 덧붙일 것이다. 한국인의 입장에서 이러한 태도는 민족에 기반한 세계 문제에 관한 관점과 자국에서 미국의 역할에 대한 이해에 잘 부합한다. 불운하게도 이는 이 시기에 발생한 사건들이나 미국과 한국의 행동을 설명하는 데 아무런 도움도 주지 못한다.

그렇다면 1999년부터 2002년 사이에 대체 무엇이 실제로 발생한 것일까? 미국의 비행에 대한 주요 사건들을 검토해보자.

— 노근리는 1999년 가을 처음으로 언론의 큰 관심을 받았으나 학살은 한국전쟁 초반의 절망적인 상황에서 벌어졌다. 분명 미국은 살해에 대한 비난을 받아야 하지만, 이 사건이 과연 몇몇 한국인들이 1999년에 선언했듯, 미국에게 한국이 '정말로 무엇을 의미하는지'를 보여준 것인가? 만일 그렇다면 왜 초기에 북한의 침공을 막아낸 다음에는 그런 사건이 반복되지 않았을까? 노근리 사건이 1950년의 미군과 미국 사회에 대해 매우 안 좋은 것을 의미한다 하더라도 미국의 태도와 정책은 1999년까지 바뀌지 않았나? 게다가 AP와 한국 언론의 보도가 남긴 인상과는 달리 노근리는 사실 AP의 보도

보다 몇 년 전에 한국 언론에서 다루어졌었다. 미군은 사건에 대한 지식이 없다고 밝혔으나 보도를 억제하지는 않았다. 민주화 이후에도 한국 언론은 보도를 하지 않았다.

— 에이전트 오렌지 이야기도 수십 년 전에 벌어진 일이며 일부 한국 언론이 주장한 것보다 훨씬 복잡했다. 한국인들보다 더 많은 수의 미군 인원이 베트남에서 에이전트 오렌지에 노출됐고 미국 정부는 에이전트 오렌지가 미군 참전용사들의 질병의 원인이라는 걸 인지하기를 오랫동안 거부해왔다. 만일 미국 정부가 한국인을 무시하고 있던 거라면 미국의 참전용사도 무시하고 있었던 셈이다.

— 이 시기에 발생한 포름알데히드 방류 사건은 한국의 법률과 주한 미군의 규정을 모두 위반한 것이며 결코 반복되어서는 안 된다. 그러나 서울 시민의 건강에 위협이 되지는 않았다. 같은 물을 마시던 주한 미군 사령부 인원들에 대해서도 마찬가지다. 그리고 이 사건은 사건 발생 전후로 한국 법인들이 저지른 오염 사례에 비해 그 규모가 매우 작고 덜 심각했다.

— 매향리 사건은 사실상 마을 활동가의 과장과 선정주의적인 언론 보도가 사주한 허상이었다. 그러나 이 사건은 사격장 주변의 한국인 인구가 수십 년에 걸쳐 크게 증가하면서 발생한 문제이기도 했다. 한국 정부는 주한 미군이 거주 지역과 멀리 떨어진 사격장을 얻을 수 있도록 도와주는 데 무관심하거나 무책임했다.

— 한미 SOFA는 애초부터 미국이 자국군을 주둔시킨 다른 나라들과 맺은 SOFA와 근본적으로 다르지 않았다. 한국 군인은 한국의 민간 법정에서 재판을 받지 않는 반면, 주한 미군 인원도 공무 외에 일으킨 범법 사항에 관해서는 한국의 민간 법정에서 재판을 받는다.

게다가 한국은 자국군의 어떠한 범죄 혐의에도 기소를 허용하지 않는 SOFA를 적어도 한 군데의 다른 나라와 맺고 있다.

— 아폴로 오노 사건은 미국에 대해서 알려주는 것이 거의 없다. 그러나 몇몇 한국인들에 대해서는 많은 것을 알려준다. 특히 오노에 대한 살해 협박 같은 것은 별로 좋은 내용이 아니다.

— 신효순 양과 심미선 양의 죽음은 끔찍한 사고였다. 그러나 이 비극은 차량을 조종하고 있던 두 명의 미군이, 그리고 주한 미군과 미국인 전반이 한국인을 어떻게 느끼는지에 대해서는 아무것도 말해주지 않는다. 그러나 이 사건은 너무나 자주 발생하기 때문에 너무 적게 관심을 받고 필요한 것보다 훨씬 적은 자원을 받고 있는, 도로에서 벌어지고 있는 대학살을 근절하는 데 주의를 기울여야 할 필요성을 말해준다. 한국 정부는 최근에서야 미선이와 효순이가 사망한 지역의 도로를 넓히고 보행로를 설치했다.

1999~2000년 사이에 미국 대통령은 빌 클린턴이었고 나는 개인적인 경험을 통해 그와 그의 행정부가 미국에 대한 한국의 비판에 대응하기 위해 열심히 노력했음을 알았다. 클린턴 대통령은 노근리 학살 보도에 거의 즉각적으로 반응했으며 적절한 절차를 통해 대규모 조사를 완료했고 유감을 표명했다. 그리고 한국전쟁 개전 초기에 미국에 의해 사망한 모든 한국 민간인을 추도하기 위한 진심어린 노력이 있었다. 클린턴 대통령의 행정부는 자기 행정부의 임기 만료 직전에 성공적으로 마무리된 한미 SOFA 개정을 재개하는 데 합의했다. 이와 마찬가지로 미국은 한국 미사일의 사정거리와 탑재 중량을 늘리게 해달라는 한국의 요청에도 합의했다. 게다가 클린턴 대통령과 그의 핵심 참모들은 대북 정책에 대해 김대중 대통령과 밀접하

게 협력했다. 이는 단 2년의 기간에 비해 사소하거나 쉬운 성취가 아니었다. 그러나 클린턴 행정부가 더 많은 한국의 요구 사항에 반응하려 할 때마다 한국인들은 보다 많은 것을 요구했다. 적어도 당시 한국에 있었던 미국인들에게는 그렇게 보였다.

조지 W. 부시 행정부의 첫 2년(2001~2002) 동안에는 2002년 말 대규모 대중 시위의 형태로 나타난 반미주의의 클라이맥스를 볼 수 있었다. 뒤늦게 생각해보면 부시 대통령이 한국 대중의 반응을 관리하기 위해서는 신효순 양과 심미선 양이 사망했을 때 조기에 성명을 발표했어야 했지만 과연 미국 대통령까지 사과해야 했는지는 오늘날까지 논란의 여지가 있다. 김대중 대통령의 대북 정책을 부시는 분명 동의하지 않았을 것이다. 그러나 그는 김대중 대통령에게 개인적으로 무례를 범하진 않았다. (영어를 제1외국어로 가르친 지 수십 년이 지났으나 한국 언론이 김 대통령을 두고 부시가 '이 사람this man'이란 표현을 했다며 무례하다고 주장한 것은 분명 한국의 영어 교육기관에 경종을 울렸으리라.)

게다가 한국과 한국인에 대한 주한 미군과 미군 인원의 행동이 그동안 악화됐다는 증거는 없다. 오히려 미군 인원의 행동거지는 모병 제도가 도입되고 미국 사회 전반적으로 인종 및 성별에 대한 태도가 개선된 후, 지난 수십 년 동안 전문화되면서 나아졌다. 한편 주한 미군과 미 대사관 관계자들은 매우 어렵고 좌절스러운 상황을 관리하고 한국 언론과 시민의 비판에 대응하고자 한국 담당자들과 협조하는 데 노력을 기울였다.

이는 결코 주한 미군, 또는 미국이 한국을 다루는 데 완벽했고 탓할 것이 없었다는 이야기가 아니다. 양쪽 모두에 문제가 있었고 지금도 문제가 있다. 그리고 이를 해결하기 위해서는 양쪽이 모두 더 노력해야 한다. 많은 한국인이 보다 거대하고 부유하며 더 강력한 미국이 더 많은 것을 해야 한다고 주장한다. 어쩌면 그게 맞을지 모른다. 그러나 세계의 다른 사람들과 마찬가지로 대부분의 한국인들이 미국이 세계의 경찰관처럼 복무해야 한다고 주장하면 (적어도 그들의 이익에 부합한다고 생각하는 때와 장소에 한해서) 미국의 정책 결정자들은 미국이 하나의 동맹국에 어떠한 양보를 하게 될 경우 다른 동맹국들에 선례를 남기는 것으로 인지될 수 있다는 걸 염두에 두어야 한다. 또한 미군은 전 세계에서 작전을 하고 있으며 의회의 요구에 묶여 있기 때문에 한미 SOFA와 훈련 요구 사항과 같은 미국의 정책과 표준작전절차를 바꾸는 데에는 진정한 한계가 있다.

원인은 무엇이었나

1999년부터 2002년까지 한국이 바라본 미국의 모습이, 실제 미국의 모습보다는 한국의 모습을 더 많이 반영하고 있다면 대체 무엇이 그런 현상을 만든 것일까? 우리가 이미 보여주고자 했던 것과 같이 1999년부터 2002년 사이에 벌어진 사건들은 여러 가지 원인을 가진 복잡한 현상의 한 일부였다. 단 하나의 요인만으로는 설명이 불가능하다. 유전학자들은 유전적 요인과 환경적 요인이 복합적으로 원인이 되어 발생한 의료적 상태를 두고 '다인성multifactorial'이라고 이른다. 한국에서 반미주의 분출은 다인성이었다. 역사, 문화, 정치, 그리고 다른 상황들의 연속에 의한 것이었으며 일부는 그 뿌리가 깊었고 다른 것들은 일시적이었다.

미국인들: 한국에서 '우린 최고'

근본적으로는, 미국이 1945년부터 오늘날까지 한국의 국가적 삶 속에서 이토록 큰 존재가 아니었다면 그런 분출은 일어나지 않았을 것이다. 미국은 1945년 한반도를 분할했으며 1948년 대한민국을 세웠다. 그리고 1950년에는 한국을 침략으로부터 방어했고, 그 이후에는 한국이 경제적으로 발전할 수 있도록 도왔다. 오늘날에도 수십 년에 걸친 감축에도 불구하고, 약 2만 8,500명가량의 주한 미군 인원이 한국에 주둔해 있으며, 대부분의 한국인들은 적어도 당분간은 주한 미군이 계속 한국에 주둔해야 한다고 믿는다. 주한 미군 사령부와 그 소속 인원들이 과거에는 일본군과 중국군의 기지가 있었던 서울 한복판에 자리잡고 있기 때문에 미국의 존재는 보다 강렬하게 느껴진다. 다행히도 대부분의 미국 병력들은 수년 안에 서울에서 완전히 이전할 것이다.

단지 안보 분야뿐만 아니라 다른 분야에서도 미국은 한국인들에게 가장 중요한 국가로 남아 있다. 한국의 대對중국 교역액은 한국이 미국과 일본과의 교역액을 합친 것만큼 크지만 한국의 사업가들은 자신들이 중국에서 생산하거나 구입한 상품들의 상당수를 결국 미국에서 판매한다.[2] 미국은 여전히 기술 부문에서 최고의 국가이며 한국의 주요 투자처이자 한국에 가장 많이 투자하는 나라이기도 하다. 다른 나라들과 마찬가지로 한국 또한 미국의 달러가 국제통화이며 월스트리트가 세계 금융의 중심지라는 사실을 받아들인다.

문화적으로 미국은 한국에 가장 많은 영향을 끼쳤으며 지금도 그러하다. 한국전쟁이 끝난 후부터 젊은 한국인들은 교육을 위해 미국으로 모여들었다. 1인당 유학생 수를 기준으로 한국은 세계 주요 국가 어느 곳보다도 더 많은 학생을 미국으로 유학 보낸다. 한국 명문대학의 많은 학과에서 교수들의 대부분이 미국의 교육기관에서 학위를 받았으며 많은 교수가 영어로 강의를 한다. 할리우드 영화는 한국 영화 다음으로 인기가 많으며, 한국인들은 1960년대부터 더빙된 미국 드라마를 열심히 시청했다. 월드와이드웹에 영문으로 된 웹페이지가 대다수라는 사실은 젊은 한국인들의 영어 실력을 크게 향상시켰고, 미국 영어는 젊은 한국인들이 세계를 바라보는 주된 창구이자 이들이 해외여행 때 사용하는 국제어다.

한국인들이 정치적·외교적·군사적·경제적·기술적·문화적 문제와 맞닥뜨렸을 때 한국 언론은 통상적으로 다른 나라보다는 미국이 이러한 문제를 어떻게 다루는지에 집중한다. 미국의 정치적·경제적·사회적 문제에도 불구하고 —한국인들도 이를 잘 알고 있다— 많은 한국인은 여전히 미국을 모방의 대상, 또는 최소한 배울 점이 있는 나라로 여기고 있다. 많은 경우에 일본이 경제적·사회적·문화적·역사적 유사성 때문에 보다 적합한 모델이 되겠지만 한국인들은 과거 자국을 식민 지배했던 나라를 스스로와 비교하지 않으려 한다. 중국은 한국의 훌륭한 전통문화의 근원으로 간주되며 경제적 기회가 크고 장기적으로는 관리해야 할 안보 위협이지만 한국인들은 중국을 모방하기를 원하지 않는다.[3] '중국식 모델'은 이미 경제적으로 발달했으며 민주주의를 이룬 한국에게 별다른 매력이 없다. 유럽의 사회민주주의가 점차 한국인들 사이에서 참조 사례로 등장하고 있지만 유럽은 멀리 떨어져 있으며, 한국인은 미국에 갖고 있는 것과 같은 감정적 관심을 유럽에 가지고 있지 않다.

신기욱 교수는 현대 한국인의 삶에 미국이 차지하고 있는 이러한 중심성이 한국인의 국가적 정체성에 영향을 끼친다고 주장한다. 이 국가적 정체성은 진보와 보수가 상당히 다르다. 진보와 보수 모두 미국에 매우 비판적이지만 보수는 한미 동맹이 대한민국의 현재와 미래에 필수적이라고 확신하고 있는 반면 진보는 한미 동맹의 이익과 불이익의 균형에 대해 양가적인 입장이다. 그러나 미국인들에게 한국이란 나라는 국가적 정체성과 연관되지 않는다. 한국이란 나라는 고위급 정책의 문제이지 정치의 문제가 아니다.[4]

따라서 미국은 한국의 경제적·정치적 성장과 세계 질서의 다극화 경향, 그리고 더 악화되지 않았더라도 인터넷 시대에 더욱 뚜렷해진 미국의 정치적·경제적·사회적 문제에도 불구하고 한국의 주된 외국의 참조 사례이자 '중요한 타인'으로 남아 있다. 그러나 미국인들이 한국에 대해 아는 것보다 한국인들이 미국에 대해 아는 게 훨씬 많음에도 불구하고 미국에 대해 대부분의 한국인들이 잘 모르거나 이해하지 못하는 것이 많아 심각한 오해를 낳을 수 있다. 또한 자연스러운 일이지만, 두 나라의 이익이 상호 충돌한다고 여길 경우 한국인들은 어느 편에 서야 할지 고민할 필요가 없다.

희생양의 렌즈

한국인의 의식에 미국이 차지하는 비중이 크기만 했다면 1999~2002년 사이에 반미주의는 일어나지 않았으리라. 반미주의가 일어날 수 있었던 것은 미국의 존재가 외세였기 때문이며, 한국인들이 자국의 역사를 특히 근대사를 열강들의 손아귀에서 희생양이 되어

온 역사로 인식하고 있기 때문이었다. 한국인들은 중국, 일본, 러시아에 비해 미국을 선호하지만 미국을 전적으로 신뢰할 사람은 거의 없다.[5] 1980년대 초, 내가 한국에 갓 부임한 젊은 미국 외교관이었을 때 한국인들은 종종 러시아에 속지 말아야 하며 미국을 믿어서는 안 된다는 내용의 오래된 노래를 부르곤 했다. 그 노래는 "일본은 다시 일어설 것"이라는 후렴으로 끝났다. 한국인들은 미국과 좋지 못했던 역사가 많이 있으며 또다시 희생양이 될 가능성에 대해 민감하다.

국가가 다시 한번 희생양이 될 수 있다는 뿌리 깊은 생각은 현대 한국의 정체성에 중요한 부분이며 이러한 생각이 한국인들이 세계를 보고 세계 속 한국의 위치를 보는 렌즈를 형성했다. 종합적으로 그것은 긍정적인 역할을 했다. 특히 한국전쟁 직후 국력이 엄청나게 감퇴하고 인구가 줄어들었던 시기에 이러한 정체성은 한국인들로 하여금 자국을 방어하고 발전하기 위해 엄청난 노력과 희생을 감내하게 만들었다. 오늘날 자국의 경제 전망에 한국인들이 보이는 '건설적 비관론'에서도 이러한 정체성을 엿볼 수 있다. 지난 50년 동안 다른 나라들이 그저 꿈만 꿀 수 있었던 엄청난 속도의 성장을 이루면서 한국인들은 늘 경제난이 다가오고 있으며 이를 막기 위한 '대응책'을 꾸준히 적용하고 있다고 믿었다.

그러나 객관적으로 볼 때 오늘날 한국은 약하다거나 희생양이라는 것과는 거리가 멀다. 한국은 세계 7위 규모의 상비군을 보유하고 있으며, 최근 집계에 따르면 강력하기로는 세계 9위다.[6] 한국 국내총생산은 세계 14위 규모다.[7] 한국은 원조를 받다가 원조를 주는 나라가 된 유일한 사례다. 1990년부터 한국은 자체적인 평화유지군을 보유하고 있었다. 1990년부터 2010년 사이에 한국은 8만 명의 젊은

자원봉사자가 해외로 나가 교육, 보건, 지역 개발, 그리고 정보통신기술 분야에서 활약했다.[8]

'고래 싸움에 새우등 터진다'는 한국 속담은 이제 더는 대한민국에 적용되지 않는다. 한국이 중국과 러시아와 같은 고래가 아니라고 하더라도 한국은 분명 새우가 아니다. 적어도 속도와 체력, 그리고 고래들 사이를 효율적으로 휘젓고 나갈 수 있는 똑똑한 돌고래쯤은 된다. 불운하게도 한국인들의 의식은 이러한 새로운 현실을 따라잡지 못했다. 아마도 이러한 변화가 너무 빠르게, 그리고 최근에 이루어졌기 때문일 것이다.[9] 어쨌든 과거 희생의 역사에 대한 과도한 관심은 문제가 될 수 있다. 미래의 협력에 대한 조건으로 문제가 많았던 과거를 해소하는 것을 내걸고 있을 경우, 한국은 많은 기회비용을 치를 수 있다. 또한 세계 무대에서 한국의 지위를 온전히 인식하지 못하고 있는 한국인들은 전 세계적인 공공선을 위해 책임을 질 준비가 덜 되어 있다.

한국의 희생양 내러티브는 역사적·이념적·지역적, 그리고 세대적 측면을 포함한 여러 가지 측면을 갖고 있다. 이는 수십 년에 걸쳐 자연스럽게 정치화되고 제도화됐다. 희생양 개념은 한국의 정치 스펙트럼 전체에 중요하지만 진보 세력에게서 보다 중심적인 역할을 했는데, 진보 세력은 희생양 내러티브를 사용하여 국내 정치 문제에서 보수 세력을 상대하곤 했다. 진보는 보수 세력을 과거 일본 식민 통치 시대에 일본에 부역했고 한국전쟁 이후에는, 보다 정도는 덜하지만, 미국에 협력했던 이들의 후손으로 묘사하곤 한다. 이러한 인기 없는 이미지를 벗기 위해 보수는 때로는 미국을 비롯한 외세에 누가 더 엄격한지 진보와 경쟁하기도 했다.

1999~2002년 시기에는 386세대가 정치적으로 발흥했었다는 것이 특이 사항이다. 1960년대에 태어난 이들은 한국전쟁을 직접 겪지 않았다. 때문에 이들의 정치적 관점은 한국전쟁이 아니라 전두환의 권력 찬탈과 광주 항쟁을 바탕으로 형성됐다. 미국이 전두환의 폭정을 용인했다는 당대의 인식은 여기에 큰 영향을 끼쳤다. 386세대에게 미국은 그저 이기적인 외세였으며 이를 위해서는 권위주의 정권도 비호할 준비가 되어 있는 것으로 비쳐졌다. 이 젊은 한국인들은 한국의 근대사를 미국의 신제국주의와 군국주의의 희생양으로서의 역사로 인지했다.

1999~2002년 시기에 한국인들은 미국이나 주한 미군의 실제 비행과 알려진 비행들을 희생양의 렌즈를 갖고 보았다. 몇몇 사례에서는 한국인들이 인식한 것이 해결을 필요로 하는 중요한 문제였지만 희생양의 렌즈를 갖고 사물을 보는 한국 언론은 이러한 문제들을 단순한 도덕적 문제로 돌리고는 한국은 모두 옳고 상대방은 모두 잘못됐다고 묘사하곤 했다. 진보와 보수를 막론하고 한국 정치인들은 때때로 미국의 비행에 누가 더 격분하는지 보여주기 위해 경쟁하기도 했다. 미국의 관점에서 본 현실은 그보다 더 복잡하고 미묘했으며, 해결책은 사실 미국의 사과와 회개보다는 서로를 이해하기 위한 더 많은 노력과 현실적인 문제들을 해결하기 위한 공조다.

한미 관계에 대한 한국과 미국의 전문가들은 한국에서 두 가지 형태의 반미주의가 있다고 주장해왔다. 각각의 반미주의는 한미 동맹에 대한 기본적인 태도가 다르다. 이들은 상대적으로 작은 비중의 한국인들만이 한미 동맹에 반대하며 한국인의 대다수가 한미 동맹을 지지하지만 그 내용이 불공평하고 불평등하다고 여기며 그래서

한미 SOFA와 같은 동맹의 제도와 절차의 대대적인 개정을 요구한다고 주장한다.[10]

실제로 한미 동맹이 종결되고 미군이 한국에서 철수되기를 원하는 상대적으로 소수지만 여전히 상당한 수의 한국인이 있다. 앞서 내가 언급했듯, 1999~2002년 사이에 주한 미군을 가장 강력하게 비판했던 진보 NGO들 중 일부는 그들의 궁극적인 목표가 한미 동맹을 끝내는 것임을 거의 숨기지 않았다. 그러나 대부분의 한국인들은 그러한 입장을 지지하지 않는다는 걸 잘 알고 있기에 그들은 그들의 활동 초점을 동맹의 제도와 절차에 맞춰 비판했다. 그러나 그들의 목표는 한미 동맹을 개혁하는 것이 아니라 한국 대중의 주한 미군 지지를 약화시키는 것이었다.

대다수의 한국인들이 분명 한미 동맹을 지지하기는 하지만 그들은 한미 동맹이 불공평하고 불평등하다고 여겼다. 최근 여론조사 결과는 미국에 대한 한국 대중의 태도가 '그 어느 때보다도 긍정적'이며 미국은 한국이 '가장 좋아하는 국가'라는 걸 보여주었다. 그러나 동일한 여론조사에서 65퍼센트의 한국인은 한미 관계가 '근본적으로 불공평'하다는 데 동의했다.[11] 다른 여론조사 결과는 90퍼센트 이상의 한국인이 한미 SOFA가 근래 두 차례 크게 개정된 이후에도 불공평하다고 여기고 있음을 보여주었다.

한미 동맹 그 자체를 반대하는 한국인과 단지 한미 동맹의 개혁을 원하는 한국인들을 구분하는 전문가들은 이러한 구분이 문제를 해결할 수 있다고 믿는 것 같다. 그러나 만일 내가 이 책에서 주장했듯이, 한미 SOFA가 기술적으로 미국이 군사적인 측면에서 한국보다 더 강력하다는 점(바로 이 점 때문에 한국인들이 자국에 미군의 존재를 원하는 것이다)을 제외하면 불공평하거나 불평등하지 않다면 어떨까? 한국 정부가 미국 정부의 처지가 되면 미국 정부와 비슷한 입장을 취할까? 사실 한국도 한미 SOFA와 근본적인 측면에서 비슷한 SOFA를 타국과 맺고 있지 않는가?

진보의 발흥

1999~2002년 사이에 반미주의의 분출은, 미국을 비롯한 모든 외세는 한국을 희생양으로 삼으려고 한다는 한국인들의 확신에 의해 발생한 것이었다. 그러나 그러한 판단은 1999년 이전에도 한국에서 볼 수 있었다. 당시의 그런 전례 없는 분출을 일으키게 만든 1999년의 특별한 상황은 무엇이었을까? 답은 한국에서 진보 세력의 발흥에서 찾을 수 있다.

부분적으로는 대한민국이 탄생한 1948년부터 보수 세력이 집권해왔기 때문에 진보는 한국을 민주화시키기 위해 다른 어느 때보다 노력했다. 민주화가 되면 집권할 수 있는 가능성이 더 높아질 것이기 때문이었다. 진보계 지도자들은 그리하여 미국 관계자들과 약간 모순된 관계를 갖게 됐다. 한편으론 다른 한국인들에게 자신들이 미국의 지지를 받고 있음을 보여주고 미국으로 하여금 자신들의 대의를 더 지지해줄 것을 요구하기 위해 미국과 긴밀한 관계를 갖고 싶어 했다. 다른 한편으로는 미국에 대한 레버리지를 강화하기 위한 노력을 하면서 진보 세력을 위해 더 개입하지 않으면 거리에 나가 반미 시위를 할 수 있다고도 했다. 진보계 지도자들은 미국이 전두환을 지지하고 있으며 광주 항쟁을 묵인했다고 대중을 믿게 만드는 데 일조했다. 그들이 그렇게 믿었기 때문이기도 했지만 이러한 여론을 조성하여 미국이 진보계의 적인 군부 독재자들을 압박하는 분위기를 만들 수 있기 때문이기도 했다.

대한민국의 역사에는 진보 세력이 주도하여 이루어진 반미 시위가 많다. 그러나 민주화 이전까지는 보수파가 이끄는 정부가 대체로 이들을 억압했다. 1988년 민주화와 함께, 보수파인 노태우가 청와대에 들어갔음에도 불구하고 서울 올림픽에서 미국 선수들을 향해 야유를 보내는 등 반미주의의 표현이 증가했다. 그러나 이는 그리 오래가지 않았다. 곧이어 냉전이 종식되고, 소련이 무너지고 북한에서 기아가 발생하는 것을 목격했기 때문이다. 이를 비롯한 국내외적으로 발생한 극적인 사건들이 진보의 내러티브를 특히 급진적 진보 세력의 내러티브를 위협했으며 한시적으로 과거의 문제들과 원한을 가렸다.

민주화는 또한 시민사회의 발달을 가져왔으며, 많은 비정부단체가 1988년 이후 생겨나거나 성장했다. NGO 지도자들은 과거 민주화 투쟁에 동참했었으며 민주화의 과실을 누릴 수 있었다. 이들 NGO는 국내에서 이상주의적이며 공평무사하고 민주주의적 시민 단체라는 신뢰를 누릴 수 있었다. 이는 정부나 보수 단체의 잘 알려진 이익 추구와는 대비되는 것이었다. 이 시기에 생겨난 NGO의 대부분은 진보파가 움직였다. 보다 오래된 명목상의 NGO들 다수는 관변 단체거나 정치적 지향성이 없었다.

비록 진보 세력의 발흥에 민주화가 필수적이기는 했지만 1997년 12월 김대중이 대통령에 당선되기 전까지 진보 세력의 발흥은 완전히 실현되지 못했다. 서문에서 밝혔듯, 한국의 대통령직은 매우 강력하며 김대중의 당선은 중요한 제도적·정치적 권한을 그와 그의 진보계 지지자들의 손에 쥐어주었다. 이는 단지 김대중의 정당뿐만 아니라 노동조합, 진보 NGO, 진보 언론 매체, 그리고 일부 종교 단체들을 포함하는 것이었다. 발흥이란 이들이 수십 년간 제대로 표현하지 못했던 미국에 대한 불만을 보다 자유롭게 표현할 수 있게 됐음을 의미했다. 일부는 미국 특히 주한 미군에 집중함으로써 진보 세력에 (특히 자신들의 조직에 대한) 더 많은 관심과 정치적·재정적 지원을 확보할 수 있게 됐다고 여겼다. 김대중의 당선이 즉각적으로 반미주의의 증대로 이어지지 않았던 이유는 당시 최악을 맞고 있던 IMF 경제 위기를 극복하는 데 한국의 관심이 쏠려 있었기 때문이다. 그럼에도 신기욱 교수의 세심한 양적 분석에 따르면 1998년부터 『한겨레』는 한미 관계에 대한 비판을 급격히 증가시켰다.[12]

언론의 역할

한국인에게 미국이 중요하다는 사실과 국가적인 희생양 내러티브의 존재, 그리고 오랫동안 억압받았던 진보 세력의 발흥에도 불구하고 한국 언론의 역할이 없었더라면 반미주의는 1999~2002년과 같은 식으로 분출되지 않았을 것이다. 한국인들은 신문을 열심히 읽으며 신문 보도에 상당한 신뢰를 부여하는 편이다. 1999년 한국에는 12개 이상의 전국 단위 일간지가 있었다. 가장 규모가 큰 보수지 『조선일보』는 일간 판매 부수가 미국에서 가장 큰 『월스트리트저널』에 필적하는 200만 부였다. 한국의 인구 규모는 미국의 6분의 1밖에 되지 않는다. 이보다 작은 규모의 한국 일간지들도 판매부수가 100만 부에 가깝다. 그래서 한국 신문들은 치열한 경쟁을 해야 했다. 그리고 이 경쟁은 다른 나라와 마찬가지로 인터넷의 등장과 함께 더욱 격화됐다.

역사적으로, 한국 신문들은 뚜렷한 논조를 지니고 있었다. 판매 부수 1, 2, 3위인 『조선일보』, 『동아일보』, 『중앙일보』는 모두 보수였다. 『한겨레』와 『경향신문』은 대표적인 진보 성향 일간지였으며, 적은 판매부수에 비해 영향력이 컸다. 『한겨레』와 『경향신문』은 김대중이 대통령에 당선되면서 보다 힘을 얻었다. 『한겨레』는 1988년 전두환 정권에 의해 해직됐던 기자들을 포함한 다른 신문사 기자들이 모여 1988년에 창간됐다. 『경향신문』은 본래 재벌 기업이 소유했으나 1998년 IMF 금융위기 때 이를 매각하면서 기자들이 인수했다.

　『한겨레』와 『경향신문』이 1998년부터 미국과 주한 미군을 비난했지만 보수 신문들도 이 시기에 미국에 비판적이었다. 이는 단지 취재처에 나가 있는 기자들뿐만 아니라 편집국의 많은 인원이 386세대였다는 사실을 반영한다. 광주 항쟁 이후로 그들이 갖게 된 본능은 일단 미국을 비판하고 질문은 나중에 던지는 것이었다. 신문 발행인들은 이를 억제하기 위해 종종 노력했지만 대부분 성공하지 못했다. 왜냐하면 발행인들은 '구름 위에' 있어야 한다고 여겨졌으며 기자들은 재빨리 그러한 개입을 언론 자유의 침해라고 비난했기 때문이었다.

　한국 언론의 반미 캠페인이 벌어진 또 다른 요인으로는 미국 언론이 20세기가 지나면서 의견과 논평을 뉴스 보도와 분리시켰던 반면, 한국 신문들은 그렇지 않았다는 데 있다. 뉴스 보도는 직접적이든 간접적이든 곧잘 한국 기자들의 논평과 관점을 반영했으며 민족주의적 논조가 일반적이었다. 그리하여 미군 인원의 범죄 혐의에 관한 보도는 통상적으로 "날로 급증하고 있는"이란 표현으로 시작됐으며 한미 SOFA에 대한 언급은 거의 예외 없이 '불공평한'이란 형용사와 함께 등장했다. 일부 한국 신문은 타블로이드 신문의 느낌을 갖고 있었으며 정확성과 객관성의 기준이 자주 무시됐다. 물론 영국을 비롯한 성숙한 민주국가에서도 타블로이드 저널리즘은 악명이 드높다.

그리하여 1999~2002년 사이에 보수 '친미' 신문들을 포함한 모든 한국 신문은 놀라울 정도로 냉혹하게 미국에 대해 보도했다. 진보 신문들이 주도했지만, 보수 신문사들도 386세대들로 이루어져 있었으며 어느 언론사가 더 민족주의적인지 경쟁하고 있었기에 열의를 갖고 이에 참여했다. 한국과 한국 사람들에 대한 미국의 무례함을 신문들이 보도하면 할수록 독자들의 관심을 더 자극하고, 그리하여 그러한 보도를 더 많이 하게 됐다. 이는 수년간 계속된 악순환이었다. 시간이 지나서야 한국 보수 세력은 언론의 과도한 미국 관련 보도에 반대하게 됐다.

언론 차원에서 또 다른 요인은 인터넷의 부흥이었다. 이미 이 책에서 다루고 있는 시기에 인터넷을 사용하고 있는 한국인의 비율은 미국의 그것을 넘어섰다. 진보 성향의 한국인들은 인터넷에서 뉴스와 논평을 소비하고 생산하는 데 보수보다 앞서 있었다. 한국인들은 이때부터 시위에 사람을 동원하고 투표를 독려하는 데 인터넷을 사용하고 있었다. 『오마이뉴스』와 같은 온라인 사이트는 '시민 저널리즘'의 선구자였다. 이들 사이트는 2002년의 효선이 미순이 사건들을 극단적으로 보도했으며 인쇄 매체가 이러한 사안들을 선정적으로 보도하는 데 영향을 미쳤다.

내가 이 책에서 보여주고자 한 것은, 한국 대중은 의도치 않게 지난 3년 동안 미국에 대한 한국 언론의 보도로 인해 2002년 주한 미군의 장갑차에 치인 효선이 미순이 사고가 발생했을 때 격분한 반응을 보일 준비가 되어 있었다는 것이다. 지난 3년 동안 언론 보도는 특히 1999년 AP의 노근리 사건 보도 이후 점차 미국에 비판적이 되었다. 노근리 사건 보도는 미국에 대한 한국 언론의 비판적인 보도에 불을 댕긴 불꽃이었다. '나쁜 미국인'이란 스토리라인에 부합하는 기사들은 보도가 됐고 그렇지 않은 기사는 무시됐다. 한국전쟁 발발 50주년과 2000년 6월 김대중 대통령의 전례 없는 남북정상회담에 의해 부채질을 받고 불길은 더 세졌다. 다른 상황이었다면 50주년은 상호 비방보다는 기념과 상호 축하의 기회가 됐을 것이다. 그러나 남북정상회담으로 인해 비단 진보 세력뿐 아니라 많은 한국인이 북한은 적이 아니며 미군의 존재가 이전처럼 그리 중요하지는 않다고 여기게 됐다. 물론 많은 한국인에게 북한은 공포보다는 동정의 대상이었다.

관심의 비대칭성

한국 언론이 1999년부터 한 몸처럼 미국에 대해 보다 자주, 그리고 보다 비판적인 보도를 시작한 반면, 미국 언론에서는 한국과 한미 관계를 이에 상응할 만큼 보도하지 않았다. 이는 한국인들에게 미국은 가장 중요한 외국이었지만 평범한 미국인들에게 한국은 관심 밖에 있었다는 사실을 보여준다. 2002년의 한미 관계 위기를 준비하던 한국 관료들은 한미 SOFA 개정 협상 등에서 자주 미국의 이러저러한 양보를 요구 또는 필요로 하는 한국 여론을 언급하곤 했다. 반면 미국 관료들은 한국의 협상 상대에게 한미 관계에 대한 미국 대중의 여론을 무어라 말할 수가 없었다. 그런 게 존재하지 않았기 때문이다. 그런 것이 있을 때에도 한국에 대한 미국 대중의 여론은 사안을 잘 모르고서 하는 이야기거나 이제 겨우 논의가 시작된 상태일 따름이었으며 대체로 늦은 것이었다.

대부분의 한국인들은 한국과 미국의 역학관계의 비대칭성을 우려한다. 객관적으로 볼 때 물론 미국은 대한민국보다 대부분의 측면에서 더 크고 더 강력한 나라다. 그러나 한국인들은 거의 본능적으로 이러한 권력 불균형으로 인해 미국과의 합의는 한국보다 미국에 더 유리하며 따라서 불공평하다고 간주한다. 그러나 수십 년 동안 미국 관료들은 지금껏 만나본 외국 관료들 중에 한국 관료들이 가장 공격적인 협상가라고 평가했다. 게다가 노련한 한국 관료들은 미국에 강하게 나가면 한국 언론과 정치인, 그리고 다른 관료들에게 점수를 더 딸 수 있다는 걸 알고 있었다. (다른 여러 나라의 외교관들은 사적으로 한국 외교관들이 자신들에게도 비슷하게 거칠고 국수주의적인 태도를 취했다고 말했다. 이는 이러한 현상이 미국과의 관계의 비대칭성에 대한 인식보다는 한국의 역사적 경험과 그로 인한 관료주의적 문화로 인한 것일 수 있음을 암시한다.)

현실에서 미국이 인구가 더 많고 군사력이 더 강하다는 사실이 반드시 다른 나라와의 양자 협상에서 이점을 누리는 것을 의미하지는 않는다. 베스트팔렌 체제에서 모든 국가가 자주권을 갖는다는 사실은 결코 사소한 것이 아니다. 게다가 국가나 기업과 같은 책임 있는 실체들을 대표하는 사람들이 둘의 관계를 협상하기 위해 자리에 앉게 되면, 보다 강력한 실체를 대표하는 이는 협상에서 효과성을 강화하고 장기간의 관계를 유지하고 키우기 위해 팩트와 상호 이익에 기반한 주장을 펼쳐야 한다.

어쨌든 한국과 미국의 대중 사이에, 그리고 양국의 언론 사이에 오랫동안 있어왔던 관심의 비대칭성은 1999~2002년 사이 미국과 주한 미군에 대해 극도로 비판적인 한국 여론의 형성에 크게 기여했다. 만일 한국 대중이 미국에 관심을 갖듯, 미국 대중이 한국에 관심을 가졌더라면 미국 군인이 한국인들을 상대로 난동을 피우는 것처럼 한국 언론이 보도하는 것을 달가워하지 않는다는 점을 분명히 했을 것이다. 또한 미국 정부가 주장했듯이, 대통령의 명을 받아 국외에 있는 미국 군인들은 공식 업무 중에 행한 일로 외국 법원에서 재판을 받지 않는다고 주장했을 것이다. 한국인들은 미국의 주장에 더 관심을 갖고 더 신뢰를 부여했을 수도 있다. 그리고 논란이 되는 이슈들의 범주나 그 강도가 감소했을 수 있었을 것이다. 더 많은 한국인이 강대국들과 협상을 하면 항상 지게 된다는 그들의 믿음이 사실과 다를 뿐만 아니라 오히려 그러한 인식이 때때로 실제로 외국인들로 하여금 한국을 상대하길 피하게 만듦으로써 한국의 국익에 해가 될 수 있다는 걸 깨달았을 수도 있다.

중요한 것은, 심지어 대부분의 미국인들도 한국과 한미 관계에 대한 정보를 직간접적으로 한국 언론을 통해 얻는다는 사실이다. 한국 언론이 그러한 문제를 미국 언론보다 훨씬 더 많이 보도를 하기 때문이다. 당연히 한국 언론은 한국에 대해 더 많이 보도하며 물론 한국의 관점에서 보도를 한다. 이 책에서 다루고 있는 1999~2002년 사이에 발생한 사건들 중 미국 관계자들이 당시 한미 관계의 의제에서 중요한 문제라고 여겼던 것은 거의 없다. 미국 관계자들은 대부분의 사건이 미국이 이해하고 있는 한국인들의 이해관계에서도 그리 중요하지 않다고 여겼다. 그러나 이 책에서 열거한 이유들로 한국의 언론과 대중은 이것들이 중대한 이슈라고 여겼다. 그리고 미국 관계자들은 이를 해결하기 위해 상당한 노력과 시간을 들여야 했다. 다시 말해, 미국이 강대국임에도 불구하고 한미 관계의 의제를 정하고 관련된 문제들을 상당 부분 제시하는 것은 바로 한국이다.

관심의 비대칭성은 또 다른 측면을 갖는다. 한국인들은 한국과 한미 관계에 대해 미국인들이 영어로 쓰는 것보다 훨씬 더 많은 양을 한국어로 쓴다. 그러나 한국인들은 영어로도 미국인들이 쓰는 것보다 더 많은 것을 쓴다(또는 영어로 번역을 한다). 이들 상당수는 인터넷에 접속 가능한 사람들이라면 누구나 읽을 수 있다. 따라서 한국인들은 한미 관계에 대한 자신들의 시각을 형성할 뿐만 아니라 한미 관계에 대한 미국인들의 시각에도 놀랄 만큼 큰 영향을 끼친다. 미국은 한국의 중요한 타인이지만 그 역은 성립하지 않는다. 한국을 아는 미국인들은 소수에 불과하기 때문에 미국인들은 한국에 대해 빈 칠판과 같은 상태다. 한국인들은 한국과 한미 관계에 대한 그들의 시각에 영향을 미칠 수 있다.

내가 미국 대사관을 떠난 2002년으로부터 몇 년이 지나고, 나는 심지어 국무부 동료들조차도 공개적인 자리나 사적인 자리에서 서울의 미 대사관과 주한 미군이 이 시기에 한국 대중의 여론을 잘못 다루었다고 말하는 것을 듣고 놀란 적이 여러 번 있다. 그들은 분명 한국 언론과 한국 친구들이 자신들에게 말한 것들을 떠올리고 말했을 것이다. 그들은 한국의 환경이 얼마나 어려운 것이었는지, 또한 대사관과 주한 미군 관계자들이 얼마나 노력을 기울였는지 모른다. 마찬가지로 한미 관계를 공부하고 연구 결과를 발표한 미국 관계자와 학자들이 거의 없기 때문에 미국에 대한 여러 가지 환상과 심지어 거짓말들이 한국에서 마치 사실처럼 받아들여지고 있다. 예를 들어 김영삼 전 대통령이 자기 혼자서 클린턴 대통령을 설득하여 북한을 공격하지 않게 했다는 주장이 많은 한국 사람에게 오늘날까지도 회자되고 있다. 거짓인 데다가 한미 관계에도 악영향을 끼치는 이런 믿음이 미국인에 의해 연구되고 논파되지 못하고 있다는 건 관심의 비대칭성이 얼마나 큰지, 그리고 이것이 궁극적으로 양쪽 나라의 국익을 얼마나 크게 해치는지를 보여준다.[13]

이러한 대중의 관심의 비대칭성은 일종의 불평등이지만 한국인들이 보통 생각하는 그런 종류의 불평등은 아니다. 그리고 이러한 불평등이 반드시 한국인들에게 불리한 것도 아니다. 이 책에서 보여준 바와 같이, 많은 한국의 정치인, 활동가, 기자들이 본능적으로 상황을 이해했고 이를 각자의 이익을 증진시키는 데 사용했다. 전술적으로 이는 그들에게 유리하게 작용했을 수 있다. 그러나 장기적으로 그러한 불균형은 한미 동맹의 토대의 약점을 보여주는 것이며 이를 너무 자주, 또는 너무 과도하게 이용하면 한미 동맹이 침윤될 수 있다.

반미주의란 무엇인가

1999년과 2002년 사이에 미국에 대한 한국 언론과 대중의 폭발이 반미주의인지, 아니면 다른 무엇인지는 한미 관계의 전문가들 사이에서 여전히 논쟁의 대상으로 남아 있다. 내가 그런 것처럼 한국과 미국의 어떤 이들은 이를 두고 반미주의라 일컬었으나 한국과 미국의 다른 사람들은 이 시기에 반미주의의 성향을 작게 평가하거나 아예 존재하지 않았다고 부인하기도 했다.

내가 몇 년 전에 참석한 어느 컨퍼런스에서 한 전직 주한 미군 사령관은 그 자리에 참석한 한국인과 미국인들에게 1999~2002년 사이에 한국에서 벌어진 사건들은 반미주의를 띠고 있지 않다고 주장했다. 나는 그때나 지금이나 그가 본심으로 한 말인지 의문스러웠다. 그는 당시 한국의 상황을 잘 알고 있었을 게 틀림없기 때문이다. 나는 그가 한국과 미국 양쪽에서 한미 동맹과 주한 미군의 존재에 대한 지지를 깎아먹을지도 모른다는 우려로 한국에서의 반미주의에 대한 관심을 비켜가려고 그런 것이 아닌가 생각했다. 아니면 그저 불쾌한 논제를 이야기하고 싶지 않았을지도 모른다. 그러나 당시 상황을 누구보다도 잘 알고 있었을 이 고참 미군 장교가 그의 보수적인 한국군 동료들이 한 말을 그대로 믿었을 수도 있다. 한국에서의 반미주의는 사소한 (다시 말해 변칙적인) 현상에 불과하다는 것이다.

이 이슈들을 다루었던 다른 전직 미국 고위 관계자들은 한국의 반미주의를 낮게 평가하거나 그에 대해 논의하지 않았다. 당시 한국에서의 지위 때문에 그들은 은퇴 이후에도 이 미묘한 사안을 솔직하게 말하는 것이 현명하지 않다고 느꼈을 것이다. 이 시기 한국의 반미주의는 곧 잠잠해졌다. 이제 한미 관계가 최고점에 있다는 것은 반미주의 문제를 질문하는 사람이 별로 없고 새삼스러운 주장을 펼칠 사람은 더더욱 별로 없음을 의미한다. 또 다른 요인은 당시 한미 관계에 연관되어 있던 고위급 미국 관계자들은 자기 지위 때문에 한국에서의 어떠한 반미주의도 평가절하해야 했다는 것이다. 은퇴를 했음에도 불구하고 과거에 자신이 주장했던 것을 철회하는 것은 어색한 일인 데다가 이제 와서 그럴 필요가 없으니 더욱 그럴 수밖에 없다.

그때나 지금이나 많은 한국인들 역시 1999~2002년 사이의 사건들이 반미주의를 담고 있다는 걸 부인한다. 한국의 일부 보수주의자들은 결국 미국에 대한 반대 시위를 극렬히 비난하게 됐으나 진보파는 대체로 이는 반미주의가 아니라 단지 특정한 미국의 정책 또는 잘못된 행위를 비판하는 것이라고 계속 주장했다. 2002년 말과 2003년 초, 한국의 몇몇 진보 인사들은 점차 미국이 실망과 분노의 반응을 보이는 것에 우려를 가졌다. 그때 나는 이미 워싱턴으로 돌아와 있었다. 20년 전에 전두환 정권으로부터 도망 다니던 시절부터 친구였던 한 진보 계열 국회의원이 워싱턴을 방문하여 국무부 동아시아태평양담당 차관보와 조찬을 가졌다. 대화의 주제가 한국의 반미 정서로 옮아가자 그 국회의원은 비통한 얼굴로 내게 "제발 저들(조찬 자리에 있던 나의 국무부 동료들)에게 우리는 반미주의자가 아니라고 말해주게"라고 말했다. 나는 오랜 친구의 부탁을 들어주려고 최선을 다했지만 양심이나 확신을 가지고 길게 이야기할 수 없었다. 나는 그가 진심으로 당시 한국에서 벌어졌던 일들은 반미주의가 아니고 단지 정책과 잘못된 행동에 대한 비판일 뿐이라고 여겼으리라 생각한다. 게다가 다른 진보 인사들과 마찬가지로 그도 한미 동맹이 한국에 중요하다고 느꼈고, 따라서 미국에서 '반한주의'의 조짐에 우려를 갖고 있었으리라.

몇몇 학자들은 한국에 반미주의가 있다는 걸 전적으로 부인한다. 예를 들어 메러디스 우-커밍스는 이렇게 썼다. "'반미주의'에 대한 비난은 거짓이며 사실을 오도하는 데다가 위험하고 … 반미주의라는 단어를 과도하게 남용하는 것이다."[14] '반미주의의 분출'이라고 표현하는 대신 그녀는 1999~2002년 사이의 사건들을 "미국에 대해 최근 한국이 쏟아낸 불만"이라고 표현한다. 그는 자신의 주장을 뒷받침하는 여러 근거를 제시하지만 "최근 한국이 쏟아낸 불만"은 "한국인들이 진정으로 사랑하는 것을 즐기며 한국이 정당한 자존심을 그 자체로 표현하는 것"이라고 결론짓는다.[15]

분명 과거에 한국인들은 미국을 비롯한 외세의 손아귀에서 큰 고통을 받았다. 그리고 오늘날 한국인들은 자기 나라가 일구어낸 성취를 충분히 자랑스러워할 만하다. 그러나 그러한 자긍심의 표현이 외국의 (실제가 아닌 그렇게 인식된) 무례를 적대적으로 반응하는 것을 필요로 하거나 수반된다면 대부분의 사람들이 생각하는 의미에서의 '반反'이 적용되어야 한다고 생각한다. 그러한 '반反'의 반응은 미국에 문제가 될 뿐만 아니라 한국의 국익에도 해가 될 수 있다.

신기욱과 아이잣은 한국에서 반미주의와 반동맹 정서를 구분했다. 둘은 이 책에서 다루고 있는 기간 동안 심각해진 것은 오직 반동맹 정서였으며, 반미주의 운동은 훨씬 오래전부터 한미 동맹에 이의를 제기하지 않고 벌어졌었다고 말한다. 이들은 반동맹 정서의 부상은 주로 1990년대 중반 북한의 기근에 대한 한국인들의 감정과 북한이 더는 남한을 침략할 의사도 능력도 없었던 2000년 남북정상회담에 주로 기인한다고 본다. 게다가 이 시기에 한미 동맹에 이의를 제기했던 것은 오직 진보뿐이었다고 주장한다. 한국 보수가 한미 동맹에 대해 비판적일 수 있었던 것처럼 그들은 한미 동맹이 한국의 이익에 부합한다고 확신하고 있었다.[16]

이는 결코 한국인들이 특히 오늘날 한국인들이 다른 나라와 비교했을 때 특별히 반미주의적이라고 말하려는 게 아니다. 오히려 정반대로 대부분의 한국인들이 미국에 갖는 감정은 대체로 호의적이다.

그러나 적어도 대부분의 미국인들이 이해하는 의미에서의 반미주의
가 한국에서 1999년과 2002년 사이에 크게 표출됐고, 그 이후에도
몇 년간 그러했다. 미국 또는 미국 시민이 한 것과 하지 않은 것에 대
한 편견과 오해를 상당 부분 기반으로 한, 미국 전체에 대한 적의의
표출을 표현하는 데 반미주의라는 단어보다 더 적합한 단어가 있을
까? 이는 어떤 사람에 대한 고발이 아니다. 우리 역사에서도 우리 미
국인들이 미국의 소수자들뿐만 아니라 다른 나라와 사람들을 잘못
되고 과장된 적의를 품은 적이 있었다는 사실을 인정하는 것과 다
르지 않다.

얼마나 심각했나

뒤늦게 돌이켜보면 당시 반미주의의 분출이 그리 심각하지 않았
다고 결론지을지도 모른다. 결국 몇 년밖에 지속되지 않았고 양국의
관계는 그 이후 다시 정상으로 돌아갔다. 비난과 시위가 최악의 상황
까지 갔음에도 한미 동맹은 지속됐고, 대부분의 주한 미군은 한국
에 잔류했으며, 북한은 대체로 억제됐고, 경제적·인간적 교류는 심
각하게 영향을 받지 않았다.

실제로 많은 전직 미국 관료가 당시를 매우 긍정적으로 언급했다.
예를 들어 2001년부터 2004년까지 주한 미 대사를 역임했던 토머
스 C. 허버드는 이렇게 쓴 바 있다. "요즘 언론인들은 부시-노무현 시
기를 한미 관계에 최악의 시기로 묘사하는 경향이 있다. 나는 역사
가들이 이 두 정상이 우리 한미 관계에 미친 영향에 대해 보다 긍정

적으로 평가할 것이라 생각한다." 그는 다른 것들 중에서도 북한과
아프가니스탄에 관한 한미 협력, 그리고 한미 FTA의 사례를 언급하
면서 다음과 같이 덧붙였다. "(노무현 주변의 진보 세력이) 권력의 현실
에 접근하면서 한미 동맹에 대한 지지의 저변을 넓히는 효과를 가져
왔다. 이런 효과는 향후에도 계속 이어질 것이다."[17]

　노무현의 대통령 당선이 한미 동맹 지지의 저변을 넓힌 것이 사실
일지도 모른다. 그러나 10년이 넘은 오늘날까지도 이는 분명치 않다.
어쩌면 이 시기에 반미주의의 폭발은 피할 수 없는 것이었으면서 이
전에는 통치를 해본 적이 없는 정치 세력이 일시적으로 그간 쌓여
있던 분노를 분출한 것이었을지도 모른다. 어쨌든 당시의 경험은 상
황이 더 악화되어 더 많은 시위와 비난이 발생하고 한미 동맹을 관
리하는 것이 보다 큰 좌절감을 주고 더 많은 시간을 소모하게 될 수
있었다는 걸 보여주지 않는가? 어쩌면 그럴지도 모른다. 그러나 나는
한미 동맹은 지나치게 안주하기에는 양국의 관료들과 국민들에게 너
무 중요하다고 강변할 것이다. 당시 상황은 꽤나 심각했으며 훨씬 더
악화될 수 있었다는 많은 증거가 있다.

　당시의 여론조사 결과는 미국에 비정상적일 정도로 적대적인 대
중 감정을 드러냈다. 2002년 말 통상적인 여론조사 결과는 한국 응
답자 53.7퍼센트가 미국에 부정적인 견해를 갖고 있었다. 게다가 대
학생 응답자의 80퍼센트가 그랬다.[18] 심지어 한국의 대중 엔터테인먼
트도 이러한 반미 정서에 휩싸였다. 예를 들어, 후일 「강남 스타일」의
뮤직비디오로 세계적인 스타가 된 싸이의 경우, 2002년 공연에서 신
효순 양과 심미선 양을 죽게 만든 군용 차량의 모형을 부수었으며,
2004년 공연에서는 미국인들을 죽이라는 내용의 노래를 불렀다.[19]

싸이가 세계적으로 유명해지고 이 사실이 해외에 알려지자 그는 사과문을 발표하면서 다음과 같이 말했다.

8년 전에 나온 문제의 노래는 이라크 전쟁과 두 한국 여중생의 죽음에 대한 매우 감정적인 반응의 일부였습니다. 이는 당시 세계인들이 공유하고 있던 전반적인 반전 정서의 일부이기도 했습니다. 스스로를 표현할 수 있는 자유에 감사하는 한편 어떠한 언어가 적절한지에 대해서는 한계가 있음을 배웠으며 이러한 가사가 어떻게 해석될 수 있는지에 대해 깊이 유감입니다. 저는 이러한 언어로 인해 다른 사람에게 미친 고통에 대해서는 어떤 것이든 영원히 죄송한 마음일 것입니다.[20]

이 시기에 한국에 있던 미군 인원들은 악당으로 묘사되고 공격받고 인질로 잡히기도 했으며, 심지어 살해당하기까지 했다. 결국 몇몇 한국인들이 미국 시민들과 미국인으로 오해한 다른 나라 국민들도 괴롭혔다. 미국의 군 및 민간 관계자들은 한국 언론과 여론의 적개심을 관리하고 한국 정부의 여러 가지 사안에 대한 협상 요청에 대응하는 데 과도한 시간을 썼다. 이는 이들의 핵심 책무인 북한에 대한 억제 강화에서 멀어지게 만들었다. 한국의 반미 감정 분출은 북한 정권으로 하여금 매우 중요한 순간에 비행을 저지르게끔 조장한 효과를 낳았던 것으로 여겨지는데 여기에는 북한의 핵 및 미사일 개발과 서해에서 벌어진 남북 해군의 충돌도 포함되어 있다.

한국의 반미주의는 2002년 12월 노무현이 단 2퍼센트의 차이로 대통령에 당선되는 데 결정적인 역할을 했을 수 있다. 여러 가지로 뛰어나고 존경스러운 사람이었지만 노무현은 미국을 한번도 방문한 적이 없었다. 미국과 세계에 대한 그의 협소한 견해는 민주화운동에 평생을 헌신하면서 형성된 것이나 다름없었다. 이는 북한의 핵개발을 막기 위한 한미 공조를 매우 복잡하게 만들었다. 조지 W. 부시 대통령도 외교적 수완의 부족과 북한에 대한 심각한 일관성 부족으로 많은 비난을 받았지만 말이다.

미국의 고위 관료들은 당시 상황에 점차 당혹감을 느끼고 있었으며, 몇몇 언론은 미국이 2003년 초에 주한 미군을 감축할 계획을 세웠던 것이 한국의 반미주의에 대한 반응이었다고 보도하기도 했다.[21] 당시 미 국방장관이었던 럼스펠드는 "적어도 한 차례 이상 '만약 당신(한국인)들이 한국에 미군이 주둔하길 원하지 않는다면 즉각 철수할 수 있다'고 말한 것으로 알려져 있다."[22] 그러나 당시 주한 미 대사였던 토머스 C. 허버드는 이렇게 썼다.

> 몇몇 (한국) 보수들은 미국의 (주한 미군의 배치 규모의) 조정 추진이 반미 시위와 한때 한미 동맹을 반대했던 사람이 한국의 대통령에 된 데에 대한 불쾌감 때문이라고 말한다. 사실 미국의 주한 미군 감축 계획은 한국 정치 자체보다는 미군의 규모를 정비하려는 럼스펠드의 노력과 미군을 다른 곳에 배치할 필요성의 증대에 의한 것이 더 크다.[23]

이에 대한 나의 이해는 허버드 대사의 견해와 비슷하지만 어쨌든 이는 한국에서 심각한 논란이 됐으며 진보-보수 간의 의견 양극화를 심화시키는 결과를 낳았다.

2004년에 실시된 또 다른 설문 조사 결과는 특히 충격적이었다.

한국 육군사관학교 1학년 생도들의 34퍼센트가 미국을 한국의 '주적'으로 여기고 있었다. 북한을 주적으로 여긴 생도들은 33퍼센트였다. 당시 육군사관학교 교장은 나중에 설문 결과를 두고 믿을 수 없다고 말했다. 그는 노무현 정부가 당시 설문 결과를 발표하지 말라고 압력을 넣었다고 말한 것으로 알려져 있다.[24] 1999년부터 2002년까지 반미 정서가 이들 젊은이에게 얼마나 지속적으로 영향을 미치고 있었는지를 아는 것은 불가능하나 이런 결과들로 볼 때 그 영향은 상당했던 것으로 보인다.

그러므로 당시 상황은 분명 심각했다. 이미 2000년부터 한국의 반미주의는 미국과 한미 동맹에 해가 되고 있었다. 미국 시민들을 비롯한 개인들에게도 해가 됐다. 그리고 나는 한국의 국익에도 해가 되고 있었다고 생각한다. 2002년이 되자 한국 대중은 미국에 대해 최악을 생각할 준비가 되어 있었다. 2002년 이후, 주한 미군에 대한 대중적 압박을 완화시키는 데 도움을 주었던 그해 대선이 끝난 이후에도 대북 정책에 대한 한미 간 견해차와 주한 미군 주둔 수준과 기지 문제에 대한 럼스펠드 국방장관의 퉁명스러움은 한미 간의 공식적인 관계를 악화시켰다. 노무현 대통령은 개인적으로 한미 자유무역협정을 추진하면서 서명을 했음에도 불구하고 자신이 속한 진보 진영에서 대규모로 조직적인 반발을 하는 바람에 비준을 위해 협정을 국회로 가져가지 못했다.

이런 문제가 몇 년 더 지속됐더라면 한미 관계는 아예 끝장났을까? 정확히 답하긴 어렵다. 많은 한국인은 미국이 순전히 자국의 이해관계 때문에 한국에 있는 것이라고 믿는 편이었고, 그러므로 결코 한국을 떠나지 않으리라고 믿었다. 물론 미국은 한국에서 중대한 이해관계를 갖고 있다. 그러나 이미 설명했듯이, 그러한 이해관계는 국가 대전략 차원에서뿐만 아니라 미국의 역사와 정치에도 뿌리를 두고 있는 것이다. 이러한 이유로, 만일 미국이 한국 국민들에게 진실로 거부당한다면 미국이 한국에서 철수하는 것은 가능하며, 피할 수 없는 일이다.

  필리핀의 미군 기지 폐쇄를 예로 들 수 있다. 필리핀 미군 기지의 역사는 1899년과 미국이 필리핀을 식민지화했을 때까지 거슬러 올라간다. 여기에는 마닐라 북쪽에 있는 클라크 공군기지와 수빅 만 Subic Bay의 거대한 해군기지도 포함된다. 1991년 조지 H. W. 부시 행정부와 코라존 아키노 정부는 양국 간의 기지 협정을 재협상했는데 마르코스 대통령 이후 새로 개정된 헌법은 필리핀 상원의원 24명 중 3분의 2가 찬성을 해야 협정이 비준될 수 있었다. 상원의원 12명이 반대표를 던졌다. 그래서 아키노 대통령의 노력에도 불구하고 미국은 14개월 동안에 필리핀에서 철수했다. 비록 냉전의 종식과 피나투보 산의 화산 폭발이 미군 철수에 어느 정도 역할을 했지만 필리핀 상원의원의 표결이 결정적이었다.[25]

왜 반미주의의 분출이 끝났나

  그렇게 심각했던 한국의 반미주의는 왜 급작스레 끝난 것일까? 여러 가지 이유가 복합적으로 작용하고 있었던 것으로 보인다. 2002년 12월 19일 노무현 대통령이 당선된 것이 큰 역할을 했다. 당선되기 전까지 진보 운동권 계열 정치인으로 활동하면서 노무현은 미국에 비판적인 것으로 유명했다. 그러나 대선 운동 중, 그리고 당시 미국에 퍼져 있던 인상과는 반대로 그는 그러한 태도를 유지하면 선거에 도움이 되지 않으리라고 판단했던 듯하다. 그는 주한 미군에 대한 과거의 발언을 철회하고, 신효순·심미선 양의 죽음을 비롯한 미국과 관련된 문제들에 대해 상대적으로 낮은 자세를 취했다. 노무현은 실제로 자신의 보수파 경쟁자에 비해 미국을 보다 조심스럽게 말하는 편이었다. 보수파 대선 후보였던 이회창은 거리에서 시위가 계속되면서 여론조사에서 자신이 우위를 빠르게 잃어가자 보란 듯이 촛불시위에 참석하고 미국 대사에게 모욕적인 공개 항의를 전달했다. 대선 운동의 마지막 몇 주 동안 서울에서 대규모 반미 시위가 벌어지면서, 노무현은 이미 미국에 대해 보다 비판적인 후보로 인식되고 있어 선거에서 우세하다는 것을 알았고, 따라서 그러한 점을 굳이 강조할 필요가 없었다. 한편 대규모 반미 시위는 노무현에게 투표할 가능성이 높은 젊은 유권자와 진보파들을 자극했고, 보수파들의 투표 의지를 약화시켰다. 노무현의 신승은 386세대와 보다 더 젊은 세대에게서 그가 압도적인 인기를 얻고 있었기 때문에 가능했다.

거리에서 시위를 벌이고 있던 한국인들은 분명 자신들의 진솔한 믿음과 감정을 표현하고 있었다. 그러나 한편으로는 다가오는 대선이라는 추동력이 없었더라면 그 정도의 규모와 지속력, 강도를 갖지 못했을 것이다. 어쨌든 노무현은 대통령에 당선되자마자 즉각 주한 미군을 비롯한 미국 문제에 회유적인 자세를 취했다. 취임 이전부터 그는 주한 미군 사령부를 방문하여 한국전쟁 당시 미국의 희생을 찬양하고 한미 동맹이 "귀중하다"고 말했다. 절제된 표현으로 그는 반미 시위의 중대성을 평가절하했다. "비록 미국에 대해 목소리를 높이는 일부 사람들이 있는 것은 사실이지만 … 우리의 진실된 감정을 바탕으로 한국인들이 서로 노력하면 큰 문제는 되지 않을 것입니다."[26]

선거 이후 노무현의 태도가 변화한 데에는 여러 가지 이유가 있다. 이제 대통령이 됐기 때문에 반미 시위로 인한 지지가 더 이상 필요하지 않았다. 게다가 이제 후보가 아닌 대통령으로서 그는 여러 가지 문제를 미국과 같이해야 했다. 그러나 무엇보다도 노무현에게 중요한 것은, 김대중 대통령이 그러했듯, 북한이었다. 노무현 대통령의 대북 정책은 본질적으로 김대중의 햇볕정책을 평화 번영 정책이라는 이름으로 다시 포장한 것이었다. 조지 W. 부시는 김대중 대통령이 2001년 3월 백악관에서 그를 만났을 때 햇볕정책에 대한 깊은 회의를 드러낸 바 있다. 그러나 노무현은 자신의 대북 외교에 부시 대통령의 지지, 혹은 좀 더 현실적으로는 보다 완만한 반대를 필요로 했다. 이를 위해 노무현은 자신의 정치적 이해관계와 다른 문제들에서 자신의 원칙을 희생할 준비가 되어 있었다. 가장 명백한 사례는 미국의 이라크 침공 및 점령에 다른 나라들도 파병해달라는 부시 행정부의 요구에 노무현 대통령이 응답한 것이다. 부시 행정부의 이러한 요청은 일차적으로는 부시 행정부가 자국 국민들에게 자신의 정책이 국제적인 지지를 얻고 있다고 주장하기 위해서였다. 노무현 대통령은 매우 주저하면서 이라크의 점령을 돕기 위해 한국군을 보내기로 했다. 당시 그는 오직 파병만이 미국으로 하여금 자신의 대북 정책을 보다 지지하게 만들 수 있으리라는 생각으로 파병을 결정했다고 공개적으로 말했다. 임기 말이 되자 그는 당시 파병 결정에 대하여 필요한 것이었으나 "역사적 오류"였다며 자신은 당시 이라크에 파병을 원하지 않았었다고 공개적으로 말했다.[27] 그럼에도 불구하고 오늘날 많은 한국인과 미국인은 한국군의 이라크 파병을 한미 동맹의 공고함과 글로벌 차원에서 한미 간 협력의 증거로 자주 인용한다. 한국군 파병이 정당하고 유용했는지에 대해서는 이견이 있을 수 있으나 결코 이라크 파병이 한미 동맹의 공고함의 증거로 인용돼서는 안 된다. 파병이 결정된 맥락을 살펴보면 이는 오히려 그 정반대의 증거였다.

2002년이 지나고 2003년이 되자 한국 지도자들은 한국의 반미주의에 대한 미국의 실망과 분노를 점차 걱정하기 시작했다. 2002년 가을 한국을 방문한, 훈장도 받은 제2차 세계대전 참전용사 테드 스티븐스 미 상원의원(알래스카 주, 공화당)과 다니엘 이노우에(하와이 주, 민주당)는 서울시청 앞에서 벌어진 대규모 반미 시위를 목격했다. 그 시위에서는 대형 성조기가 불태워졌다. 그들은 격노하여 한국 측 관계자들에게 개인적으로 강력한 메시지를 전달했다. 스티븐스와 이노우에가 미국의 국방 예산 승인 과정에서 중요한 역할을 하고 있었기 때문에 그들의 항의는 한국 정치 지도자들을 긴장시켰다. 한편 미국 언론에서는 한국을 크게 비판하는 논평과 사설이 등장하기 시작했다. 약 25년 전 워싱턴에서 코리아게이트 스캔들이 터졌던 이후에는 볼 수 없었던 일이었다. 당시 주한 미 부대사였던 에번스 J. R. 리비어는 내게 한국 정부 관계자들을 만났을 때 자신이 그런 논평들을 지적하자 마침내 그중에서 몇몇이 한국에서의 반미주의를 언급하고 행동을 취하기 시작했다고 말했다.[28]

주한 미군의 비행에 대한 한국의 관심이 사라진 또 다른 이유에는 럼스펠드 국방장관의 강력한 정책관과 고압적인 스타일도 있었다. 럼스펠드는 전 세계 곳곳에 배치된 미군이 비상시 세계 어느 곳에나 파병될 수 있도록 하는 것을 우선순위로 두었다. 그는 주둔국이 그러한 움직임을 거의 100퍼센트의 가능성으로 허용하기를 원했고 만일 그게 불가능하다면 보다 신축적으로 병력을 이동시킬 수 있는 다른 나라로 재배치하고자 했다. 한국의 상황은 그에게 골칫거리였다. 한국전쟁 발발 당시부터 한반도에서 미군은 북한의 남침을 억제하고 만일 공격이 발생하게 되면 북한을 패퇴시키기 위한 목적으로 존재해왔다. 그러나 이후 수십 년이 지나면서 한국은 (최소한 재래식 군사력으로는) 군사적으로나 경제적으로나 북한을 훨씬 능가하게 됐다. 미국의 많은 한국 전문가는 남한이 북한을 혼자서도 (비록 보다 큰 위험과 비용이 뒤따르겠지만) 물리칠 수 있으리라고 확신한다. 동시에 진보와 보수를 막론하고 한국인들은 럼스펠드 장관이 주창한 '전략적 유연성' 개념하에 주한 미군 부대가 타국의 위기 상황에 다른 곳으로 파견되는 것을 바라지 않는다. 그러한 움직임은 북한에 대한 억제를 약화시킬 것이라는 우려인데 특히 중국과 연관된 우발 상황에 한국에 주둔한 미군 병력이 파견될 것을 우려했다. 중국의 분노가 한국에 쏠릴 수 있기 때문이다.

2003년 3월부터 5월까지 미국의 이라크 침공과 뒤따른 점령은 미국으로 하여금 한국에 주둔한 미군의 병력을 감축시키려는 압력을 가중했다. 시간이 지나면서 미 국방부의 몇몇은 미국의 군부대는 벌써 서너 차례 이라크에 파병됐는데 한국에 배치된 부대는 한 번도 파병이 되지 않은 것이 불공평하다고 여겼다. 이들은 이러한 상황이 미 육군과 해병대의 사기에 악영향을 미치고 있으며, 군 내에서의 신뢰 문제이기도 하다고 주장했다. 2004년 미국은 한국에 배치되어 있는 제2보병사단의 두 여단 중 하나를 철수하여 이라크에 보냈다. 이 여단은 이후 한국에 돌아오지 않았다.

노무현 대통령은 개인적으로 단계적인 주한 미군 감축을 환영했을 테지만 외교 채널을 통해 이 소식을 처음 듣게 됐을 때 충격을 받았다. 아직 임기 초기였으며 그는 본능적으로 보수 야당이 즉각 이 문제를 두고 미국이 노무현을 대통령으로 뽑은 것에 한국을 벌주고 있는 것이라고 결론 내릴 것임을 알았다. 그는 사적으로는 자신이 받은 충격을 분명하게 표현했으나 공개적으로는 아무 말도 할 수 없었다. 그가 공개적으로 한국이 보다 자주적으로 국방을 해야 할 필요가 있다고 말했을 때 몇몇 보수 세력은 이를 두고 노무현이 한미 동맹에서 한국을 떼어놓으려고 한다며 그를 비난했다. 럼스펠드 장관이 사실상 한국인들이 원한다면 미국도 기쁘게 한국을 떠나겠다고 말했다는 언론 보도는 상황을 더욱 악화시켰다. 주한 미군 감축 제안을 둘러싼 논쟁에 더해, 한반도에서 전쟁이 발생하게 될 경우 언제부터 한국이 미국 대신 작전통제권을 행사해야 하는지에 대한 논쟁도 있었다. (한국 대통령은 한국전쟁 개전 초기에 한국군의 작전통제권을 한국의 최고위 미군 장성에게 주었다. 한국은 평시작전통제권을 1994년부터 행사하기 시작했으나 한반도에서 또다시 전쟁이 발생할 경우에는 여전히 한국의 최고위 미군 장성이 한국의 미군 및 한국군에 작전통제권을 행사하게 된다.)

주한 미군 감축과 전시작전통제권 전환의 문제 모두에서 한국 보수는 한미 간 안보 유대를 조정하려는 럼스펠드 장관의 열의를 노무현 대통령의 태도 탓으로 오해하고 그를 비난했다. 2002년 대규모 시위가 발생했는데 미국에서 반한 감정이 확산되는 것에 대한 보수층의 경악이 이와 결합하면서 노무현 정부에 보수층이 대규모로 반발했다. 한국전쟁 세대와 참전용사, 그리고 복음주의적 개신교인들이 주축을 이루는 보수층은 진보 단체들이 오랫동안 사용해오던 전술을 모방하며 대규모 시위를 조직하고 노무현과 다른 진보 세력들을 강력하게 비난하는 성명들을 냈다.

마지막으로 반미주의 분출의 종말은 리더로서 노무현 대통령의 약점과 그로 인해 5년 단임의 대통령 임기에서 초반에 지지도가 크게 하락한 것에서 그 원인을 찾을 수 있다. 노무현은 1946년 매우 가난하게 태어나 어릴 적에 한국전쟁을 겪었다. 뛰어난 학생이었으나 대학에 갈 돈이 없었다. 대신 엄청난 의지와 자기 절제로 법학을 독학하고 29세에 변호사 시험을 통과한다. 그는 1981년 군부 정권에 반대한다는 이유로 신체적 고문을 받은 젊은이들을 변호하면서 급진적이 됐다. 그는 한국의 노동운동에 참여하면서 김영삼 정당의 관심을 받아 1988년 국회의원에 선출됐다. 그 후 노무현은 전두환 전 대통령과 그 정권의 일원들에 대한 5공 비리 청문회에서 열정과 언변으로 주목받으며 유명세를 얻었다.

안타깝게도 노무현을 대통령으로 만든 바로 그 개인적인 특성과 경험이 그가 대통령직을 성공적으로 수행하는 데 장해가 됐다. 그의 열정과 이상주의는 기브 앤 테이크가 일상인 정치계에는 어울리지 않았다. 특히 진보와 보수의 대립이 오늘날 워싱턴에서의 공화당과 민주당의 대립보다 더 심한 한국에서는 더욱 그러했다. 노무현은 비난에 민감했으며 자신과 자신의 정부에 관한 언론과 편파 세력들의 공격을 개인적으로 받아들였다. 그의 행정 경험의 부족—1년도 안 되게 맡은 해양수산부 장관직이 그가 중앙정부에서 공직을 맡은 유일한 경험이었다―은 그가 갖고 있던 민주적·경제적 개혁의 원대한 야망을 실현시키는 것을 보다 어렵게 만들었다.

노무현이 태어나면서 겪은 가난과 그의 좁은 커리어는 국제사회, 무엇보다도 미국을 이해하고 다룰 준비를 미비하게 했다. 그가 대통령에 당선되기 전까지 그는 세 나라만 각기 1주일 정도 방문해보았다. 미국을 방문한 적이 없었다. 국회의원으로 그는 서울의 여러 대사관에서 열리는 외교 연회에 초대를 받았으나 영어를 하지 못하는 데다가 그의 열정과 웅변술에도 불구하고 원래 내성적이어서 종종 연회장 구석에 혼자 있다가 곧 연회장을 빠져나오곤 했다.

노무현은 하필이면 조지 W. 부시가 미국 대통령일 때 대통령으로 선출됐다. 부시의 호전적인 수사법과 공격적인 스타일은 미국에 대한 노무현의 편견을 가중시켰다. 또한 북한 정권에 대한 부시의 증오는 노무현의 확신과 비견될 만했다. 노무현은 북한 지도부의 행위가 대부분 미국에 대한 순전한, 그리고 정당화 가능한 공포에 따른 것이라고 확신했던 것이다. 나는 공직을 떠난 직후에 이렇게 쓴 바 있다. "당시 미국과 한국 대통령들의 개인적 스타일은 긴장을 보다 증대시키고 격화시켰다. 조지 W. 부시 대통령은 세계 문제에 대해 흑백 논리를 적용하는 반면 노무현 대통령은 한미 동맹을 비롯한 많은 곳에서 회색 지대를 보았다."[29]

그리하여 노무현은 임기 초기부터 대규모의 반대와 심각한 어려움에 직면했다. 임기를 시작한 지 3개월 만에 그는 반대에 직면하여 대통령직을 계속할 수 있는지 의구심이 든다고 공개적으로 말했다. 그 이듬해인 2004년, 보수 야당은 대통령이 선거에 개입했다며 경솔하게 그를 탄핵했으며, 노무현은 사실상 대통령으로서의 권한을 헌법재판소가 결정하기까지 2개월 동안 정지해야 했다. 한편 북한은 미국이 우라늄 농축으로 핵무기 개발 시도를 중단할 것을 요청하면서 2차 북핵 위기를 맞은 이후, 2002년 말과 2003년 초부터 핵무기 개발을 재개했다. (1993~1994년의 1차 북핵 위기는 북한이 핵개발을 동결하기로 합의하면서 끝났었다.) 노무현 대통령의 노력에도 불구하고 부시 행정부는 노무현의 대북 정책을 거부했고, 북한은 노무현 정부와 진지하게 거래하기를 거부했다.

진보-보수의 분열로 노무현 대통령의 결점은 더 심해졌다. 노무현의 지지도는 크게 떨어졌으며 보수 세력의 저변을 넓히는 결과로 이어졌다. 노무현의 지지도가 떨어지자 조지 W. 부시는 많은 한국인에게 그리 나빠 보이지 않았다. 게다가 2차 북핵 위기는 노무현의 대북 정책이 순진하게 보이도록 했고, 반대로 조지 W. 부시의 회의적인 접근법을 보다 이해할 수 있는 것으로 만들었다. 그리하여 노무현이 청와대에 있었음에도 불구하고 진보파는 과거 어느 때보다 그 세력이 약했다. 미국의 인기는 회복됐으며 주한 미군에 대한 시민 단체와 언론의 공격은 흐지부지됐다. 그러나 대북 정책을 둘러싼 논쟁은 공식적인('대중적'의 반대 의미로) 한미 관계를 계속 괴롭혔다. 이는 대북 정책이 노무현의 우선순위에 있었기 때문이자 부시의 관점과 (적어도 두 번째 임기에서 입장을 급작스레 바꾸기 전까지) 매우 달랐기 때문이다.

한국에서 다시 반미주의가 일어날 수 있을까

1945~1948년 미군정 시기 이후 한국에서 반미주의가 가장 극심하게, 장기간에 걸쳐 표현된 지 10여 년이 지났다. 노무현 대통령이 2008년 물러난 이후 보수파가 계속 대통령직에 올라 있는 지금, 공식적인 한미 관계는 미국의 공화당·민주당 대통령 아래에서 훌륭하게 유지해왔다. 한국의 여론조사 결과는 미국에 우호적으로 나타나며 오바마 대통령, 한미 동맹, 그리고 주한 미군의 주둔에 대해서도 그러하다. 한미 정치 지도자들은 대북 정책에 이해를 같이한다. 한국 대중은 좀 더 의구심을 갖고는 있으나 극적인 차이를 만들어낼 수 있는 다른 정책 대안을 상상하기가 어렵다는 걸 안다. 1994년 북미자유무역협정NAFTA 이후 미국에게는 최대 규모의 자유무역협정인 한미 FTA가 2012년에 발효되어 미국과 한국의 경제를 좀 더 통합하고 있다. 2008년, 한국 국민들은 비자면제프로그램Visa Waiver Program에 의해 비자 없이 미국을 여행자로 방문할 수 있게 됐다.

한미 동맹은 1999~2002년의 반미주의 분출에서 살아남았을 뿐만 아니라 그 어느 때보다도 공고한 듯하다. 위에서 언급한 요인들 외에도 미국이 한국의 요구를 만족시켰기 때문에 한미 동맹이 공고한 것일까? 아니면 앞에서 언급된 사건들은 민주화되고 있는 한국에서 젊은 한국인들이 과거 미국의 잘못된 행동(사실이든 그냥 그렇게 여긴 것이든)에 분통을 터뜨렸던 일회성의 현상이었을까? 이제 한국인들의 체계 안에 반미주의는 없는 것일까? 아니면 또 다른 분출도 가능하며 심지어 곧 그럴 가능성도 있는 것일까? 만일 그렇다면 이러한 사건들이 다시 반복되는 것을 막기 위해 한미 관계를 강화시키려면 무엇을 해야 할까?

미국은 한국의 요구를 만족시켰나

한미 관계가 개선된 이유는, 적어도 부분적으로 양국 관계에서 '평등'과 '공정'에 대한 한국인들의 요구를 미국이 만족시켰기 때문인가? 이러한 견해를 지지하는 사람들은 여러 가지 요인을 지적할 수 있다. 예를 들면 클린턴 행정부의 마지막 2년간 미국은 노근리 학살 사건을 수사하고 이에 대한 유감의 성명을 냈으며 이를 추모하는 추모비와 장학 사업을 제공했다. 한미 SOFA는 미국 군인에 대해 한국 측에 보다 많은 관할권을 주고 주한 미군이 한국의 환경을 지켜야 할 책임을 강조하는 쪽으로 개정됐다. 게다가 미국은 한국의 미사일 사정거리와 탑재 중량을 증가시키는 데 동의했다. 에이전트 오렌지를 생산한 미국 기업들은 한국 법정에서 재판을 받았다. 미국은 매향리 근방에서 실시하는 폭격 훈련의 빈도를 줄였고 이후 사격장을 폐쇄했다. 부시 행정부 시절에도 부시 대통령은 개인적으로 신효순 양과 심미선 양의 사망에 유감의 성명을 발표했다. 부시 대통령은 자신의 두 번째 임기에 북한과 미국의 직접 협상을 더는 반대하지 않았다. 또한 1999년부터 2002년까지 미국에 우호적인 사람들을 비롯한 많은 한국인이 한국인들의 대중적인 우려에 미국이 제대로 대응하지 않는다며 미국을 비판했지만 오늘날에는 주한 미군과 서울의 미 대사관이 한국인들을 자극할 수 있는 이슈들에 보다 빠르고 '진지하게' 대응하고 있다는 인상을 갖고 있다.

그럼에도 불구하고 노근리 사건의 유족들은 미국의 방안을 결코 해결책으로 인정하지 않았다. 2001년의 한미 SOFA는 정부가 주요 성과로 크게 선전했음에도 불구하고 단지 절차상의 변화만 있었고 실질적인 결과물은 거의 없다시피 했다. 미국은 한국의 고엽제 피해자들에게 결코 보상을 제공하지 않았다. 북한에 역대 가장 강력한 제재를 가하고 있는 것은 오바마 대통령 체제하의 미국이다. 당시 주한 미군과 미국 대사관의 관계자들이 그때의 경험을 혹독하게 느꼈고, 그 결과 후임자들은 또다시 한국이 대중 시위를 일으킬 수 있는 가능성에 재빠르게 대응한다. 여기에는 미국의 공식적인 사과 표시도 포함되는데 과거에는 사과의 표시가 유죄를 시인하는 것으로 비쳐질 수 있는 데다가 향후 견책 또는 형사 소송에 휘말릴 수 있을 가능성 때문에 미국이 꺼리던 것이었다. 그러나 심지어 1999~2002년 사이에도 미국의 반응은 한국 언론이 보도했던 것보다 훨씬 빠르고 진솔했다. 따라서 2002년 이후로 한국에서 미국의 행동이 그리 많이 바뀐 것 같지는 않은 것으로 보인다. 그리고 어떠한 경우에도 미국의 행동은 한국의 시위자들과 비판론자들이 주장한 것처럼 문제가 될 만한 것이 아니었다.

반미주의 분출은 '일회성' 현상이었나

1999~2002년의 사건들이 다시 반복되지 않을 이행기적인 현상이라고 설득력 있게 주장할 수도 있다. 언론의 자유를 억압하고 공정 선거를 부정하며 활동가들을 고문한 정권 아래서 조악한 반공 교육을 학교에서 강제로 받아온 386세대가 권위주의 통치에 저항하여 들고일어난 것은 자연스러운 일이었다. 그리고 미국이 한국의 많은 부분에 관련되어 있는 만큼 많은 이가 자국의 현 상황에 미국 탓을 하는 것도 자연스러웠다. 한국 정부의 과도함에 대한 반작용으로, 젊

은이들은 한시적으로 북한에 무비판적으로 동조하고 미국을 희생양으로 삼으면서 반대 방향으로 너무 멀리 나아갔다. 이미 미국이 한국에게 불공평하고 부당하게 대했다는 의심에 심각하게 분노했으니 이제는 미국에 그런 엄청난 응분을 품고 있지 않을 수 있다.

게다가 2008년의 광우병 시위(이에 대해서는 아래에서 더 설명할 것이다) 이후 한국에서는 미국과 관련된 대규모 시위가 발생한 적이 없다. 한국에 주둔하고 있는 미군 인원의 수는 2만 8,500명 미만으로 그 어느 때보다도 적으며 소규모의 미군 기지는 폐쇄가 진행되고 있다. 다른 조건이 동일하다면, 주한 미군의 규모가 줄어들 경우 주한 미군의 비행으로 인한 (진짜든 아니든) 문제들도 줄어들 것이다. 미국과 한국 관계자 모두 과거의 문제들로부터 교훈을 얻었고 대중 시위를 일으킬 가능성이 있는 문제들에 빠르게 대응한다. 2002년의 한국인들 대부분은 미국인들이 한국의 시위에 거의 관심을 갖지 않았다는 데 놀랐을 것이다. 그리고 일부는 이를 심각하고 부정적으로 여겼다. 분명 대부분의 한국인들은 당시 여론조사에 대한 분노 섞인 답변이 자신들의 기분을 거의 아무런 비용 없이 표현하는 방법이라고 여겼을 것이다. 이는 당시 여론조사 결과가 왜 그리 극단적으로 나왔는지를 어느 정도 설명할 수 있다. 대부분의 진보 세력을 포함한 한국인 대부분이 한미 동맹과 주한 미군의 존재를 유지하고 싶어 하기 때문에, 이제는 시위에 참가하거나 미국을 얼마나 미워하는지에 대한 여론조사에 응할 때 좀 더 생각해보게 될 것이다. 게다가 한국은 이제 해외에 파병도 하고 있으며 많은 한국인이 자국과 주둔국 사이의 SOFA가 '불공평'한 한미 SOFA에 바탕을 두고 있음을 알고 있다. 일부 진보 세력이 다시 한번 주한 미군과 맞붙어보고 싶을

지 모르겠다. 그러나 2002년부터 한국 보수 세력도 더 잘 결집되어 있고 그러한 행동에 맞불을 놓고 싶어 한다.

오늘날 통상적인 한국인은 통상적인 미국인보다 더 교육을 잘 받았으며 여러 면에서 세계시민에 가깝다. 인종적·민족적 편견은 여전히 한국에 문제로 남아 있지만 한국인들이 해외로 여행하고 인터넷에서 글로벌 네티즌으로 교류하면서 점차 개선되고 있다. 더 많은 외국인이 한국에 와서 일하며 살고 있고, 특히 많은 한국 남성이 국제결혼을 하면서 정부, 매체, 그리고 시민사회로 하여금 다문화주의의 기치 아래 외국인들의 한국 사회로의 편입을 고취시키고 있다. 한국과 미국의 민족적 관점이 이제는 어느 정도 통합되고 있다. 여전히 미국인이 한국에 와서 공부하는 것보다는 한국인이 미국에 가서 공부하는 경우가 더 잦지만 미국인 또한 한국에 대해 점차 익혀 나가고 있다. 이는 부분적으로는 한국이 부유하고 발전된 나라가 됐기 때문이기도 하지만, 한국은 모범적인 국가이자 여행지로 어필하고 있다. 이는 또한 한국산 자동차, 스마트폰, 음식점, 그리고 한국 영화와 TV 스타, 그리고 케이팝 대중문화를 통해 한국인과 한국 문화가 젊은 미국인들에게 점점 더 잘 알려지고 있기 때문이기도 하다.

그런데 과연 한국에서 반미주의적 인식의 기반은 이 10여 년 동안에 정말로 많이 바뀌었을까? 한미 관계에 대한 한국의 비판적 역사 인식은 대체로 그대로 남아 있다. 어쩌면 한국의 반미주의적 인식은 10년 전에 한 번 분출된 데다가 근래에는 언론과 여론의 초점이 과거사에 관련된 일본에 불만이 쏠려 있어 덜 중요하게 보일 수도 있다. 한국 언론의 직무 기준이 크게 개선됐을까? 어쩌면 그럴지도 모른다. 좌파든 우파든 한국 언론의 민족주의적 편향성이 감소했을까?

분명 아니다. 정보기술IT 혁명은 모든 나라에서 극단적인 시각과 선동꾼들에게 목소리와 추동력을 제공했으며, 과연 IT 혁명이 국가 간 상호 이해와 우애를 증진시킬지 아니면 이를 침식시킬지는 아직 뚜렷하지 않다.

한국인들은 여전히 미국에 대해 오해와 깊은 의심을 품고 있으며, 반미 정서를 다시 일으킬 수 있는 이슈들은 남아 있다. 버지니아 공대 학생으로 자신의 학교에서 32명을 죽인 조승희 씨의 경우는 대부분의 한국인들이 인종적 민족주의의 시각으로 세계를 바라보고 있음을 보여주었다. 물론 한국의 경우, 극소수를 제외한 국민 대다수가 한국에서 나고 자랐기 때문에, 대부분의 미국인들이 세계를 인종적 민족주의의 관점으로 보지 않는다는 사실을 (여전히 많은 미국인이 인종적 민족주의의 관점을 고수하고 있긴 하지만) 이해하기란 어렵다. 이러한 인종적 민족주의의 시각은 특히 주한 미군의 존재와 관련하여 한미 동맹의 관리를 복잡하게 만들고 있다.

2008년 광우병 시위는 한국 대중이 갖고 있는 반미 감정이 지속되고 있음을 보여주는 또 다른 사례다. 2008년 초, 새로 집권한 이명박 대통령은 미국산 소고기의 수입 재개를 허용하기 위해 미국과 협상을 했다. 당시 한국에서 미국산 소고기의 수입은 다른 나라와 마찬가지로 2003년에 광우병 사례가 미국에서 한 번 발생한 이후 줄곧 금지되어 있었다. 2008년 봄 이명박 대통령의 첫 미국 방문과 함께 거의 무조건적인 소고기 수입 재개에 대한 합의가 이루어지자 2002년 촛불 시위를 모방한 대규모 시위가 서울과 다른 지역에서 8주간 계속됐다. 촛불 시위는 대체로 도발적이며 오해의 소지가 많은 TV 다큐멘터리에 의해 촉발된 공황 상태를 보여주었다.

시위에 나선 한국인들과 비판론자들은 이명박 대통령이 한국인들의 목숨을 대가로 미국 대통령에게 아첨하려고 소고기 시장을 개방하고, 최초로 캠프 데이비드(미국 대통령의 휴양지)에 초대된 한국 대통령이 되려고 '미국에 굽실거리고 있다'며 비난을 했다. 재개되는 미국산 소고기의 수입 조건이 '국제적 관례와 과학에 부합한다'는 미국과 한국 관계자들의 확언은 무시됐다. 신임 대통령의 인기는 순식간에 급락했고 이명박 정부의 총리는 사표를 내야 했다. 대통령은 곧 "국민을 더 잘 섬기지 못했다"며 사과했다. 한국 정부는 이미 종결지었던 미국과의 협상을 보류하고, 재협상을 시작했다. 결국 계속되는 대중 시위로 미국은 미국산 소고기의 수출을 생후 30개월 미만의 소로 제한해야 했다. (어린 소는 광우병에 걸릴 위험이 덜하다.)

오늘날까지 많은 한국인은 미국산 소고기 먹기를 거부하며 한국의 소매점은 의무적으로 소고기의 원산지를 표기해야 한다. 2013년 미국의 소고기 수출량은 2002년 수출량의 43퍼센트 수준에 지나지 않는다.[30] 많은 분석가는 2008년의 시위가 반미주의보다는 문제의 TV 다큐멘터리 때문에 번진 공포의 결과라고 주장했다. 이들은 소셜 미디어를 사용하는 젊은이들이 처음으로 소고기 수입 재개 합의에 대한 언론 보도에 반응했고, 시민 단체나 정당들이 뒤늦게 상황을 활용했다고 지적했다.

물론 광우병 공포는 의심의 여지없이 시위를 촉발시킨 요인이었다. 그러나 문제의 국가가 미국이 아닌 다른 나라였다면 광우병 공포와 촛불 시위의 강도와 기간이 과연 그렇게 진행됐을지 의심스럽다. 야당과 일부 언론은 신임 한국 대통령이 미국 대통령에게 아첨하려고 한국 국민의 생명을 위험에 몰아넣었다는 내러티브를 만들었다. 게

다가 미국이 미국에서는 팔지 않는 소고기를 한국에 수출하려고 했다는 부정확한 주장까지 나왔다.

어쩌면 이명박 대통령이 정말로 부시 대통령에게 잘 보이고 싶었을지도 모른다. 그는 부시 대통령이 이명박 대통령에게 잘 보이고 싶은 만큼 부시에게 잘 보이고 싶었을 것이다. 그러나 이명박 대통령은 분명 한국 국민의 생명을 위험에 빠뜨리면서까지 그러고 싶진 않았을 것이다. 실제로도 그렇지 않았다. 2008년에는 이미 광우병과 그 전파에 관한 연구가 잘 이루어져 있었다. 서유럽과 미국은 몇 년 전에 대중의 광우병 공포를 겪었으나 한국 언론은 이를 알지도 못했고 심지어 찾아보지도 않은 듯했다. 게다가 이 글을 쓰고 있는 현재까지 미국산 소고기를 먹고 광우병에 걸렸다는 미국인의 사례는 기록된 게 없다. 한국인이 미국산 소고기를 먹는 데에 따르는 위험은 있었지만 그 위험이 광우병 발병의 위험은 아니었다. 한국인이 미국산 소고기를 먹는 데 따르는 단 한 가지 위험은 미국산 소고기가 한우보다 저렴하기 때문에 소고기를 더 많이 소비할 수 있다는 것이었고, 의료 연구에 따르면 붉은색 고기의 섭취와 심장동맥 질환이나 대장암 발병에는 높은 상관관계가 있다고 한다. 그러나 중요하면서도 검증된 이 위험은 광우병에 대한 근거 없는 공포에 가려져 한국 언론에서 다뤄지지 않았다. 한국 언론은 미국의 육우 사육 및 가공 방식이 조잡하다고 보도하면서 한국의 육우 생산자와 가공업자들의 불투명한 실태는 거의 다루지 않았다. 또한 자신들의 상업적 이익을 위해 외국산 소고기의 수입을 제한하려는 한국 농업계의 로비에 대해서도 한국 언론은 그리 자세히 다루지 않았다.

한국에서 다시 반미주의가 발생한다면 그 이유는 무엇이 될까

주한 미군이 인간적으로 할 수 있는 최선의 노력을 기울인다고 하더라도 한국에서 논란이 될 주한 미군 인원과 관련된 사건들이 발생할 것이다. 마찬가지로 일부 한국인들은 계속 주한 미군에게 잘못되거나 과장된 혐의를 씌우려고 할 것이다. 이러한 사례 중 몇몇은 심각해져서 대규모 대중 시위로 이어질 수 있다. 그럼에도 불구하고 1999~2002년처럼 주한 미군을 중심으로 한 대중적 반미주의를 폭발시킨 복잡한 정황이 그대로 반복될 가능성은 별로 없을 듯하다. 그러나 한국의 반미 감정이 새로운 이슈들을 통해 표현될 가능성은 높은 편이다. 가장 가능성이 높은 요인은 북한, 중국, 일본에 대한 정책관의 불일치다. 동북아시아의 전략적 상황이 급변하고 있고 각국의 민족주의가 서로 경쟁하고 있기 때문이다. 이것들이 정책 관련 이슈이긴 하지만 이는 민족주의적 시각과 미국을 포함한 당사국들에 대한 편견에 의해 더욱 증폭될 수 있다.

이 책에서 다루었듯, 한국의 보수와 진보는 북한에 대한 인식과 북한을 어떻게 다루어야 하는지를 두고 심각하게 대립하고 있다. 진보 세력이 청와대에 다시 들어가면 아마도 새로운 햇볕정책을 추진할 것이다. 한편 그러한 접근법을 지지하는 미국인들은 거의 없다. 과거에 햇볕정책을 지지했던 미국인 대부분은 이제는 햇볕정책을, 의도는 좋았으나 잘못된 가정에 기반한 접근법으로 여긴다. 조지 W. 부시 행정부가 보다 전향적이었다면 햇볕정책이 통했을지도 모른다고 여기는 미국인들도 있지만 이들 대부분도 이제는 햇볕정책이 통하지 않는다고 생각한다. 그러나 한국의 주요 진보 세력은 여전히 북한을 다루는 데 유일하게 올바른 방법이 바로 햇볕정책이라고 믿고 있다. 사실 이들 진보 세력은 햇볕정책이 실패한 까닭을 북한의 행동이나 김대중, 노무현 정부의 잘못된 가정이나 정책 시행 과정의 결함으로 보지 않는다. 전적으로 조지 W. 부시 행정부의 정책과 태도가 문제였다는 것이다. '햇볕정책 2.0'이라고 부를 수 있을, 진보 세력의 대북 정책의 논리적 근거도 마찬가지다.[31] 따라서 이들 진보 세력은 다시 권력을 얻으면 더 강력한 결의와 과단성을 갖고 햇볕정책을 추진하고자 한다.

이 시나리오가 현실로 다가오게 될 경우 —향후 몇 차례의 대선에서 그리될 상당한 가능성이 있다— 한미 관계에 심각한 균열이 발생할 수 있다. 오늘날 북한에 대한 오바마 행정부의 정책이 보여주고 있듯, 미국의 대북 정책에는 공화당과 민주당 사이에 차이가 거의 없다. 2006년부터 시작된 핵실험으로 핵무기 개발에 성공했음을 보여주면서 북한은 한때 미국에 대해 가지고 있던 레버리지를 모두 잃었다. 미국 지도자들이 북한에 대해 갖고 있던 가장 중요한 의제는 바로 그러한 무기 개발을 막는 것이었다. 미국이 보기에 이 핵실험들은 북한이 과거에는 핵무기 개발을 포기할 의사가 있었을지 몰라도 이제는 결코 핵무기를 포기하지 않으리라는 걸 보여준 사건이었다. 게다가 몇 년간 단호하게 우라늄 농축을 하지 않고 있다고 부인하다가 2010년 실제로 우라늄 농축 사업을 벌이고 있었다고 극적으로 폭로하면서 북한은 미국이 갖고 있던 얼마 남지 않은 신뢰조차 잃었다. 한국에서 진보가 정권을 다시 잡은 후 노무현 정부 시절에 그랬던 것처럼 북한의 핵무기 사업을 용인하는 듯한 태도를 보이면 미국의 반응은 부정적이 될 것이다.

부상하고 있는 중국을 어떻게 다룰 것인지도 향후 한미 관계를 위협할 수 있는 이슈다. 한국인들은 중국을 장기적 기회이자 장기적 도전으로 진지하게 여겨야 한다. 중국과 한국의 교역량은 이미 한미나 한일 교역량을 합친 것보다 많다. 점점 더 많은 관광객과 교환학생들이 한국에 온다. 중국은 세계 최대 규모의 상비군을 보유하고 있으며 중국의 무기 도입 예산은 급증하고 있다. 또한 남한에 중대한 사안인 북한 문제의 주요한, 어쩌면 결정적인 플레이어이기도 하다.

한국에게는 불운한 일이지만, 중국의 자신감이 극적인 경제 발전과 함께 높아가면서 주변국에 대한 공격성과 미국에 대한 '전략적 불신'도 특히 2010년부터 증대했다. 오바마 행정부가 천명한 동아시아를 향한 전략적 '회귀pivot' 또는 '재균형rebalance'이 중국을 억제하고 질식시키는 것이라고 확신하고, 북한의 호전성과 중국을 무시하는 것에 불만을 느낀 중국 지도자들은 한국에 대대적인 '매력 공세charm offensive'를 펴고 있다. 중국의 분명한 목적은 대한민국을 동맹국인 미국으로부터 점차 멀어지게 하는 것이다. 동시에 중국은 한국에 퉁명스레 자신의 요구를 밝힐 수 있다. 한국의 미사일 방어 체계를 미국과 통합하는 데 대한 중국의 반대가 그렇다.

정치적 신념을 가진 한국인들은 일반적으로 중국의 요구와 행동에 상당한 경계를 갖고 반응한다. 이들은 중국이 매우 거대하고 계속 강대해지고 있으며 지리적으로 인접해 있다는 걸 잘 알고 있다. 한국인들은 또한 미국이 한국 대중의 요구에 종종 그러했던 것처럼 중국에 의존하기가 어렵다는 것도 안다. 중국의 공산당 지도부는 과거에 논란이 되는 이슈에서 한국이 중국에 도전했을 때 무역 등의 부문에서 신속하면서도 대규모로 보복해왔다. 게다가 한국과 중국 대중의 서로에 대한 관심의 비대칭 정도는 한국과 미국의 그것만큼 크지 않다. 중국 네티즌들은 북한과 남한 모두에 상대적으로 깊은 관심을 갖고 있으며 스스로를 격렬하게 표현한다.

중국, 미국, 그리고 한국의 정책과 권력 관계에 따라 한국이 결국 전략적으로 미국으로부터 거리를 두게 될 수 있다. 아마도 그런 일은 한국과 미국의 지도자들이 서로의 정책 변화나 특정한 사건들로 인해 논란을 겪으면서 한미 관계가 오랜 시간 동안 진통을 겪은 후에 벌어질 것이다. 그러한 감정들은 분명 대중에게도 전달될 것이다.

마지막으로 한미 동맹은 일본에 대한 한미 간의 격차 때문에 시험에 들 수 있다. 진보와 보수를 막론하고 반일주의는 한국의 정체성에 중심적인 요소다. 한국은 일본의 식민 지배에 대한 국경일을 둘이나 갖고 있다. 하나는 1919년의 독립운동일이고, 다른 하나는 1945년 일제의 지배로부터 해방된 날이다.[32] 일본에 살았으며 유창하게 일본어를 구사하는 교양 있는 한국인들조차도, 지난 70여 년 동안 일본이 단 한번도 전쟁 행위를 한 적이 없으며 일본 대중 사이에서 평화주의가 강력하게 남아 있음에도 일본이 결국 잔혹한 제국주의적 열강으로 행동할 수 있다고 우려하는 편이다. 노무현 정부 초기에 미국 국방 관계자들은 한국 관계자들이 대한민국의 안보 위협에 대한 브리핑에서 일본을 1순위의 위협으로 언급한 것을 보고 놀랐다. 일본에 대한 한국의 심대한 의심은 냉전 초기부터 일본이 근본적으로 민주주의적이고 평화로우며 지역적으로나 전 세계적으로나 안보 문제에 미국과 함께 보다 큰 역할을 맡을 수 있고 또한 맡아야 한다고 보았던 미국 정책 결정자들의 확신과 극명한 대조를 이룬다.

일본에 대한 한국의 적의가 시간이 지나고 경제적인 격차를 좁혀 가면서 사라질 것이라는 미국의 기대와는 반대로 특히 최근 수년 동안 한일 관계는 더 악화됐다. 그 원인은 극도로 복잡하다. 일본 정계에서 우파의 득세, 그리고 최근 선거 결과와 중도파인 일본 민주당의 실정은 곧 일본이 다시 우경화될 것이라는 한국의 믿음을 강화시켰다. 일본도 다른 주권국가들처럼 군사력을 사용할 수 있는 권리를 가진 '보통국가'가 되어야 한다는 아베 신조 총리의 의지는 한국인들에게 1930년대 군국주의의 부활로 해석된다. 그러나 아베는 자신이 중국의 국방 예산 급증과 몇몇 일본령 섬들에 대한 공격적인 영유권 주장에 대응하고 있다고 여긴다. (한편 일본의 국방 예산은 최근 10년 이상 거의 증가하지 않았다.) 일본이 전쟁 당시의 제국주의적 행동을 충분히 사과했다는 아베의 믿음은 보다 진솔한 사과와 회개의 행동에 대한 한국의 요구와 정면으로 대치된다.

일제에 의해 마찬가지로 크게 고통을 받은 바 있는 중국의 반응은 한국과 비슷한데 이 두 나라는 일본의 과거사 만행을 비판하는 데 어느 정도 협력하고 있다. 미국은 북한을 압박하여 핵무기를 포기하게 하고 중국이 동아시아의 전략적 장기판을 재설정하지 못하도록 동맹국인 한국과 일본이 한미일 삼국 관계뿐만 아니라 양자 간에도 더 긴밀하게 협력할 것을 바라 마지않는다. (북한을 억제하기 위해 미국은 일본에 주둔하고 있는 자국군에 크게 의존하고 있다. 전쟁이 발생할 경우 주일 미군과 일본으로 배치되는 전력들은 한국의 방어에 긴요할 것이다.) 그러나 적어도 일본에 대해서 한국은 미국보다 중국에 더 가깝다.

향후 한미 동맹을 분열시킬 수도 있는 위의 이슈들—북한, 중국, 일본— 중 어느 것도 2002년에 목도한 대규모 반미 대중 시위와 같은 것으로 이어질 것 같지는 않다. 그러나 이러한 이슈들에 대한 한

미 간의 의견 차는 10년 전보다 더 근본적인 것이며 그 과정에서 반미주의가 다시 작동할 수 있다. 각각의 이슈가 모두 비록 작기는 하지만 한미 동맹을 약화시킬 수 있는 가능성을 갖고 있으며 이 세 가지 이슈는 이미 서로 얽혀 있기 때문에 그 위험은 더욱 커진다. 이 세 가지 이슈가 각기 또는 복합적으로 한국을 미국으로부터 떨어뜨려 놓을 수 있는 만큼 한미 동맹은 큰 위협을 맞을 수 있다. 한미 동맹에 대한 위협은 진보 세력이 정권을 잡을 경우 더 커질 것이지만 보수가 정권을 유지하고 있어도 한미 동맹은 도전을 받을 수 있다. 보수 세력 또한 일본에 대해 극단적인 시각을 갖고 있으며 미국의 패권은 지고 있으며 중국의 부상은 피할 수 없다는 믿음에 보수도 면역이 되어 있지 않기 때문이다. 다시 말하지만 이런 문제들은 정책의 차이에 기반하고 있지만 한국과 미국이 스스로를 어떻게 보는지, 그리고 상대방과 한미 동맹, 그리고 주변의 세계를 어떻게 보는지의 차이도 반영하게 될 것이다.

무엇을 해야 하나

이러한 분석이 옳다면 미국은 대한민국과의 동맹에 두려워할 필요는 없으나 그렇다고 현실에 안주할 수도 없다. 한국은 미국식 민주주의 체제를 누리고 있으며 자국의 군사력, 그리고 기술적·문화적 창의성을 만끽하고 있다. 그리고 북한, 중국, 일본의 인접국들로부터 여러 가지 방식과 정도로 위협을 받고 있다고 느낀다. 향후 한미 동맹의 위험은 반미주의 그 자체보다는 미국의 목적과 동아시아에서 미국이 차지하는 지위가 한국의 국익을 방어하기에 더는 걸맞지 않다는 한국의 인식이 될 것이다. 다행스럽게도 미국은 그러한 상황이 발생하는 것을 막을 수 있는 국력을 갖고 있다.

북한, 중국, 일본의 존재가 한미 동맹에 제기하는 문제들을 다루기는 쉽지 않을 것이다. 그러나 미국이 할 수 있는 것들이 있다. 북한의 경우, 미국은 북한 문제가 해결되기 전 한국에 진보 정권이 다시 들어설 경우 유연해질 준비를 해야 할 것이다. 여기에는 합당한 논리가 있다. 미국이 유연함을 보이면, 북한은 그 본성이 바뀌지 않은 한 한국의 많은 진보 세력이 생각하는 것과는 달리 남한에 선의로 반응하지 않을 것이 거의 확실하다. 그렇게 되면 한국인들은 미국이 아닌 북한을 탓하게 될 것이고 북한의 핵무기 등에 관한 정책을 변화시켜야 하는 미국의 국익은 근본적으로 피해를 입지 않을 것이다. 그리고 가능성이 별로 없지만 만일 북한이 긍정적으로 반응할 경우 이 또한 미국의 국익에 도움이 될 것이다. 한편, 보수 세력이 한국의 정권을 잡고 있을 경우 미국은 중국과 일본, 그리고 특히 북한에 대한 시각차를 좁히고 의사소통의 채널을 개선시키기 위해 진보 세력에 보다 더 다가가야 한다.

미국에 대한 중국의 의심과 한국이 미국과 중국이라는 고래 싸움에 새우 격이 되고 있다는 한국인들의 인식을 고려할 때, 미국은 한미 군사 협력을 북한을 억제하는 것 이상으로 확장시키는 데 노력을 기울여야 한다. 심지어 보수가 집권하더라도 한국이 역내 군사 협력에 이바지할 수 있는 정도에는 실제로 한계가 있다. 진보가 집권할 경우 그 한계는 더 클 것이다. 특히 골머리를 앓게 하는 문제는 주한 미군의 '전략적 유연성' 문제다. 좌우를 막론하고 한국인들은 미국과 중국이 미래에 군사적으로 대립하게 될 경우 그 사이에 끼게 될 것이라는 우려가 깊다. 이러한 대립이 주한 미군을 동원하게 될 경우 그러한 우려는 더욱 커질 수밖에 없다. 한반도 바깥에 우발 상황이 발생할 경우를 대비해 전력이 필요한데 만약 다른 지역에 그런 전력이 없다면 주한 미군의 전력 규모를 미리 그만큼 줄이는 게 좋을 것이다. 전략적 유연성 문제에 대한 2006년 한국과 미국의 공식적인 결의안은 미봉책에 불과하다.[33]

일본 문제는 한미 동맹의 관리에서 현재 가장 까다로운 문제다. 오늘날 한국의 반일 시위는 2002년 반미 시위의 수준에는 미치지 못하지만 실제 상황은 더욱 심각하며 향후 몇 년간 더 심해지거나 지속될 수 있다. 한국은 공교롭게 일본에서 우익이 권력을 잡은 시점에 일본의 과오에 대해 더 많은 것을 요구하고 있다. 한국에서 더 많은 이가 반일 시위를 벌이는 만큼 일본 우익도 이를 더 많이 활용하게 된다. 일본 우익은 평범한 일본 국민들이 자국에 대한 감정적 공격에 당황하고 불쾌해할 때(어쨌든 지금의 일본은 지난 70년 동안은 세계에서 가장 평화로운 국가 중 하나였다) 우익에 대한 국내 지지도가 높아진다고 여긴다. 한편, 일본을 안보 정책 측면에서 보다 '정상' 국가로 만드려는 아베 총리의 의지는 대부분의 한국인들을 겁먹게 한다.

오바마 행정부는 지금껏 한국과 일본 간의 상황에 대응하고 이를 개선하려는 노력을 배후에서, 그리고 가끔은 드러내며 적극적으로 해왔다. 그러나 미국은 자신이 개입해봤자 어느 편의 존중도 받지 못한다는 걸 알면서도 역사 논란에서 상대 국가를 지지한다며 비난받는 바람직하지 않은 상황에 있다. 미국은 두 나라에 조용한 외교를 계속해야 할 필요가 있지만 일본 정부가 한국을 자극할 것이 뻔한 행동을 하지 않도록 더 노력하는 한편 두 나라로 하여금 보다 큰 전략적 상황을 이해하고 성취 가능한 목표를 분명하게 정해 놓으며, 과거사 및 영유권 관련 문제를 해결하기 위한 방안을 모색하도록 격려해야 한다.[34] 이는 한일 관계를 개선시키는 물꼬를 틀 정상급 회담의 재개를 위한 분위기를 만드는 데 도움이 될 것이다. 박근혜 정부와 아베 정부 사이에 이것이 성사될 수 있을지는 두고 볼 일이다. 그러나 이러한 측면에서 미국의 노력은 적어도 한일 관계의 피해를 제한하고 일본 문제가 한미 관계에서 부정적 요소가 되지 않도록 할 수 있을 것이다. 또한 일본이 보다 한국에 전향적이 되고 한국이 기대를 보다 낮추게 되면 문제를 해소할 수 있는, 아니면 적어도 보다 진전을 가져올 수 있는 환경을 조성할 수 있을 것이다.

북한, 중국, 일본에 관한 전략적 이슈에 한국과 미국 사이에 이견이 있을 경우 한국은 미국의 트집을 잡을 것이며 주한 미군은 또다시 초점의 대상이 될 수 있다. 미국 정부는 지난 10년간 주한 미군이 가져올 수 있는 마찰의 잠재성을 줄이기 위해 조치를 취해왔다. 앞서 논의한 것처럼 주한 미군과 미 대사관 관계자들은 문제의 소지가 있는 사건이 발생했을 경우 재빠르게 사과문을 발표할 준비가 되어 있다. 주한 미군 인원의 수는 2만 8,500명가량으로 줄었다. 많은 미군 기지가 폐쇄되거나 통합되고 있다. 주한 미군 지도부는 모든 인원이 행동거지를 조심하고 항상 한국인들을 존중해야 한다고 강조해왔다.

그러나 주한 미군을 둘러싼 심각한 마찰이 발생할 위험을 줄이기 위해 할 수 있는 게 또 있다. 군의 단 한 일원의 행동이라도 주한 미군과 미국 정부 전체의 태도를 반영하는 것처럼 곡해될 수 있기 때문에 군에서 인원을 고용하거나 고용을 유지할 때 행동에 문제가 있는 사람들은 철저하게 걸러내는 것이다. 주한 미군은 주류 남용에 의

한 문제를 최소화하기 위해 노력을 기울여야 한다. 미국 의회는 주한 미군에 배치될 때 1년 단위가 아닌 2년 단위로 배치될 수 있고 가족을 동반할 수 있게끔 주한 미군 관련 예산을 더 배정해야 한다. 이는 단지 주한 미군의 전투 효율성과 억제 능력을 개선시킬 뿐만 아니라 주한 미군의 사기와 행동거지를 향상시키고 한국인들에게 주한 미군의 이미지를 개선시킬 것이다.

미국은 또한 미래의 한국 정부가 전시작전통제권을 행사하길 원할 경우 즉각 대응할 준비를 갖추어야 한다. 현재, 한반도에서 전쟁이 발생할 경우 대부분의 한국군 부대는 주한 미군 사령관의 작전 지휘 아래 들어가게 된다. 한국의 진보 세력은 오랫동안 이를 바꾸고 싶어했다. 그러나 박근혜 대통령을 포함한 한국의 보수 세력은 그렇지 않다. 이들은 그러한 변화가 한미 합동 억제 및 방위력의 효율성을 떨어뜨릴 수 있다고 (가능한 일이다) 생각한다. 또한 전시작전통제권이 전환될 경우 미국이 주한 미군의 수를 더욱 줄일 것이라고 (분명 오해다) 우려한다. 진보 세력은 또한 미국의 전시작전통제권 보유가 대한민국이 온전한 주권국가가 아님을 보여준다는 북한의 비난에 민감하게 반응한다. 이는 말도 안 되는 주장인데 대한민국은 미국의 작전통제하에서 자국의 군부대를 어디에 배치할 것인지 등 실질적인 결정을 얼마든지 내릴 수 있고 또한 그리할 것이다. 미국이 작전을 통제하고 있더라도 대한민국 대통령이 언제나 대한민국 국군을 지휘할 것이기 때문이다. 그럼에도 불구하고 미래의 한국 정부가 현재의 상황을 다시 논의하고자 한다면 미국은 한미 관계에서 심각한 균열이 일어나는 걸 막기 위해 빠르고 긍정적으로 반응할 준비를 갖춰야 할 것이다.

미국의 외교 및 안보 정책을 위한 교훈

불과 10여 년 전 한국의 태도와 행동이 반미적이었다고 말할 수 있다면 오늘날 한국의 태도는 대체로 친미적이라고 해야 할 것이다. 그렇다면 한국인들은 근본적으로 반미주의자라든지 태생이 반미주의자인 것은 아닐 것이다. 어느 나라에서나 반미주의의 표현 가능성은 여러 가지 요인에 따라 결정되는데 몇몇 요인은 지속적이고 또 다른 요인들은 휘발성이다. 시간이 지날수록 그 나라들의 태도와 행동은 복잡하고 유기적인 이유들로 변화한다. 관계 또한 한 나라가 무엇을 어떠한 의도로 한다고 인식되느냐에 따라 변화한다. 다른 나라의 전문가들이 그러한 인식에 어느 만큼 동의하는지는 각기 큰 편차가 있다. 한편 각각의 나라는 자신만의 인식을 갖고 있으며 각각의 인식 차이가 빚어내는 상호작용은 극도로 역동적이며 복잡하다. 미국이 연관된 양국 관계의 대부분이 그렇듯, 양국 관계에서 관심의 비대칭이 존재할 경우 양국 관계는 복잡성으로 가득하다. 게다가 양국 관계는 지역적인 상호 관계뿐만 아니라 점차 전 세계적인 상호 관계에 의해서도 많은 영향을 받는다. 각 국가는 다른 많은 국가와 관계를 갖고 있으며 어느 한 양국 간 관계는 다른 양국 간 관계에 영향을 미친다. 오늘날 한국과 중국의 관계가 개선되고 일본과의 관계가 급랭하면서 한미 관계에 실리는 압박을 보라.

미국 건국의 아버지들은 '옭아매는 동맹entangling alliances'을 피하길 바랐다. 그들이 스스로 나라를 세우는 데 집중하고 있었을 당시의 이야기다. 오늘날과 같은 세계화 시대에 우리는 서로 불가분의 관계로 얽혀 있다. 미국은 여전히 자국의 이해와는 그다지 관계가 없거나 이해관계가 의심스러운 국제 안보 문제에 개입할 때 보다 전략적일 필요가 있다. 국제 문제에는 정말로 위험한 것들이 존재한다. 한반도에 대한 미국의 개입은 거의 우연히 시작됐고, 처음에는 한시적인 점령으로 끝날 계획이었다. 1948년 세계 무대를 바라보며 바쁘게 움직이던 미국의 지도자들은 소련과 중국의 지원을 받아 북한이 1950년에 남침할 것임은 물론이고 이에 어떻게 대응해야 할지도 예상하지 못했다. 그 결과 미연에 방지될 수도 있었던 전쟁이 일어나 한민족에게는 재앙이 됐고, 3만 3,686명의 미국 시민이 희생됐으며 8,176명의 미국 시민이 행방불명이 됐다.

게다가 우리는 안보 관계에 개입했을 때의 장기적인 결과를 알 수 없다. 냉전 시대의 맥락에서 거의 우연에 가까웠던 미국의 한시적인 남한 점령은 곧 한국전쟁이라는 거대한 전쟁에 휘말리는 냉혹한 결과를 낳았으며 동맹조약이 형성됐고 지구 반대편의 나라에 70년 넘게 미군을 배치하게 됐다. 이라크와 아프가니스탄에 2070년에도 미군이 배치되어 있을까? 특정한 목적을 수행할 의도였음에도 불구하고 동맹은 한번 형성되면 자기 스스로의 삶을 살아가게 되고, 그 자체로 목적이 되는 성향이 있다. 정치적·재정적 기득권이 동맹을 유지하는 데 생겨난다. 관성은 강력한 힘이다. 안보동맹의 경우 '제로베이스 예산제'를 실시하기가 극도로 어렵다. 동맹을 형성하는 행위 그 자체가 한 나라의 국익을 장기적으로 재규정한다. 한국의 경우 한미 동맹 관계는 두 나라 모두에 소중한 것으로 드러났지만 보다 최근 사례들이 보여주듯, 한미 동맹의 그러한 성공은 예측이 될 수 없으며 어쩌면 원래 그런 것이 아니라 우연히 그리된 것일 수도 있다.

국가 건설은 말할 것도 없거니와 동맹은 엄청난 자원이 소비된다.

미국 대통령과 그의 주요 참모들은 동맹에 자신들의 제한된 시간과 관심의 상당 부분을 쏟아야 한다. 국부의 상당한 부분이 동맹에 사용된다. 동맹을 지탱하기 위해 젊은 미국인들이 목숨을 잃기도 하고, 그들 인생에 평생 동안 계속되거나 주변의 친구와 가족들에게도 대대로 영향을 미칠 극심한 육체적·정신적 장애를 겪을 수 있다. 미국이 더욱 세계 경찰처럼 행동하는 만큼 더 많은 선례를 만들 것이고, 미국의 그러한 역할은 보다 더 제도화된다. 그리하여 세계 어느 곳에서 또 다른 위기가 발생할 경우 대내적·대외적으로 미국이 조치를 취해야 한다는 목소리는 높아질 수밖에 없다. 때때로 미국의 노력은 한국의 경우와 같이 성공적이었지만 때로는 그만큼 성공적이진 못했고 재앙에 가까운 실패도 많았다. 심지어 성공적이었을 때조차 미국의 관심, 재정의 투입, 그리고 군사적 분쟁에서 흘린 피는 언제나 미국의 기회비용인 것이다. 그러한 비용을 본국에서 국가 건설을 위해 쓰거나 다른 나라들을 평화로운 방법으로 돕는 데 사용할 수도 있었기 때문이다.

대한민국과 미국의 관계는 가장 성공적인 동맹 관계 중 하나이며 양국에 매우 이로웠다. 그러나 미국 역사상 가장 성공적인 외교정책이라 할 수 있는 한미 동맹조차 이를 관리하는 것이 얼마나 복잡하고 어려우며 불확실성으로 가득한지를 분명히 보여주는 데 이 책이 일조했기를 바란다. 게다가 세계 여러 국가와 맺는 개별적 외교 관계는 모두 '케이스 바이 케이스'로 다룰 수밖에 없다. 전후 한국이나 일본에서 통했던 것이 오늘날 이라크와 아프가니스탄에서도 통할 것이라는 안이한 생각이 미국의 외교정책을 입안하는 데 사용되어서는 안 된다. 미국 시민과 국제사회에 미국의 외교정책을 설명할 때도 마찬가지다. 미국은 정말로 보다 '겸손한' 외교정책이 필요하다. 단지 오만하게 보이지 않는다는 의미에서뿐만 아니라 미국이 거대하지만 결국 제한되어 있는 자원을 잘 관리하는 집사가 되어야 한다는 걸 인식한다는 의미에서도 그렇다.[35] 만일 미국이 국내의 경제적·정치적·사회적, 그리고 인종적 문제들을 해결하는 데 어려움을 겪고 있다면 다른 국가와 사회에 개혁을 고취시키거나 외국의 국가 건설에 관여한다는 목표를 낮춰 잡아야 할 것이다.

대한민국과 미국은 동맹이 형성된 1953년 이후 많은 변화를 겪었다. 그럼에도 한미 동맹의 제도는 대체로 그대로 남아 있다. 한국에서 또 다른 반미주의의 광풍을 피하고 한미 관계가 미래에도 긍정적인 역할을 수행하기 위해서는 두 국가의 관료, 학자, 시민들이 이 급속도로 변하고 있는 세계에서 한미 동맹의 역사, 목표, 정책, 그리고 제도를 보다 깊이 성찰하고 보다 긴밀하게 협의해야 한다.

제1장 한국 반미주의의 기원

1. 이 시기 한국 언론은 주한 미군이 한국인들에게 불손하다는 사례를 보도하려고 혈안
   이 되어 있었지만 데이비드 S. 베리 소령의 살해에는 거의 관심을 쏟지 않았다. 예를
   들어 2000년 6월 27일 『동아일보』는 『연합뉴스』의 단 여섯 줄짜리 기사만 실었다. 한
   국인 가해자가 오랫동안 정신병을 앓아왔다는 걸 알고 있으면서도 기사는 가해자가
   쓰레기통을 뒤지자 베리 박사가 자신을 '개자식(bastard)'이라고 불렀다는 이유로 그
   를 찔렀다는 가해자의 증언을 실었다. 기사는 한국에 군사훈련 때문에 방문하여 친구
   들과 길을 걷고 있던 외과의사가 왜 가해자에게 말을 걸었는지 의문을 제기하지도 않
   았다. 게다가 『연합뉴스』는 베리 소령의 친구들이 그가 가해자에게 무언가 말했다는
   데 대해 '격렬하게' 부인했음을 보도하지 않았다. 안나 웨들 병장, "친구가 공격당했을
   때 보여준 영웅적 행동으로 육군 군의관 군인 훈장 수여", 2001년 4월 12일, http://
   ww2.dcmilitary.com/dcmilitary_archives/stories/041201/6526-1.shtml.

2. 2002년 2월 여론조사에서 20~39세의 응답자 중 70퍼센트가 미국에 비우호적인 시
   각을 갖고 있다고 답했다. 50세 이상의 응답자 중에서 같은 시각을 갖고 있다고 한 이
   는 39퍼센트에 불과했다. Eric V. Larson et al., *Ambivalen Allies? A Study of South
   Korean Attitudes Toward the U.S.* (Santa Monica: Rand Corporation, 2004),
   table 4.11,94, http://www.rand.org/content/dam/rand/pubs/technical_
   reports/2005/RAND_TR141.pdf.

3. 당시 한국과 미국의 주요 신문들이 한미 동맹과 관련된 이슈들을 어떻게 다루었는지
   에 대한 자세한 양적·질적 분석은 Gi-Wook Shin, *One Alliance, Two Lenses: U.S.-
   Korea Relations in a New Era* (Stanford: Stanford University Press, 2010): 신기
   욱, 송승하 옮김, 『하나의 동맹, 두 개의 렌즈: 새 시대의 한미 관계』, 한국과미국(올리
   브), 2010 참조할 것. 미국 신문들은 대체로 한국의 경제 및 사업 이슈와 북핵 문제만
   다루었다. 2002년 후반이 돼서야 미국 신문들은 한국의 반미주의에 관련된 이슈들을
   중대하게 보도하기 시작했다.

4. 나는 이 현상에 대해 다음의 책에 수록된 「공공 외교와 한반도」라는 글에서 다루었
   다. Donald A. L. Macintyre, Daniel C. Sneider, and Gi-Wook Shin, eds., *First
   Drafts of Korea: The U.S. Media and Perceptions of the Last Cold War Frontier*
   (Stanford: Walter H. Shorenstein Asia-Pacific Research Center, 2009), 133.

5. 한국 좌파 성향의 인물들은 유럽에서 '좌파'(leftist)라는 표현을 주로 사용하고 미국

에서 '자유주의자'(liberal)란 표현을 사용하는 것과는 달리, 통상적으로 자신들을 '진보'라고 부른다. 한국의 보수주의자들은 '좌'라는 단어를 공산주의와 연관 지어 오염시켰으며 일부 진보주의자는 자유주의가 자유방임(laissez-faire)적 자본주의를 연상시킨다며 이를 거부한다. 이 책에서는 이들의 선호를 존중하여 저자는 한국의 좌파를 '진보'라고 표현했다.

6. Howard W. French, "Seoul May Loosen Its Ties To the U.S.," *New York Times*, December 20, 2002, http://www.nytimes.com/2002/12/20/world/seoul-may-loosen-its-ties-to-the-us.html.

7. Eric Larson, "Analysis of the September 2003 *JoongAng Ilbo*, CSIS, and RAND Polls," in Derek J. Mitchell, ed., *Strategy and Sentiment: South Korean Views of the United States and the U.S.-ROK Alliance* (Washington, DC: Center for Strategic and International Studies, June 2004), 92.

8. 2003년 2월 7일 자 『코리아타임스』 서수민 기자의 보도는 MBC를 인용하여 다음과 같이 썼다. "도널드 H. 럼스펠드 국방장관은 월요일 노무현 대통령 당선자의 특사 정대철과의 만남에서 미국이 병력을 단계적으로 감축하고 지상군을 후방으로 재배치할 의사가 있다고 말했다고 MBC는 보도했다. 럼스펠드는 '나는 한국에서 퍼지고 있는 주한 미군 철수에 관한 시각에 동의하며 미국은 주한 미군을 철수할 의사가 있으며 철수할 준비가 돼 있습니다'라고 말했다고 MBC는 전했다. 럼스펠드 국방장관은 뒤이어서 주한 미군에 대해 한국 대중이 원하는 어떠한 조치라도 취할 의사가 있다고 말했다고 MBC는 익명의 소식통을 인용하여 보도했다."

9. 최근에 실시한 한 여론조사에서 30~40퍼센트의 한국 응답자들은 '다른 인종의 사람'을 이웃으로 두고 싶지 않다고 답했으며 타 인종이 이주해올 경우 '부유하고 교육 수준이 높고 평화로우며 단일민족'인 사회에서 자신들의 동네를 '열외자'로 만든다고 답했다. Max Fisher, "A Fascinating Map of the World's Most and Least Racially Tolerant Countries," *Washington Post*, May 15, 2013, http://www.washingtonpost.com/blogs/worldviews/wp/2013/05/15/a-fascinating-map-of-the-worlds-most-and-least-racially-tolerant-countries.

10. Choe Sang-Hun and Norimitsu Onishi, "South Koreans React to Shooting in Virginia," *New York Times*, April 18, 2007, http://www.nytimes.com/2007/04/18/world/asia/18cnd-korea.html?_r=0.

11. Adrian Hong, "Koreans Aren't to Blame," *Washington Post*, April 20, 2007, http://www.washingtonpost.com/wp-dyn/content/article/2007/04/19/AR2007041902942.html.

12. 나는 한국 출신 아내와 우리를 초청한 한국인 부부에게 미국이 조승희 사건으로 한국

인들에게 보복하지 않을 거라고 이해시키느라 아름다운 동해안에서의 주말 자동차 여행을 완전히 망칠 뻔했다.

13. 이 문서는 http://barryschwartzonline.com/HonorDignityCM.pdf에서 찾을 수 있다. 나중에 단행본으로 출간되기도 했다. Barry Schwartz and Mi-Kyoung Kim, "Honor, Dignity, and Collective Memory: Judging the Past in Korea and the United States," in Karen A. Cerulo, ed., *Culture in Mind: Toward a Sociology of Culture and Cognition* (New York: Routledge, 2002).

14. Gi-Wook Shin, *One Alliance, Two Lenses*, fig. 4.6, 95.

15. Young Ick Lew, "A Historical Overview of Korean Perceptions of the United States: Five Major Stereotypes," in Young Ick Lew et al., *Korean Perceptions of the United States: A History of Their Origins and Formation*, trans. Michael Finch (Seoul: Jimoondang, 2006), 1–42.

16. B.R. Myers, *The Cleanest Race: How North Koreans See Themselves and Why It Matters* (New York: Melville House, 2010), 25–29. 마이어스는 이 책에서 오늘날 북한 사람들의 태도를 설명하는 데 집중하지만 이 책은 남한의 과거를 이해하는 데에도 유용하다.

17. 반면 1인당 GDP로 계산하면 한국의 2014년 1인당 GDP는 35,277달러로 미국 (1인당 54,597달러)에 더 근접해 있다. International Monetary Fund, "World Economic Outlook Database, April 2015," http://www.imf.org/external/pubs/ft/weo/2015/01/weodata/index.aspx.

18. 2014년의 한 설문에 따르면 한국 응답자의 66.4퍼센트가 중국을 안보 위협으로 인식하고 있다. Kim Jiyoon et al., "South Korean Attitudes on China," *Asan Public Opinion Report* (Seoul: Asan Institute for Policy Studies, July 2014), 10–11, en.asaninst.org/.../South-Korea-Attitudes-on-China-Asan-Public-Opinion-Report-July-2014.pdf.

19. 일본과 한국의 연구소들이 공동으로 실시한 최근의 여론조사에 따르면 83.4퍼센트의 한국인 응답자가 북한이 자국에 대해 가장 큰 군사적 위협이라고 간주한 반면 46.3퍼센트가 일본 또한 위협이라고 답했다. "The 2nd Joint Japan–South Korea Public Opinion Poll (2014): Analysis Report on Comparative Data," The Genron NPO and East Asia Institute, July 2014, 25–26, http://www.genron-npo.net/pdf/forum_1407_en.pdf.

20. Kyung Moon Hwang, *A History of Korea: An Episodic Narrative* (New York: Palgrave Macmillan, 2010), 1–2.

21. Charles K. Armstrong, *The Koreas* (New York: Routledge, 2007), 7.

22. 중국의 외교관 황쭌셴(黃遵憲, 1845~1905)은 『조선책략』이라는 유명한 책에서 특히 러시아에 대항하기 위해 한국이 미국과 동맹을 맺어야 한다고 주장했다. Lew, "A Historical Overview of Korean Perceptions of the United States: Five Major Stereotypes," 17–20.

23. 은퇴한 미국 무관 앨로이시어스 오닐이 저자에게 보낸 이메일에서, 2014년 6월 16일.

24. 조약의 전문은 다음의 주소에서 확인할 수 있다. http://photos.state.gov/libraries/korea/ 49271/June_2012/1-1822%20Treaty.pdf.

25. Kim Hakjoon, "A Brief History of the U.S.–ROK Alliance and Anti-Americanism in South Korea," Stanford: Shorenstein Asia-Pacific Research Center, Occasional Paper 31, no. 1, May 2010, 10, http://iis-db.stanford.edu/pubs/22961/Kim-Hakjoon_FINAL_May_2010.pdf.

26. 예를 들어 1880년대에 미국 공사로 두 번 복무한 젊은 해군 장교 조지 C. 폴크가 중국과 일본의 영향력을 막기 위해 노력한 것을 보라. Samuel Hawley, ed., *America's Man in Korea: The Private Letters of George C. Foulk, 1884–1887* (Lanham, MD: Lexington Books, 2007).

27. 미국의 정치가이자 반제국주의자였던 윌리엄 제닝스 브라이언이 자신의 1905~1906년 세계 여행에 대해 쓴 책 *The Old World and Its Ways* (St. Louis: The Thompson Publishing Company, 1907)를 보면 러일전쟁 이후 일본의 한반도 지배에 대해 쓴 구절을 찾을 수 있다.(p. 98) "결국 보호국(조선)은 일본이 원하는 뭐든지가 될 것이다. 조선도 러시아도 중국도 그 결정에 의문을 표할 위치에 있지 않다." 브라이언은 당시 대부분의 미국인들과 마찬가지로 미국을 조선의 미래에 관한 전략적 방정식의 일부로 간주하지 않았다. 그는 다음과 같은 자신의 통찰을 덧붙였다.(p. 100) "만일 일본이 조선을 무지와 가난에 계속 묶어두면 그들은 침울한 신민이 될 것이다. 만일 일본이 그들을 더 높은 상태로 만들면 그들은 보다 빠르게 독립을 요구할 것이며 독립을 쟁취하기 위한 준비를 더 잘 갖출 것이다. 일본이 무엇을 택하겠는가?" 앨로이시어스 오닐이 저자에게 보낸 이메일에서, 2014년 6월 17일.

28. 에번스 J. R. 리비어, 저자에게 보낸 이메일에서, 2012년 8월 6일.

29. Gi-Wook Shin, "Marxism, Anti-Americanism, and Democracy in South Korea: An Examination of Nationalist Intellectual Discourse," *Positions* 3, no. 2 (Fall 1995), 516–517.

30. 이성윤 교수가 2014년 8월 19일 워싱턴 DC에서 열린 헤리티지 재단의 컨퍼런스에서 가진 프레젠테이션에 대한 넬슨 리포트(워싱턴 DC의 유료 정보지)의 2014년 8월 20일 자 보도에서 인용.

31. 앨로이시어스 오닐, 저자에게 보낸 이메일, 2014년 6월 17일.

32. 구소련을 비롯한 국가들의 외교문서는 북한이 남침했다는 결정적인 증거를 제공한다. 냉전이 종식되어 소련의 외교문서에 접근이 가능하기 전까지 남한을 비롯한 전 세계의 많은 좌파는 북한의 주장(북한과 중국은 아직까지도 한국전쟁을 시작한 것은 남한이라고 주장한다)에 어느 정도 신빙성을 부여하곤 했다. 한국전쟁의 기원에 대한 문서 연구는 Kathryn Weathersby, "'Should We Fear This?' Stalin and the Danger of War with America," *Woodrow Wilson International Center for Scholars, Working Paper* no. 39, http://www.wilsoncenter.org/sites/default/files/ACFAEF.pdf을 참조할 것. 전반적인 연구로는 North Korea International Documentation Project의 문서와 분석들을 참조하라. http://www.wilsoncenter.org/program/north-korea-international-documentation-project.
남한이 먼저 공격했다는 북한의 지속적인 주장에 대해서는 북한의 『조선중앙통신』이 2014년 6월 24일 자에 보도한 다음의 기사를 참조하라. "U.S. and South Korean Warmongers Can Never Evade Responsibility for Igniting Korea War: Rodong Sinmum," http://www.kcna.co.jp/item/2014/201406/news24/20140624-09ee.html.

33. 학자들은 한참 후에서야 김일성이 극동에 대한 애치슨의 1950년 1월 12일 발언 이전부터 북한의 남침을 허락하고 지원해줄 것을 스탈린에게 로비하고 있었다는 것을 알았다. 또한 당시에는 이를 인지하는 사람이 거의 없었고 오늘날 이를 기억하는 사람은 더더욱 없지만, 애치슨은 자신의 연설에서 미국의 방어 영역 바깥에 위치한 국가들은 "외침을 받은 국가를 적극 돕도록 하고 있는 유엔 헌장 아래 단결한 모든 문명국의 도움을 받을 수 있을 것"이라고 덧붙였다. http://teachingamericanhistory.org/library/document/speech-on-the-far-east/.

34. Staff Sgt. Kathleen T. Rhem, "Korean War Death Stats Highlight Modern DoD Safety Record," American Forces Press Service, June 8, 2000, http://www.defense.gov/news/newsarticle.aspx?id=45275.

35. 김학준은 이렇게 썼다. "(한국전쟁 이후) 전쟁에 대한 피로가 남한에 번졌고 대한민국과 미국에 적대적이 될 인물들을 많이 만들었다. 여기에는 1) 전쟁 중에 한국 당국과 미군에게 살해되거나 학살당한 이들의 가족, 2) 전쟁 중에 다른 가족들이 북으로 이주하고 남쪽에 남은 사람들, 3) 북한이 남한을 점령하던 중 북한에 동조한 사람들이 포함되어 있었다." Kim Hakjoon, "A Brief History of the U.S.–ROK Alliance and Anti-Americanism in South Korea," 18.

36. 예를 들어 국무장관 콘돌리자 라이스는 다음과 같이 주장했다. "그러나 단지 중동에 민주주의의 인도자가 될 만한 나라를 2007년에 볼 수 없다고 하여 이라크를 중동에서 민주주의의 인도자적 국가로 만들 수 없으리라는 것은 아니다. 알다시피 남한

에도 그런 민주주의의 인도자적 지위는 오랫동안 없었지만 그럴 수 있는 조건이 있었고 이제는 그런 나라가 됐다." "Transcript: Interview with Condoleezza Rice," *Washington Post*, December 15, 2006, http://www.washingtonpost.com/wp-dyn/content/article/2006/12/15/AR2006121500529.html.

37. U.S. Embassy to the Republic of Korea, "(Case Study) South Korea: From Aid Recipient to Donor," http://seoul.usembassy.gov/p_rok_60th_econ_18.html.

38. 박정희는 극좌파인 남조선로동당(남로당)의 당원이었으며 해방 이후 경비대 간부였다. 그의 형은 1946년 가을 대구 10·1사건에서 (아마도 미군에게) 사살당한 공산주의자였다. John Merrill, *Korea: The Peninsular Origins of the War* (Newark: University of Delaware Press, 1989), 204–205, n18.

39. 박정희와 카터 사이의 갈등은 몇몇 한국인들로 하여금 박정희의 암살에 미국이 개입했을지도 모른다고 추측하게 만들었다. 그러나 아직까지 이에 대한 믿을 만한 증거가 제시된 바는 없다. 당시 주한 미 대사였던 윌리엄 H. 글라이스틴은 20여 년 후 저자에게 미국 관계자 중 누구도 미국이 박정희 대통령을 제거하려 한다는 의심을 살 만한 행동이나 발언을 한 적이 없었다고 말했다.

40. Gi-Wook Shin, "Introduction", Gi-Wook Shin and Kyung Moon Hwang, eds. *Contentious Kwangju: The May 18 Uprising in Korea's Past and Present* (Lanham, MD: Rowman & Littlefield, 2003), xvii.

41. 여기에는 김대중도 포함되어 있었다. 김대중이 미국으로 망명했다가 1985년 한국으로 돌아갈 준비를 하고 있었을 때 나는 국무부의 내 상관들과 그를 연결하는 연락 담당자로 일했다. 그래서 내가 1996년 국무부의 한반도 담당 차장으로 새로 서울을 방문했을 때 그는 나를 반갑게 맞이하며 점심을 대접했다. 그의 첫 번째 질문은 당시 언론에 갓 보도됐던 광주 항쟁 당시의 미 해군 배치에 관한 것이었다. 몇몇은 이를 두고 광주 항쟁에 미국이 공모했다는 걸 입증하는 것이라고 해석하고 있었다. 이는 터무니없는 주장이었으나 김대중은 분명 적어도 말이 된다고 여기고 있었다.

42. "Backgrounder: United States Government Statement on the Events in Kwangju, Republic of Korea, in May 1980," http://seoul.usembassy.gov/backgrounder.html.

43. 대통령지시(Presidential Decision Directive) 제25호는 외국의 작전통제권 아래에 있는 미군에 적용되는 군령권과 작전통제권 간의 차이를 미국 정부가 어떻게 생각하고 있는지 보여준다. 자신의 작전통제권 아래에 있는 한국군 부대에 대해 주한 미군 사령관이 갖는 권위의 한계는 그때나 지금이나 근본적으로 동일하다. "대통령은 미군에 대한 통수권을 유지하며 절대 이를 포기하지 않는다. 사안별로 대통령은 적절한 미

군 전력을 안전보장이사회에서 승인한 특정한 작전에 권한 있는 유엔 지휘관의 작전통제하에 두는 것을 검토할 수 있다. … 미국의 군사 전력은 독립전쟁 이래로 제1차 세계대전, 제2차 세계대전, 사막의 폭풍 작전에서, 그리고 북대서양조약기구(NATO)의 창설 이래 외국군 사령관의 통제하에 임무를 수행해왔다. … 미국군에 대한 통제권을 포기한 대통령은 없다. 통수권은 군사작전과 군사 행정의 모든 측면에 지시를 내릴 수 있는 권한이다. … 대통령으로부터 가장 말단의 현장 미군 지휘관까지의 명령체계는 불가침의 영역이다. … 때로는 특정한 군사적 목적을 달성하기 위해 미군 전력을 외국군 사령관의 작전통제하에 두는 것이 (군사적 효율성의 극대화나 통제의 단일성 유지에) 신중하거나 이롭다. … 작전통제권은 통수권의 부분집합이다. 작전통제권은 특정한 시간대 또는 임무에 부여되는 것이며 대통령에 의해 이미 배치된 미군과 미군 장교가 이끄는 미군 부대에 업무를 부여할 수 있는 권한을 포함한다. 작전통제권의 한계 안에서 외국의 유엔 지휘관은 임무를 변경하거나 대통령이 동의한 책임 지역 바깥으로 미군을 배치할 수 없으며, 부대나 부대의 보급물자를 분할할 수 없고, 징계를 내리거나 누구를 진급시킬 수 없으며, 내부 조직을 변경할 수 없다. … 미군 지휘관은 유엔 지휘관뿐만 아니라 상급의 미군 당국에 별개로 보고할 수 있는 능력을 유지한다." Clinton Administration Policy on Reforming Multilateral Peace Operations (Presidential Decision Directive 25), Bureau of International Organization Affairs, U.S. Department of State, February 22, 1996, http://fas.org/irp/offdocs/pdd25.htm.

44. 스콧 스나이더는 전두환 정부가 어떻게 광주 관련 증언을 정권의 이익을 위해 조작하고 광주 항쟁 당시 미국의 입장과 역할에 대한 한국 대중의 이해를 왜곡시켰는지를 썼다. "The Role of the Media and the U.S.–ROK Relationship," in Mitchell, ed., *Strategy and Sentiment*, 74, n2. 스나이더는 다른 책들 중에서도 Henry Scott-Stokes and Lee Jae-Eui, eds., *The Kwangju Uprising: Eyewitness Press Accounts of Korea's Tiananmen* (Armonk, NY: M. E. Sharpe, 2000)를 인용하는데 그럼에도 불구하고 이 책의 저자들은 광주에서 벌어진 일들에 대해 어느 정도 미국의 책임을 주장하는 입장에서 책을 썼다.

45. William H. Gleysteen Jr., *Massive Entanglement, Marginal Influence: Carter and Korea in Crisis* (Washington, DC: Brookings Institution Press, 2000): 윌리엄 글라이스틴, 황정일 옮김, 『알려지지 않은 역사』, 중앙M&B, 1999; John A. Wickham, Jr., *Korea on the Brink: A Memoir of Political Intrigue and Military Crisis* (Washington, DC: Brassey's, 2000): 존 위컴, 김영희 옮김, 『12·12와 미국의 딜레마』, 중앙M&B, 1999.

46. 2006년 2월 10일 미발행 인터뷰. 미국 입장에서 본 광주 항쟁과 그에 대한 남한의 해

석에 관한 최고의 분석은 William M. Drennan, "The Tipping Point: Kwangju, May 1980," in David I. Steinberg, ed., *Korean Attitudes Toward the United States: Changing Dynamics* (Armonk, NY: M.E. Sharpe, 2005), 280–306. 책이 출간되고 몇 년이 지나고 이 챕터를 읽고, 나는 고마움을 표하기 위해 그에게 전화를 걸었다. 나는 그에게 독자들, 특히 한국인 독자들의 반응이 어땠는지 물어보았는데 그는 한국인이건 미국인이건 그 챕터에 대해 자신에게 연락을 한 사람은 내가 처음이라고 말했다.

47. 2006년 2월 10일 미발행 인터뷰에서, 김대중은 나의 스탠퍼드 대학 동료 댄 스나이더에게 조용한 외교의 문제점은 그게 효과적이지 않을 수 있다는 데 있는 게 아니라 대중의 인식을 변화시킬 수 없다는 데 있다고 말했다.

48. 2002년 그가 사망하기 불과 몇 주 전에 글라이스틴 대사는 내게 개인적으로 광주 항쟁 이후 몇 년 후 그는 전두환이 정말로 김대중을 처형하려고 했던 것은 아니었으며 단지 처형하겠다고 공언하여 미국이 자신을 백악관으로 초대하게끔 만드려고 했던 것이라고 결론지었다고 말했다. 그러나 당시 고위급 미국 관계자들은 처형 위협이 사실이었다고 계속 믿고 있었다. 전 국무부 차관 마이클 C. 아마코스트의 이메일, 2015년 3월 18일.

49. Henry Scott Stokes, "Anti-U.S. Sentiment Is Seen in Korea," *New York Times*, March 28, 1982, http://www.nytimes.com/1982/03/28/world/anti-us-sentiment-is-seen-in-korea.html.

50. Associated Press, "Students Occupy U.S. Cultural Center," December 2, 1985, http://www.apnewsarchive.com/1985/Students-Occupy-U-S-Cultural-Center/id-975eda2de8c43ada71f2f1d1976a53ca.

51. Shin, "Marxism, Anti-Americanism, and Democracy in South Korea," 523–524.

52. 워커 대사는 총리에게 김근태의 학대는 "용납할 수 없는" 행위이며 전두환 정권에 대한 미국의 경제적·상업적 제재 가능성을 언급하면서 고문 사건이 "한국을 계속 괴롭힐 것"이라고 경고했다. 기밀이 해제된 주한 미 대사관 전문, 10631, 1985년 10월 10일.

53. James Lilley with Jeffrey Lilley, "Pushing for Change," in *China Hands: Nine Decades of Adventure, Espionage, and Diplomacy in Asia* (New York: PublicAffairs, 2004), 264–281, esp. 277–278.

54. 1987년 한국 민주화에서 미국의 역할에 대한 시각으로는 Don Oberdorfer and Robert Carlin, *The Two Koreas: A Contemporary History* (New York: Basic Books, rvsd. and updated, 3rd ed., 2014), 126–134: 돈 오버도퍼·로버트 칼린, 이종길·양은미 옮김, 『두 개의 한국』, 길산, 2014 참조.

55. '386'이란 1985년 도입된 인텔의 개인용 컴퓨터 마이크로프로세서의 이름을 따 한국인들이 1990년대에 지은 것이다. (1990년대에) 30대였으며 80년대에 대학을 다니고 민주화 투쟁에 참여했고 60년대에 태어났음을 의미한다.

56. 저자가 받은 이메일, 2014년 6월 17일.

57. "Backgrounder: United States Government Statement on the Events in Kwangju, Republic of Korea, in May 1980," June 19, 1989, http://seoul.usembassy.gov/backgrounder.html.

58. 1980년대 초 미국 정부의 고위급과 실무자급 사이에서도 전두환 정권의 미국에 대한 한국 여론 조작을 어떻게 다룰 것인가에 대해 상당한 논쟁이 있었다. 저자는 당시 주한 미 대사관 부대사 주최의 회의에서 다른 젊은 외교관들이 한국의 여론 속에서 미국이 두들겨 맞고 있는 데 분노와 실의를 표현했던 것을 기억한다. 고위급 외교관들은 우리의 염려를 공감하고 있었지만 궁극적으로 이에 대해 뭔가가 이루어지진 않았다. 미국의 정책 결정자들은 이미 퍼져버린 소문은 어떻게 할 수 있는 게 별로 없고 오히려 이를 수정하려고 했다가는 전두환 정부와 함께 일하는 것을 보다 어렵게 만들 뿐이라고 결론을 내린 듯하다.

59. 저자에게 보낸 이메일, 2014년 6월 17일.

60. Gi-Wook Shin, "South Korean Anti-Americanism: A Comparative Perspective," *Asian Survey* 36, no. 8 (August 1996), 802–803.

61. 자신의 성명서에서 김대중은 미국의 정책에 대한 비판을 수용할 수 있다고 하면서도 시위대에게 "국가에 도움이 되지 않는 성급한 행동을 자제"할 것을 촉구했다. 한국에서 주한 미군의 존재는 "현재 필요하며 향후에도, 심지어 통일 이후에도 계속 그러할 것이기 때문"이라는 게 그 이유였다. 그러나 이 성명을 발표하기 직전 김대중은 『LA타임스』에 한미 SOFA가 불공평하며 개정되어야 한다고 말함으로써 시위에 기름을 끼얹었다. 김대중 대통령이 성명을 발표하기 전까지 서울의 분위기는 매우 나빠 주한 미군은 홀로 기지 밖을 나가지 말라고 경고했으며 급진적인 학생 단체가 미국인을 인질로 잡으려 하고 있다는 정보를 습득했다고 발표했다. 국무부는 한국에 거주하고 있는 모든 미국인에게 "주의하고 낮은 자세를 유지할 것이며, 군중을 피하고, 그룹 단위로 여행을 하고 시비를 피하라"는 공식 통보를 발령했다. Jim Lea, "S. Korea's Kim Tells People U.S. Presence Has Benefits," *Stars & Stripes*, August 3, 2000, http://fas.org/news/skorea/2000/skorea-000803.htm.

62. 캐서린 H. S. 문은 한국의 활동가 단체에 대한 미국의 권위 있는 학자다. 많은 진보 단체 활동가와의 인터뷰를 포함한 그의 광범위한 연구는 일부 단체와 일부 활동가들이 실제로 주한 미군의 완전 철수를 목표로 하고 있다는 것을 의심의 여지없이 보여준다. 대부분의 한국인들이 이러한 목표를 지지하지 않음을 알고 이들 활동가들은 종

종 주한 미군 존재의 다양한 측면을 비판하는 데 집중했다. 이를테면 '불공평한' 한미 SOFA나 주한 미군의 존재에 대한 대중적 지지를 약화시키기 위해 주한 미군 인원의 범죄 통계를 과장했다. 특히 Katherine H.S. Moon, "Protesting America: Cooperation and Conflict in Civil Society Activism" in *Protesting America: Democracy and the U.S.-Korea Alliance* (Berkeley: University of California Press, 2012), 110–140을 참조하라.

63. "… 한국의 보수 신문과 진보 신문은 모두 미국에 대해 비판적인 입장을 보였지만 한미 관계에 대한 양측의 의견 차는 점차 더 벌어졌다. 진보 언론은 주로 한미 관계를 비판한 반면 보수 언론은 한국 사회 내에서 점차 커져가는 반미주의를 우려하며 한미 동맹의 중요성을 강조했다." Gi-Wook Shin, *One Alliance, Two Lenses*, 187; 신기욱, 『하나의 동맹 두 개의 렌즈』, p. 266.

64. 미국의 2014년 중간 선거에 대한 논평에서 정치학자 놈 오른스테인은 이러한 언론의 스토리라인의 힘과 치명성을 강조했다. 그는 선거에 대한 미국의 보도는 언론인들이 "하나의 내러티브를 취하고 거기에 천착하며 그 내러티브에 상충되는 기사에 저항하려는 성향을 반영한다"고 썼다. "When Conspiracy Theories Don't Fit the Media Narrative," *The Atlantic*, November 1, 2014, http://www.theatlantic.com/politics/archive/2014/11/when-conspiracy-theories-dont-fit-the-media-narrative-midterm-election-tom-cotton-joni-ernst/382209/?single_page=true.

65. 예를 들어 한국 언론은 미국 항공기 업체가 뇌물 공여를 시도했다는 혐의를 보도했지만 이는 근거가 없는 것으로 밝혀졌다. 한국 언론은 심지어 유럽 항공기에 비해 미국 항공기의 우월성을 옹호했다는 이유만으로 미국 관계자들을 심각하게 힐난했다. 그러나 한 한국군 장교가 유럽의 항공기 업체에 입찰 정보를 유출했다는 사실이 밝혀졌을 때 한국 언론은 거의 반응하지 않았다. 에번스 J. R. 리비어, 저자에게 보낸 이메일, 2012년 8월 6일. 2003년 초 저자가 참가했던 한 컨퍼런스에서 한 고참 한국 언론인은 한국 언론인들은 한국 정부가 어찌됐든 미국 항공기를 구매할 것임을 '알았기' 때문에 미국으로부터 최상의 조건과 가격을 얻을 수 있게끔 적극적으로 미국 항공기를 비판하고 유럽 항공기의 장점을 강조하는 데 공모했었다고 자진해서 말했다!

제2장 촉매: 노근리 학살 돌아보기

1. 1951년 한국전쟁의 최전선에서 미 해병대 박격포병으로 참전했던 나의 아버지는 아군에 대한 오인 사격이 심지어 전선이 안정된 이후에도 계속 우려할 만했다고 말했다. 그와 그의 동료들은 죽을 뻔한 위기를 여러 차례 넘겼다.

2. Sang-Hun Choe, Charles J. Hanley, and Martha Mendoza, "War's Hidden

Chapter: Ex-GIs Tell of Killing Korean Refugees," *Associated Press*, September 29, 1999, http://www.pulitzer.org/archives/6350#.

3. 철교가 위치했던 동네의 이름을 나는 'Nogunri'라고 쓴다. AP를 비롯한 다른 언론들은 'No Gun Ri'라고 썼는데 이는 한국전쟁 당시 미군의 한국어 로마자 표기법을 따른 것이다. 사실 이 동네의 이름은 '노근'이다. '리'는 지명에 붙는 '동네'라는 의미다. 이 단어의 각 음절을 따로 떼어놓고 쓰는 것은 마치 Chicago를 'Chi Ca Co'라고 쓰는 것처럼 이상한 일이지만 동네의 지명에 영단어 총(gun)이 들어가 있다는 우연의 일치를 강조하는 효과가 있기는 하다. 물론 영어의 총(gun)의 의미와 한국어의 '근'과는 아무런 연관이 없다.

4. Douglas Martin, "Chung Eun-yong, Who Helped Expose U.S. Killings of Koreans, Dies at 91," *New York Times*, August 22, 2014, http://www.nytimes.com/2014/08/24/world/asia/chung-eun-yong-91-dies-helped-expose-us-killings-of-south-koreans.html?_r=0.

5. 같은 글에서.

6. 같은 글에서.

7. Choe, Hanley, and Mendoza, "War's Hidden Chapter."

8. Charles Grutzner, "Stranded Enemy Soldiers Merge With Refugee Crowds in Korea: Gentlemen in White' Pose Political Problem for Civil Authorities in South—G.I.'s Find that Screening is Difficult," *New York Times*, September 30, 1950. 3.

9. 「'미군 양민학살' 노근리의 제사철」, 『한겨레』 1994년 7월 21일 자.

10. Elizabeth Becker, "Pentagon Says It Can Find No Proof of Massacre," *New York Times*, September 30, 1999, http://www.nytimes.com/1999/09/30/world/pentagon-says-it-can-find-no-proof-of-massacre.html.

11. Associated Press, "Text of Cohen's No Gun Ri Letter," *Washington Post*, September 30, 1999, http://www.washingtonpost.com/wp-srv/national/daily/aug99/cohen30.htm.

12. Elizabeth Becker, "U.S. to Revisit Accusations of a Massacre By G.I.'s in '50," *New York Times*, October 1, 1999, http://www.nytimes.com/1999/10/01/world/us-to-revisit-accusations-of-a-massacre-by-gi-s-in-50.html.

13. 예일 대학의 기록문서 연구가 사르 콘웨이란즈는 한국전쟁 당시 노근리와 다른 사건들에서 벌어진 미국의 남한 피난민 살해에 대한 역사적·국제법적 측면을 통찰력 있고 신중하게 분석한다. 그의 연구는 미국이 이 문제를 두고 어떻게 씨름했는지도 보여준다. "Beyond No Gun Ri: Refugees and the United States Military in the

Korean War," *Diplomatic History* 29, no. 1 (January 2005), 49–81.

14. 「"노근리 양민학살 사건 한미 공조속 병행조사" 로스 미 차관보 어제 내한」, 『동아일보』, 1999년 10월 13일 자.

15. Associated Press, "8 U.S. Investigators Visit No Gun Ri," *Deseret News*, October 29, 1999, http://www.deseretnews.com/article/725270/8-US-investigators-visit-No-Gun-Ri.html?pg=all.

16. 사설 「미국은 '양민학살' 조사 서두르라」, 『한겨레』 2000년 1월 13일 자.

17. "U.S. and Korean Officials Meet to Discuss Wartime Massacre," *New York Times*, December 7, 2000, http://www.nytimes.com/2000/12/07/world/07KORE.html; "Talks on No Gun Ri End With an 'Understanding,'" *New York Times*, December 9, 2000, http://www.nytimes.com/2000/12/09/world/09KORE.html; "Korea, US End Nogun-ri Talks Inconclusively," *Korea Times*, December 8, 2000.

18. "Korea, US to Resume Talks on Nogun-ri Incident Wed.," *Korea Times*, December 18, 2000.

19. Department of Defense, *DoD News Briefing—No Gun Ri* (Presenter: Secretary of Defense William S. Cohen), January 11, 2001, http://www.defense.gov/Transcripts/Transcript.aspx?TranscriptID=871.

20. 대한민국 국방부, 「노근리 사건 조사 결과 보고」, 서울, 2001년 1월.

21. Office of the Press Secretary, The White House (Dover, New Hampshire), "Statement by the President," January 11, 2001, http://seoul.usembassy.gov/p_clinton_statement.html.

22. Department of the Army Inspector General, "No Gun Ri Review Report," January 2001, http://en.wikisource.org/wiki/U.S._Department_of_the_Army_No_Gun_Ri_Review_Report.

23. "Statement of Mutual Understanding Between the United States and the Republic of Korea on the No Gun Ri Investigations," January 2001, http://www.defense.gov/news/Jan2001/smu20010111.html.

24. Don Kirk, "Korean Group Rejects U.S. Regrets for War Incident: Unresolved Questions," *New York Times*, January 13, 2001, http://www.nytimes.com/2001/01/13/news/13iht-a1_16.html.

25. 같은 기사에서.

26. 사설 「법정으로 이어질 '노근리 진실'」, 『한겨레』 2001년 1월 13일 자.

27. 사설 「노근리사건 보상해야」, 『경향신문』 2001년 1월 13일 자.

28. 사설 「노근리 배상으로 앙금 씻어야」, 『문화일보』 2001년 1월 12일 자.

29. 사설 「노근리사건 처리 미흡하다」, 『동아일보』 2001년 1월 13일 자.

30. Committee for the Review and Restoration of Honor for the No Gun Ri Victims, *No Gun Ri Incident Victim Review Report* (Seoul: Government of the Republic of Korea, 2009).

31. "Nogun-ri Survivors Set to Take Case to U.S. Court," *Korea Times*, January 13, 2001.

32. Douglas Martin, "Chung Eun-yong, Who Helped Expose U.S. Killings of Koreans, Dies at 91," *New York Times*, August 22, 2014, http://www.nytimes.com/2014/08/24/world/asia/chung-eun-yong-91-dies-helped-expose-us-killings-of-south-koreans.html?_r=0.

33. Judith Greer, "What Really Happened at No Gun Ri?" *Salon*, June 3, 2002, http://www.salon.com/2002/06/03/nogunri_2/.

34. Gi-Wook Shin, *One Alliance, Two Lenses: U.S.–Korea Relations in a New Era* (Stanford: Stanford University Press, 2010), fig. 4.6, 95: 신기욱, 송승하 옮김, 『하나의 동맹, 두 개의 렌즈: 새 시대의 한미 관계』, 한국과미국(올리브), 2010.

35. 「미공군 한국전 때 양민 공격」, 『한겨레』 1999년 12월 30일 자.

36. 『연합뉴스』, 「북한이 주장하는 미군의 6·25 양민 학살」; 『중앙일보』, 1999년 10월 1일 자.

37. 사설 「어느 미군병사의 '참회'」, 『동아일보』 1999년 10월 9일 자.

38. Associated Press, "1st Cavalry Division Association's Statement on the Events at No Gun Ri," 2000, http://msuweb.montclair.edu/~furrg/Vietnam/aponnogunri.pdf.

39. Robert L. Bateman, *No Gun Ri: A Military History of the Korean War Incident* (Mechanicsburg, PA: Stackpole Books, 2002).

제3장 한미 관계의 악화: 에이전트 오렌지와 포름알데히드

1. World Health Organization, "Dioxins and their Effects on Human Health," Fact sheet no. 225, Updated June 2014, http://www.who.int/mediacentre/factsheets/fs225/en/.

2. Park Won-soon, "Korea–Japan Treaty, Breakthrough for Nation Building," *Korea Times*, March 19, 2010, http://www.koreatimes.co.kr/www/news/biz/2011/03/291_62653.html.

3. Veterans Carry Scars of Vietnam War 30 Years On," *Korea Times*, May 2,

2005. 한국참전용사 단체 관계자는 다음과 같이 말했다. "사람들이 우릴 칭송하지 않는 것도 참을 수 없지만 가장 참을 수 없는 것은 우리가 단지 돈 때문에 혹은 군사정권에 대한 맹목적인 충성으로 거길 갔다며 비난하는 사람들이다. … 베트남의 희생자들이 하는 이야기에 귀를 기울여서 진실을 왜곡시키는 건 말도 안 된다. 그들은 우리가 거기서 무엇을 겪었으며 무엇을 위해 피를 흘렸는지 모른다."

4. 위와 같은 기사에서. 일부 한국 참전용사들은 1980년대에 미국 정부에 대한 집단소송에 참여하라고 요청받았지만 에이전트 오렌지에 의한 한국 희생자는 없었다는 이유로 전두환 정부가 소송에 참여하지 말 것을 종용했다고 전했다. 사설 「대법원의 고엽제 판결이 아쉬운 이유」, 『한겨레』 2013년 6월 13일 자.

5. "ROK Vets Victims of Agent Orange," *Korea Times*, June 15, 1992, http://www.yellowjournal.org/viewarticle.html?a=1955.

6. "Minister Orders Probe Into Frontline Use of Defoliants," *Korea Times*, November 16, 1999.

7. "USFK Requested Use of Defoliants," *Korea Times*, November 17, 1999.

8. 『코리아타임스』는 『한국일보』에서 발행하는 영자지다. 『코리아타임스』의 기사와 사설들은 『한국일보』에 등장하는 것과 동일하거나 비슷하다.

9. 사설 「대법원의 고엽제 판결이 아쉬운 이유」, 『한겨레』 2013년 6월 13일 자.

10. Jim Kavanagh, "Agent Orange Buried in South Korea, Vets Say," May 20, 2011, http://news.blogs.cnn.com/2011/05/20/agent-orange-buried-in-s-korea-vets-say.

11. Lee Tae-hoon, "US Army Admits Chemical Dumping," *Korea Times*, May 23, 2011.

12. "Buried Chemicals on US Military Base Removed from Korea," *Korea Times*, June 2, 2011.

13. Kim Gae-jong, "No Sign of Agent Orange Found in U.S. Military Camp," *Korea Times*, December 29, 2011.

14. 많은 진보 단체가 에이전트 오렌지에 대해 미국을 비판하고 한국 참전용사들의 보상 요구를 지지했지만 상황은 복잡했다. 참전용사 단체들은 보수적인 편이었다. 그래서 진보 단체들이 2010년 천안함 사건이 북한의 소행이라는 이명박 정부의 결론에 의문을 제기했을 때 몇몇 참전용사들은 분노했다. 에이전트 오렌지 관련 보상 요구를 이끌었던 대한민국고엽제전우회는 한국 최대의 진보 NGO인 참여연대의 본부 앞에서 며칠 간 폭력적인 시위를 벌였다. "Far-right Groups Launch Violent Protests Against PSPD," *Hankyoreh*, June 18, 2010, http://english.hani.co.kr/arti/english_edition/e_national/426298.html.

15. Kim Tae-jong, "Calls Grow for SOFA Revision," *Korea Times*, June 1, 2011.

16. "Korean Vietnam Vets Rally in Washington," *Korea Times*, July 23, 2003.

17. 녹색연합, "The Eighth US Army Division Discharged Toxic Fluid (Formaldehyde) into the Han-River," http://base21.jinbo.net/show/show.php?p_cd=0&p_dv=0&p_docnbr=14958.

18. "US Military Admits to Dumping Toxic Chemicals", *Korea Times*, July 15, 2000.

19. "Are Koreans Disposable People?", *Korea Times*, July 17, 2000.

20. Jae-Suk Yoo, "U.S. Restricts Soldiers in S. Korea," *Associated Press*, July 18, 2000, http://www.apnewsarchive.com/2000/U-S-Restricts-Soldiers-in-S-Korea/id-4b917acb338c57024037fe057b47a484.

21. Jae-Suk Yoo, "U.S. Apologizes for S. Korea Dumping," *Associated Press*, July 24, 2000, http://www.apnewsarchive.com/2000/U-S-Apologizes-for-S-Korea-Dumping/id-bc6c033a67ef096aeed2a9ca2e4232c3.

22. 사설 「국민건강보다 수출이 앞서는가」, 『한겨레』 1991년 4월 10일 자.

23. 사설 「한강에 청산가리를 버리다니」, 『동아일보』, 1999년 7월 10일 자.

24. 「충격적인 포르말린 한강 방류」, 『국민일보』, 2003년 11월 4일 자.

25. Bae Ji-sook, "Kolon Blamed for Possible Leack [sic] of Toxins," *Korea Times*, n.d., https://www.koreatimes.co.kr/www/common/printpreview.asp?categoryCode=117&newsIdx=20162.

26. "AFM /AFI FEST REPORT #4: THE HOST," http://www.scifijapan.com/articles/2006/12/19/afm-afi-fest-report-4-the-host/.

27. Heejin Koo, "Korean Filmmakers Take Center Stage to Bash Trade Talks," *International Herald Tribune*, September 9, 2006, http://www.bilaterals.org/?korean-filmmakers-take-center.

28. "Albert L. McFarland Honored as APFSP Legacy Fellow," n.d., https://www.flickr.com/photos/imcomkorea/7004747773/.

29. http://www.usfk.mil/usfk/Search.aspx?q=McFarland.

제4장 공평과 평등: 매향리 사격장 사건과 한미 SOFA 개정

1. 남종영, 「전만규는 왜 폭력에 빠졌는가」, 『한겨레』 2007년 4월 24일 자, http://legacy.www.hani.co.kr/section-021037000/2007/04/021037000200704240657017.html.

2. Lee Kyong-hee, "For Whom Do They Train," *Korea Herald*, July 17, 2000.

3. O Youn-hee, "The War is Not Over in Maehyang-ri after 50 Years," *Korea Herald*, April 21, 2004.

4. Lee Kyong-hee, "For Whom Do They Train," *Korea Herald*, July 17, 2000.

5. Berta Joubert-Ceci, "Vieques, South Korean Fighters Meet at Maehyang-ri," Workers World, n.d., http://www.workers.org/ww/2000/korea0810.php.

6. O Youn-hee, "The War is Not Over in Maehyang-ri After 50 Years," *Korea Herald*, April 21, 2004.

7. 남종영, 「전만규는 왜 폭력에 빠졌는가」, 『한겨레』 2007년 4월 24일 자, http://legacy. www.hani.co.kr/section-021037000/2007/04/021037000200704240657017. html.

8. 김기성, 「경찰, 매향리 주민대책위원장 등 횡령죄 입건 대책위 "망신주기 수사" 반발」, 『한겨레』 2012년 4월 25일 자, http://www.hani.co.kr/arti/society/area/530050. html.

9. 「충분한 보상과 재발 방지를」, 『서울신문』 2000년 5월 15일 자.

10. Kang Seok-jae, "7 Koreans Injured as U.S. Fighter Makes Emergency Bomb Drop," *Korea Herald*, May 12, 2000.

11. 「매향리 사람들의 고통」, 『중앙일보』 2000년 5월 15일 자.

12. 「美軍기지 주변 '불안' 해소하라」, 『동아일보』 2000년 5월 13일 자.

13. 「G 메일/"박상희 당선자 '외국인 보호' 어불성설" 등」, 『한국일보』 2000년 5월 16일 자.

14. 「미군 기지 피해 10여 곳 지자체 공동대응 추진」, 『한겨레』 2000년 5월 16일 자.

15. 이상석, 「노근리, 매향리, 그리고 미국」, 『한국일보』 2000년 5월 17일 자.

16. 사설 「매향리에 우라늄탄까지?」, 『세계일보』 2000년 5월 17일 자; 권상은, 「매향리 미 군사격장 우라늄탄도 쐈을 것」, 『조선일보』 2000년 5월 15일 자.

17. Hong Kuen-Soo, "Clean up Maehyang-ri!" Peacemaking, September 16, 2005, http://peacemaking.kr/english/news/view.php?papercode=ENGLISH &newsno=29&pubno=121.

18. Koon-ni (Ko-on-ni) Range, http://www.globalsecurity.org/military/facility/ koonni.htm.

19. 「우라늄탄 사용의혹 밝혀라」, 『한국일보』 2000년 5월 18일 자.

20. 「매향리에 우라늄탄까지?」, 『세계일보』 2000년 5월 17일 자.

21. 유용원, 「미 조종사 "대형 우라늄탄 없어"」, 『조선일보』 2000년 5월 17일 자.

22. 「우라늄탄 사용의혹 밝혀라」, 『한국일보』 2000년 5월 18일 자.

23. 예를 들어 윌슨은 미국이 한국에 개입한 것이 직접적으로 한국전쟁을 일으켰으며 이 는 "20세기에 해결되지 않은 채로 남아 있는 국제적 범죄 중 하나"라고 발언한 것으

로 알려져 있다. 위키피디아의 「브라이언 윌슨」 항목 참조, http://en.wikipedia.org/wiki/Brian_Willson#cite_ref-democracynow_1-0. S. 브라이언 윌슨의 개인 웹사이트 http://www.brianwillson.com/도 참조하라.

24. 오태규·정인환, 「'매향리 피해 미군 무관' 파문」, 『한겨레』 2000년 5월 25일 자.

25. 같은 기사.

26. 전종휘, 「(취재파일) 진실 눈감은 '매향리' 피해 조사」, 『한겨레』 2000년 6월 2일 자.

27. 「'매향리' 열흘 조사로 끝내나」, 『중앙일보』, 2000년 6월 3일 자.

28. 유용원, 방성수, 「"매향리에 직접 피해없다" 주민들 반발 "폐쇄 투쟁"」, 『조선일보』 2000년 6월 1일 자.

29. 같은 기사.

30. Jin Dae-woong, "New U.S. Bombing Range Begins Operations," *Korea Herald*, September 5, 2007.

31. R. Chuck Mason, "Status of Forces Agreement (SOFA): What Is It, and How Has It Been Utilized?", Congressional Research Service, March 15, 2012, http://fas.org/sgp/crs/natsec/RL34531.pdf.

32. Joseph Dallao, "The Republic of Korea—United States Status of Forces Agreement (SOFA): The Influencing Factors on the Perception of the Korean Public, 2002—2012," Ph. D. thesis, Graduate School of International Studies, Department of International Cooperation, Yonsei University, 2012, 89–90.

33. 1953년 10월 1일의 상호방위조약 전문은 다음에서 확인할 수 있다 http://photos.state.gov/libraries/korea/49271/p_int_docs/p_rok_60th_int_14.pdf.

34. 1996년 7월 9일 합의의 전문은 다음에서 확인할 수 있다 http://www.usfk.mil/usfk/Uploads/130/US-ROKStatusofForcesAgreement_1966–67.pdf.

35. Dallao, 90–112.

36. "단지 군인이 '직무 시간'에 있었다고 해서 모든 사례가 공무 중으로 간주되는 것은 아니다." 1966년 한미 SOFA는 대한민국 당국이 '특별히 중요한 사례'를 제외한 경우 관할권 행사의 우선권을 포기할 수 있다는 합의의사록을 포함하고 있음을 참고할 것. 1991년 한미 SOFA 개정 전까지 여기에는 살인, 강간, 방화와 같은 강력 범죄만 고려된다는 합의가 있었으나 수년에 걸쳐 이 목록은 점차 늘어났다. 이 합의는 1991년 대한민국 당국이 우선권을 주장할 수 있는 사건의 종류를 확장하지 않는다는 구두 확약에 의해 해제됐다. 이는 1990년 중반 법무부가 심지어 사소한 범죄와 몇몇 교통 사건에도 관할 우선권을 주장하기 시작하면서 파기됐다." 로버트 T. 마운츠, 저자에게 보낸 이메일, 2014년 11월 26일.

37. Dallao, 112–120.

38. Dallao, 120–121.

39. 로버트 T. 마운츠, 저자에게 보낸 이메일, 2014년 11월 26일.

40. 2001년 1월 18일 개정 전문은 다음에서 확인할 수 있다. http://www.usfk.mil/usfk/Uploads/130/US-ROKStatusofForcesAgreement2001Amendments.pdf.

41. Dallao, 123–124.

42. Kang Seung-woo, "Increasing Crimes by GIs Stir Uproar," *Korea Times*, March 7, 2013.

43. 사설 「잇단 미군 범죄, 미군 당국의 책임 무겁다」, 『한겨레』 2013년 3월 19일 자.

44. "What Lies Under the Sofa?," *Korea Times*, May 7, 2003.

45. 신맹호, 「한미 SOFA 불평등하지 않다」, 『한겨레』 2003년 1월 7일 자.

제5장 부시의 역습: 대북 정책

1. Sangho Moon, "Democratization and Health Care: The Case of Korea in Financing and Equity," in Larry Diamond and Gi-Wook Shin, eds., *New Challenges for Maturing Democracies in Korea and Taiwan* (Stanford: Stanford University Press, 2014), 264.

2. "저는 이 자리에서 북한에 대해 당면한 세 원칙을 밝히고자 합니다. 첫째, 어떠한 무력 도발도 결코 용납하지 않겠습니다. 둘째, 우리는 북한을 해치거나 흡수할 생각이 없습니다. 셋째, 남북 간의 화해와 협력을 가능한 분야부터 적극적으로 추진해 나갈 것입니다. 남북 간에 교류 협력이 이루어질 경우 우리는 북한이 미국·일본 등 우리의 우방 국가나 국제기구와 교류 협력을 추진해도 이를 지원할 용의가 있습니다. 새 정부는 현재와 같은 경제적 어려움에도 불구하고 북한의 경수로 건설과 관련한 약속을 이행할 것입니다. 식량도 정부와 민간이 합리적인 방법을 통해서 지원하는 데 인색하지 않겠습니다. … 북한이 원한다면 정상회담에도 응할 용의가 있습니다." 김대중 대통령 취임사, 1998년 2월 25일, http://www.korea.kr/archive/governmentView.do?newsId=148741323.

3. "Address by President Kim Dae-jung of the Republic of Korea, Lessons of German Reunification and the Korean Peninsula," March 9, 2000, http://www.monde-diplomatique.fr/dossiers/coree/A/coree2000.

4. 남북공동선언, 2000년 6월 15일, 영문 전문은 다음에서 확인할 수 있다. http://news.bbc.co.uk/2/hi/asia-pacific/791691.stm.

5. Lim Dong-won, *Peacemaker: Twenty Years of Inter-Korean Relations and the*

North Korean Nuclear Issue (Stanford: Shorenstein Asia-Pacific Research Center, 2012), 44–48.

6. Madeleine Albright, *Madam Secretary: A Memoir* (New York: Harper Perennial, updated ed., 2013), 458–474.

7. Bill Clinton, *My Life: The Presidential Years*, Vol. II (New York: Vintage, reprint, 2005), 626–627.

8. Albright, *Madam Secretary*, 473.

9. 그러나 당시 조지 W. 부시의 인수위 고위 인사이자 그의 국가안보보좌관인 콘돌리자 라이스는 회고록에서 부시가 곧 퇴임하는 행정부의 계획이나 정책에 대해 지지나 반대를 표하고 싶지 않다고 내비쳤다고 썼다. 라이스는 클린턴 대통령이 평양에 방문할 가능성에 대해 클린턴 행정부 고위 관계자와 가진 회의에서 부시의 바람을 따랐다고 썼다. Condoleezza Rice, *No Higher Honor: A Memoir of My Years in Washington* (New York: Crown, 2011), 34.

10. "Steven (sic) W. Bosworth (1997–2001)," in *Ambassadors' Memoir: U.S.– Korea Relations Through the Eyes of the Ambassadors* (Washington, DC: Korea Economic Institute of America, 2009), 126: 한미경제연구소 엮음, 최경은 옮김, 매일경제 국제부 감수, 『대사관 순간의 기록』, 매일경제신문사, 2010. 수년 후 그는 "내가 크게 착각했었다"며 씁쓸하게 덧붙였다.

11. Rice, *No Higher Honor*, 34–37.

12. Karen De Young, *Soldier: The Life of Colin Powell* (New York: Knopf, 2006), 326.

13. Office of the Press Secretary, The White House, "Remarks by President Bush and President Kim Dae-Jung of South Korea," March 7, 2001, http://georgewbush-whitehouse.archives.gov/news/releases/2001/03/20010307-6.html.

14. 같은 문서.

15. 몇 년 후 한 전문 한국 통역가는 당시 부시 대통령이 김대중 대통령을 'this man'이라고 일컬었을 때 실제로는 김대중 대통령을 "극찬하듯(glowingly)" 말하고 있었다고 썼다. Jason Lim, "If Obama Meets Kim Jong-un," *Korea Times*, June 1, 2012, http://www.koreatimes.co.kr/www/news/opinon/2014/10/352_112201.html.

16. "Calling Kim 'This Man' Earning Bush a Censure," *Korea JoongAng Daily*, March 9, 2001, http://koreajoongangdaily.joins.com/news/article/Article.aspx?aid=1885552

17. Charles L. Pritchard, *Failed Diplomacy: The Tragic Story of How North Korea Got the Bomb* (Washington, DC: Brookings Institution Press, 2007), 4–7.

18. 전문은 다음에서 확인 가능하다. http://www.presidency.ucsb.edu/ws/index.
php?pid=45819.

19. 전문은 다음에서 확인 가능하다. http://www.washingtonpost.com/wp-srv/
onpolitics/transcripts/sou012902.htm.

20. Pritchard, *Failed Diplomacy*, 39.

21. Siegfried S. Hecker, "What I Found in North Korea: Pyongyang's Plutonium
Is No Longer the Only Problem," *Foreign Affairs*, December 9, 2010, http://
www.foreignaffairs.com/articles/67023/siegfried-s-hecker/what-i-found-
in-north-korea.

22. Lim, *Peacemaker*.

제6장 쇼트트랙 사건

1. Eric Larson, "Analysis of the September 2003 *JoongAng Ilbo*, CSIS, and
RAND Polls," in Derek M. Mitchell, ed., *Strategy and Sentiment: South Korean
Views of the United States and the U.S.–ROK Alliance* (Washington, DC: Center
for Strategic and International Studies, June 2004), 93, http://csis.org/files/
media/csis/pubs/0406mitchell.pdf.

2. 방광일, 『아테네에서 아테네까지: 올림픽 경기 100주년』(서울: 홍경, 2005), 499–500.

3. 김상수, 「"너무나 미국적인" 그들만의 잔치」, 『동아일보』, 2002년 2월 10일 자.

4. Eric Chang, "Prejudiced Media," *Korea Times*, February 28, 2002, Katrin A.
Fraser, "Reflections on Anti-American Sentiment in Korea," *Korea Society
Quarterly* 3, no. 1 (Spring 2002): 17, http://www.koreasociety.org/doc_
view/94-volume-3-number-1에서 재인용.

5. 쇼트트랙 스피드스케이트는 장거리 스피드스케이트와 몇몇 부분에서 다르다. 쇼트트
랙은 단거리에서 경주하며 동시에 여섯 명까지 경주할 수 있고 실격이 흔하다. 장거리
경주에서는 두 명의 선수가 동시에 경주한다.

6. 전체 획득 메달 수에서 한국은 1992년 10위(4개), 1994년 6위(6개), 1998년 9위(6
개)를 기록했다.

7. 『USA 투데이』의 2002년 동계올림픽 프리뷰 섹션은 김동성이 금메달 두 개와 은메달
두 개를 딸 것이고 중국이 여성 부문 경기에서 메달 네 개를 모두 석권할 것이라고 예
상했다. 한국의 쇼트트랙 결과 예상은 금메달 두 개, 은메달 네 개, 동메달 세 개였다.
2002년 2월 12일 자.

8. 오노의 팬들은 그 특유의 염소수염을 흉내 내어(절연테이프를 붙이거나 마커로 그
려) 경기장 응원석에 나타나곤 했다. Michael C. Lewis, "Tough Not to Like Short

Track, Ohno," *Salt Lake Tribune*, February 25, 2002, 4.

9. 2002년 동계올림픽 직후에 쓴 자서전에서 오노는 자신이 올림픽 동안 누린 인기를 NBC의 호의적인 올림픽 프리뷰에 돌렸다. Apolo Anton Ohno, *A Journey: The Autobiography of Apolo Anton Ohno* (New York: Simon & Schuster, 2002), 125–127.

10. 『USA 투데이』는 오노가 금메달 하나와 동메달 하나만 딸 것으로 예상했으나 쇼트트랙 섹션에서는 보다 희망적인 헤드라인을 걸었다. "Short Track Speed Skater to Watch: The USA's Apolo Anton Ohno, Pegged to be America's Golden Boy of These Games." *USA Today*, February 12, 2002. 오노의 고향인 시에틀의 지역지 『시에틀 타임스』는 금메달 두 개와 은메달, 동메달 각각 하나를 예상했다. "Who Will Win What," *Seattle Times.com*, February 7, 2002, http://community. seattletimes.nwsource.com/archive/?date=20020207&slug=medalpicks07.

11. 경기에 쿼터파이널과 세미파이널이 있을지 여부는 선수의 수에 달려 있다. 예를 들어 계주에는 첫 라운드만 있고 바로 파이널로 넘어가는 반면 1,500미터는 1라운드, 세미파이널, 그리고 파이널이 있다. 다른 두 경기에 참가하는 선수들은 첫 라운드부터 쿼터파이널, 세미파이널, 파이널 모두를 거쳐야 한다. 엄밀하게 말하자면 파이널도 두 개가 있지만 B 파이널은 보통 누가 메달을 따게 될지와는 관련이 없기 때문에 따로 덧붙이지 않는 경우 '파이널'이라고 하면 A 파이널을 의미한다.

12. 한 미국 언론의 보도에 따르면 "한국의 민룡이 그와 충돌하여 빙판에 쓰러졌다"고 한다. Mel Antonen, "Ohno, Smith Advance to 1,000-meter Quarterfinals," *USA Today*, February 14, 2002.

13. 권오상, 「남 쇼트트랙 5000미터 계주 실격 김동성과 안현수는 1000m 예선 통과」, 『한겨레』 2002년 2월 15일 자; 권오상, 「쇼트트랙 '억울한 노메달'」, 『한겨레』 2002년 2월 18일 자.

14. 권오상, 「쇼트트랙 '억울한 노메달'」, 『한겨레』 2002년 2월 18일 자; 김상수, 「김동성-안현수 "金메달 뺏긴 기분"」, 『동아일보』, 2002년 2월 18일 자.

15. 브래드버리의 금메달은 오스트레일리아의 동계올림픽 사상 첫 메달이었다. 그는 분명 2002년에 가장 운이 좋았던 금메달 수상자였다. 그는 경기가 끝나고 이렇게 말했다. "두 선수가 파이널로 갈 것이고 어쩌면 내가 동메달을 딸 수 있을 거라고 기대하고 있었다." 그는 경기 전에 오노에게 다음과 같은 이메일을 보냈다. "만약 네가 금메달을 따게 되면 (브래드버리의 스케이트화 회사에 대한) 언급을 좀 해줘." Duncan Mackay, "Americans Unhappy as the Last is Placed First," *Guardian Online*, February 18, 2002, http://www.theguardian.com/sport/2002/feb/18/olympicgames. winterolympics2002.

16. 김은희, 「쇼트트랙 도둑맞은 金」, 『서울신문』 2002년 2월 18일 자와 권오상, 「실망스러운 노메달」, 『한겨레』 2002년 2월 18일 자를 보라.

17. "Ohno Slides to Silver After Wild Collision Near Finish," *New York Times*, February 17, 2002.

18. 휴이시는 실격 판정에 대해 언론에 말하지 마라는 지침을 받았다. 브래드버리처럼 그도 오스트레일리아 출신이라는 점은 오스트레일리아가 경기에서 금메달을 얻을 수 있게끔 하기 위해 재경기를 지시하지 않았다는 주장에 신빙성을 준다. 그러나 그는 계주 파이널에서 재경기를 지시한 바 있으며 그 과정에서 오스트레일리아 팀을 떨어뜨리기도 했다. Duncan Mackay, "Americans Unhappy as the Last is Placed First," *Guardian Online*, February 18, 2002, http://www.theguardian.com/sport/2002/feb/18/olympicgames.winterolympics2002.

19. Ohno, *A Journey*, 128.

20. 한국 언론은 특히 『USA 투데이』의 보도에 불쾌해했다. 「'가해자를 피해자로' 미 언론의 상업주의」, 『한겨레』 2002년 2월 19일 자.

21. Jim Klobuchar, "How the Mighty Fallen Rise Again with Grace," *Christian Science Monitor*, February 20, 2002, http://www.csmonitor.com/2002/0220/p01s01-ussc.html.

22. Liz Robbins, "Ohno Slides to Silver After Wild Collision," *New York Times*, February 17, 2002, http://www.nytimes.com/2002/02/17/olympics/_17SHOR.html.

23. 일례로 편집자에게 보내진 한 편지는 이렇게 말하고 있었다. "비록 그가 훌륭한 경기를 펼쳤음에도 은메달에 그쳤고 그는 분명 실망감을 느꼈을 텐데도 영예롭게 대처했다. 나는 그를 스포츠맨십의 훌륭한 모범으로 삼을 것이다. 경기 후 인터뷰에서 그는 최종 결과에 대한 그의 불만을 끌어내려는 질문을 계속 받았다. 그러나 그는 이를 거부하고 그 대신 질문에 존중을 담아 대답했다. 그는 그저 여기서 경주할 수 있어 얼마나 행복했는지만 말했다. 분명 그는 개성이 있는 남자다. 오노에게 행운을 빈다. 그는 남자이자 운동선수로서 내게 감탄을 주었다." 『USA 투데이』, 2002년 2월 20일 자. 『크리스천 사이언스 모니터』 기사도 1,000미터 경주에 대한 오노의 반응에 찬사를 보냈다. "올림픽 경기는 경쟁자에 의해 벌어진 재앙에도 불구하고 우아함과 관용을 갖고 행동한 선수들에게 메달을 주진 않는다. 그러나 관중은 우아함을 보면 그것이 무엇인지를 알며 그것이 바로 한때 비행청소년이었던 아폴로 안톤 오노가 19세의 스피드 스케이트 신동으로 얻은 모든 찬사보다도 더 많은 존경을 오늘 받은 이유다." Jim Klobuchar, "How the Mighty Fallen Rise Again with Grace," *Christian Science Monitor*, February 20, 2002, http://www.csmonitor.com/2002/0220/p01s01-

ussc.html.

24. 권오상, 「'가해자를 피해자로' 미 언론의 상업주의」, 『한겨레』 2002년 2월 19일 자.

25. 김명철, 「솔트레이크시티에 놀러 갔나」, 『한겨레』 2002년 2월 21일 자.

26. 『USA 투데이』 기자 마이크 로프레스티는 쇼트트랙에 대한 자신의 지식을 다음과 같이 정리했다. "많은 미국 기자는 쇼트트랙 스피드스케이팅에 대해 그가 아는 모든 것을 껌종이 뒷면에 적을 수 있을 것이다." "Koreans Take DQ Hard: Some Blame Americans," *USA Today*, February 22, 2002.

27. International Skating Union, "International Skating Union Special Regulations: Speed Skating and Short Track Speed Skating," 2004 edition, 89, http://www.spelregels.eu/rules/schaatsen/SPECIALREGULATIONSforSH ORTTRACKSPEEDSKATING.pdf.

28. 이는 KBS의 해설가 김기훈의 의견이었다. 권오상, 「'할리우드 액션'에 넘어간 금」, 『한겨레』 2002년 2월 22일 자.

29. 자서전에서 오노는 전명규 코치를 '빅 전'(Big Jon)이라고 부른다. 오노는 전 코치가 자신의 선수 생활 초반에 조언을 했다가 오노가 경기에서 이기기 시작하자 그만두었다고 주장한다. 오노는 판정이 나올 때까지 김동성을 기다리도록 하지 않고 성급하게 승리 세레머니를 하게 내버려두었다고 전명규 코치를 비판한다. Ohno, *A Journey*, 134; Duncan Mackay, "Americans Unhappy as the Last is Placed First," February 18, 2002, http://www.theguardian.com/sport/2002/feb/18/olympicgames. winterolympics2002.

30. Mike Lopresti, "Koreans Take DQ Hard: Some Blame Americans," *USA Today*, February 22, 2002.

31. 강호철, 「오노, 추월할 만한 스피드 없었다」, 『조선일보』 2002년 2월 22일 자.

32. 일례로 한 한국 신문은 2월 23일 쇼트트랙과 관련된 네 명의 한국인을 인터뷰해 기사를 실었다. 흥미롭게도 심판이었던 두 명은 판정 자체는 어느 정도 그럴듯하나 당시 올림픽 경기에서 다른 경기에서 내려진 판정과 불일치하기 때문에 불공평하다고 답했다. 그러나 올림픽 금메달리스트였던 한 현직 코치는 단순히 판정이 잘못됐다고 선언했다. 김용출, 「김동성 실격 파문 전문가 4인 긴급 진단」, 『세계일보』 2002년 2월 23일 자.

33. 신윤석, 「"판정에 졌다" 日신문들도 대서특필」, 『한국일보』 2002년 2월 23일 자. 흥미롭게도 오노의 아버지는 일본 출신이며 일본에 대한 한국의 감정은 식민 지배 경험으로 좋지 않음에도 한국 언론은 이 사실을 거의 거론하지 않았다. 이는 일본 언론이 한국의 항의를 강력하게 지지하고 있었기 때문일 수도 있다. 많은 일본인도 다른 경기에서 자국 선수들이 사기를 당했다고 느끼고 있었기 때문이다. 어쩌면 한국의 해설가들

이 일본에 대한 한국의 반감이 세계적으로 잘 알려져 있기 때문에 오노가 일본계라는 걸 거론할 경우 국제사회에서 오노 사건에 대한 비판의 정당성을 약화시킬 것이라고 생각했을지도 모른다.

34. 사설「뒤틀린 애국誤審」,『조선일보』2002년 2월 23일 자. 다른 신문들은 국기를 내던진 것을 거론한 데에『조선일보』를 우회적으로 비판했다. 예를 들어 고명섭,「조선만평, 양비론으로 곤욕치러」,『한겨레』2002년 2월 27일 자 참조.

35. 예를 들어「솔트레이크시티는 가장 추악한 올림픽」,『파이낸셜뉴스』, 2002년 2월 22일 자; 김용출,「"텃새 판정" … 강탈당한 金」,『세계일보』2002년 2월 22일 자.

36.「伊선수 '실격판정 말도 안돼」,『경향신문』2002년 2월 22일 자. 이 발언은 오노 사건에 대해 선수가 한 말 중 가장 널리 퍼진 말이다. 자서전에서 오노는 카르타가 나중에 '총'에 대한 발언은 오해이며 그가 본래 하려고 했던 말은 "스케이트 선수가 매우 강력하고 빠를 때 그를 멈추게 하려면 번갯불이 필요하다"는 의미였다고 설명했다. Ohno, *A Journey*, 137.

37. 권오상,「외신들도 '어?' 취재 북새통」,『한겨레』2002년 2월 22일 자.

38. Luke Cyphers, "Ohno Finishes Second but Ruled First, Korean DQ'd for Blocking," *New York Daily News*, February 21, 2002, http://www.nydailynews.com/archives/sports/ohno-finishes-2nd-ruled-1st-korean-dq-blocking-article-1.479361.

39. Michael C. Lewis, "Turnabout for Ohno," *Salt Lake Tribune*, February 21, 2002.

40. Mel Antonen, "Ohno: Cross-track Call was Pretty Clear," *USA Today*, February 21, 2002.

41. Debbie Becker, "USA's Ohno Gets Gold When Korean Disqualified," *USA Today*, February 21, 2002, D1.

42. 제이 레노의「투나잇쇼」오노 출연분 녹취록, 2002년 2월 26일, http://www.tvrage.com/The_Tonight_Show_with_Jay_Leno/episodes/211380.

43. Harvey Araton, "This Time Foul Gives Ohno the Gold," *New York Times*, February 21, 2002, http://www.nytimes.com/2002/02/21/sports/olympics-short-track-speed-skating-this-time-foul-gives-ohno-the-gold.html.

44. Sharon Begley, "What a Gold Rush," Newsweek, March 3, 2002, http://www.newsweek.com/what-gold-rush-141503.

45. Mel Antonen, "Ohno: Cross-track Call was 'Pretty Clear,'" *USA Today*, February 21, 2002.

46. Steve Mason, "Giving Ohno Gold was a Bad Call," February 21, 2002,

msnfoxsports.com, http://msn.foxsports.com/more_sports/story/
MASON%253A-Giving-Ohno-gold-was-a-bad-call. 판정에 이의를 제기하는
미국 쪽의 발언들을 한국인들이 수많은 게시판에 올렸다.

47. Ian O'Conner, "Enough Olympic Hate, Stupidity to Go Around," *USA Today*,
February 23, 2002.

48. "CNN Saturday Morning News: Reporter's Notebook: The Olympic Games,"
February 23, 2002, http://transcripts.cnn.com/TRANSCRIPTS/0202/23/
smn.17.html.

49. Larry Hillenrand, "Gold Medal or Bust," *Time*, February 25, 2002, http://
content.time.com/time/arts/article/0,8599,212869,00.html.

50. Mike Lopresti, "Koreans Take DQ hard; Some Blame Americans," *USA
Today*, February 22, 2002.

51. 이런 사람들 중 하나는 CNN과 『스포츠 일러스트레이티드』의 영국 기자였던 필 존
스다. 그는 CNN 토요일 오전 뉴스에 나와 이렇게 말했다. "저는 처음에 판정이 너
무 과하다고 생각했습니다. … 리플레이를 해보니 김동성이 분명히 아폴로 오노의 라
인을 넘어들어갔더군요." http://transcripts.cnn.com/TRANSCRIPTS/0202/23/
smn.17.html.

52. Mel Antonen and Debbie Becker, "Ohno Focuses on 500, Not Injury or
E-mails," *USA Today*, February 22, 2002.

53. Michael C. Lewis, "Ohno Under Fire from South Koreans," *Salt Lake Tribune*,
February 22, 2002. YTN이 3월 초에 보도한 바에 따르면 휴이시는 판정이 자신만
의 것이 아닌 다섯 명의 심판(다른 심판들은 미국, 영국, 노르웨이, 중국 출신이었다)이
모두 모여 내린 것으로 '옳은' 것이라고 보았다고 한다. YTN 뉴스, 「휴이시 주심 결백
주장」, 2002년 3월 5일, http://www.ytn.co.kr/_ln/0107_200203051929356353.

54 강희종, 「김동성 실격 판정, 네티즌 분노 사이버시위로 확대」, 『아이뉴스24』, 2002년 2
월 22일 자.

55. Mel Antonen and Debbie Becker, "Ohno Focuses on 500, Not Injury or
E-mails," *USA Today*, February 22, 2002.

56. Debbie Becker, "Ohno Under Guard but Unworried," *USA Today*, February
23, 2002, 4; 김성수, 「FBI '오노 협박메일' 수사 … 처벌은 힘들어」, 『서울신문』 2002
년 2월 23일 자.

57. 김장희, 「'김동성 실격' 편파보도 항의 충청방송 CNN 송출 중단」, 『문화일보』 2002년
2월 23일 자. 이러한 웹사이트 중 하나로는 http://dirtysaltlake.wo.to가 있었다(현재
접속 불가).

58. John Feffer, "The Politics of Dog," *The American Prospect*, May 13, 2002, http://prospect.org/article/politics-dog.

59. 박창섭, 「'힘내라 김동성, 되찾자 금메달」, 『한겨레』 2002년 2월 23일 자; 최기수, 「오노 얼굴 새긴 화장지 나온다」, 『한국일보』 2002년 4월 4일 자.

60. 『한겨레』는 '미국제 불매' 웹사이트들의 대다수가 오노 사건 이후에 등장했다고 보도 했다. 박창섭, 「'얼음판' 분노 이젠 '하늘' 찌를듯/ 네티즌 미국상품 불매운동」, 『한겨레』 2002년 3월 23일 자.

61. 송창석, 「'오노 효과' 무섭네/ 국내진출 미국기업 매출감소」, 『한겨레』 2002년 3월 13 일 자.

62. Mike Lopresti, "Rage is All the Rage; Russia's Angry, S. Korea Too," *USA Today*, February 22, 2002.

63. Sharon Begley, "What a Gold Rush," *Newsweek*, March 3, 2002 (updated March 13, 2010), http://www.newsweek.com/what-gold-rush-141503; Mike Lopresti, "Koreans Take DQ Hard; Some Blame Americans," *USA Today*, February 22, 2002.

64. "The Fame Game," *Sports Illustrated*, March 11, 2002, http://www.si.com/vault/2002/03/11/319999/scorecard.

65. 동계올림픽의 쇼트트랙 네 경기에 더해 세계쇼트트랙선수권대회는 3,000미터와 종 합 경기를 포함하고 있다. 배극인, 「김동성 "내 실력 봤지!"」, 『동아일보』, 2002년 4월 8 일 자.

66. Bill Donahue, "Cold Warrior," *Men's Journal*, March 2006, http://www.gotapolo.com/mensjournal.html.

67. 『뉴욕타임스』 기사에 따르면 심지어 5월 말에도 "이곳 (한국의) 모든 이가 (오노 사건을) 기억"하며 미국에 대한 승리는 "축구뿐만 아니라 스피드스케이팅에 대한 것 이었다"고 한다. 기사는 경기를 두고 "원한의 경기"라고 표현했다. Jere Longman, "Soccer: Sensitive South Koreans Sensing Victory Over US," *New York Times*, May 27, 2002, http://www.nytimes.com/2002/05/27/sports/soccer-sensitive-south-koreans-sensing-victory-over-us.html.

68. Apolo Ohno, *Zero Regrets: Be Greater Than Yesterday* (New York: Atria Books, reprint, 2011), 159.

69. Bill Donahue, "Cold Warrior," *Men's Journal*, March 2006, http://www.gotapolo.com/mensjournal.html.

70. Kim Seung Hwan, "Anti-Americanism in Korea," *Washington Quarterly* 26, no. 1 (2002–2003), 109–122. 김승환은 "미국은 경기장 안에서만 이 사건에 관련됐

을 뿐, 경기장 너머에서는 아무런 관련이 없었다"고 썼다. 그러나 경기장은 미국을 응원하는 군중으로 가득했고 실격이 발표되기 전까지 김동성에게 야유를 보내고 있었다.

71. 박현철, 「"안현수, 금 못 땄으면 논란 없었을 것" "김연아, 편파 판정 객관적 근거 있나"」, 『한겨레』 2014년 2월 26일 자, http://www.hani.co.kr/arti/sports/sports_general/625950.html.

72. 손봉석, 「온라인이 오프라인 세계를 흔들었다」, 『프레시안』, 2002년 12월 31일 자, http://www.pressian.com/ezview/article_main.html?no=8052; 강주안, 이무영, 「한-미戰 앞두고 일부 反美 움직임 '월드컵정신 훼손' 자제 목소리」, 『중앙일보』 2002년 6월 8일 자, http://news.joins.com/article/4292589.

73. Mike Celizic, "MSNBC Commentary," August 23, 2004. 본래 기사는 http://www.msnbc.msn.com/id/5790612/에서 찾을 수 있으나 지금은 삭제됐다. 복사본은 여전히 http://greylabyrinth.com/discussion/viewtopic.php?t=6723&sid=f372d8dc8cf9c10eeaf3c4458bb0103e에서 찾을 수 있다.

74. 네이버 사전, 「오노이즘」, http://krdic.naver.com/detail.nhn?docid=374899.

75. "Ohno Wins vis DQ at Worlds," *Seattle Times*, March 10, 2007, http://www.seattletimes.com/sports/ohno-wins-via-dq-at-worlds.

76. 김재형, 「오노 '오해는 이제 그만'」, YTN-TV, 2005년 10월 4일, http://www.ytn.co.kr/_ln/0107_200510041829014151.

77. 신명철, 「호들갑 떤 리포터, 점잖은 안톤 오노」, 『오마이뉴스』, 2006년 2월 20일 자, http://star.ohmynews.com/NWS_Web/OhmyStar/at_pg.aspx?CNTN_CD=A0000311958.

78. 박준형, 「(소치) 여자 쇼트트랙 대표팀 3000m 계주 중국 실격, 안톤 오노 "정확한 판단"」, 『조선일보』 2014년 2월 19일 자, http://news.chosun.com/site/data/html_dir/2014/02/19/2014021901154.html.

79. 정윤수, 「거대한 아웃코스를 기억하라」, 『한겨레21』 2014년 2월 12일 자 제998호, http://h21.hani.co.kr/arti/culture/culture_general/36365.html.

80. 「김동성, 안톤 오노가 준 커피에 감동…"커피는 우정을 싣고?"」, 『조선일보』 2014년 2월 19일 자, http://news.chosun.com/site/data/html_dir/2014/02/19/2014021901529.html.

81. 김동성, 「오른발을 쑥~ "금메달이었습니다"」, 『한겨레』 2014년 3월 29일 자, http://www.hani.co.kr/arti/sports/sports_general/630305.html.

제7장 클라이맥스: 56번 지방도의 비극

1. 사고에 대해 총 4회의 조사가 이루어졌다. (1) 모든 참가자가 기밀을 서약한 주한 미군

의 안전 조사, (2) 징계를 뒷받침하는 데 사용될 수 있는 주한 미군의 사고 조사, (3) 의정부의 한국 검사와 함께 벌인 공동 범죄 조사. 검사는 관할권 문제가 정리되기도 전에 피의자를 심문할 수 있었음. (4) 미국 통일군사재판법에 의한 주한 미군의 사전심리 조사. 이는 궁극적으로 미국의 기소로 이어졌다.

2. "Commission Fines USFK W10 Million," *Chosun Ilbo*, August 16, 2002, http://english.chosun.com/site/data/html_dir/2002/08/16/2002081661018.html.

3. "USFK, Statement: Eighth Army Soldiers to Face Court Martial in Armored Vehicle Accident," Release no. 06-20020913, September 13, 2002. 전 주한 미군 한미 SOFA 담당 비서 로버트 T. 마운츠, 저자에게 보낸 이메일, 2014년 11월 29일.

4. 전 주한 미군 한미주둔군지위협정 담당 비서 로버트 T. 마운츠, 저자에게 보낸 이메일, 2014. 11. 29.

5. *Ambassadors' Memoir: U.S.–Korea Relations through the Eyes of Ambassadors* (Washington, DC: Korea Economic Institute, 2009), 185–186: 한미경제연구소 엮음, 최경은 옮김, 매일경제 국제부 감수, 『대사관 순간의 기록』, 매일경제신문사, 2010.

6. 「(중앙일보·동아시아 연구원 한미 관계 여론조사) 反美성향 누가 대통령 되든 큰 부담」, 『중앙일보』 2002년 12월 19일 자.

7. 이숙종, 이내영 해설, 「(중앙일보, 동아시아 연구원 한미 관계 여론조사) 여론조사 결과 해설」, 『중앙일보』, 2002년 12월 19일 자.

제8장 한국의 반미주의: 잊혀졌지만 사라지진 않았다

1. 흔히 생각하는 것과 달리 '역대 최고'의 한미 관계를 만들기란 그리 어렵지 않다. 한 전문가가 표현했듯, 오랫동안 부침을 겪어왔던 한미 관계에서 '황금시대'는 결코 없었기 때문이다. Daniel C. Sneider, "The U.S.–Korea Tie: Myth and Reality," *Washington Post*, September 12, 2006, http://www.washingtonpost.com/wp-dyn/content/article/2006/09/11/AR2006091100877.html.

2. 한국의 대중국 수출량을 보면 72.4퍼센트는 제조업 부품이고, 23.7퍼센트는 자본재로 특히 중국에서 재화를 생산하는 데 사용하는 것들이다. 단 3.2퍼센트만이 중국인들이 사용하는 완성된 소비재다. KBS 뉴스 9, KBS-TV, 2014년 11월 10일.

3. Choi Kang et al., *South Korea Attitudes on the Korea–US Alliance and Northeast Asia* (Seoul: Asan Institute for Policy Studies, April 24, 2014), http://en.asaninst.org/contents/asan-report-south-korean-attitudes-on-the-korea-us-alliance-and-northeast-asia/ ; Kim Jiyoon et al., *South Korean Attitudes on China* (Seoul: Asan Institute for Policy Studies, July 3, 2014),

http://en.asaninst.org/contents/south-korean-attitudes-on-china/.

4. Gi-Wook Shin, *One Alliance, Two Lenses: U.S.Korea Relations in a New Era* (Stanford: Stanford University Press, 2010), 1–24: 신기욱, 송승하 옮김, 『하나의 동맹, 두 개의 렌즈: 새 시대의 한미 관계』, 한국과미국(올리브), 2010.

5. Choi Kang et al., *South Korea Attitudes on the Korea–US Alliance and Northeast Asia*, fig. 1, 12.

6. "Countries Ranked by Military Strength (2014)," Global Firepower, http://www.globalfirepower.com/countries-listing.asp.

7. "GDP Ranking," World Bank, December 16, 2014, http://data.worldbank.org/data-catalog/GDP-ranking-table.

8. "Korea Overseas Volunteer Programs," Korea International Cooperation Agency, http://www.koica.go.kr/english/schemes/volunteers/index.html.

9. Gi-Wook Shin, David Straub, and Joyce Lee, "Tailored Engagement: Toward an Effective and Sustainable Inter-Korean Relations Policy," Shorenstein APARC Policy Paper, Stanford University, September 2004, 15–16, http://fsi.stanford.edu/sites/default/files/tailored_engagement_web.pdf.

10. 예를 들어 Lee Nae-young and Jeong Han-wool, "Anti-Americanism and the U.S.–ROK Alliance," *East Asian Review* 15, no. 4 (Winter 2003), 22–46을 참조하라.

11. Karl Friedhoff, "Friedhoff: Don't Sweat U.S.–South Korea Nuclear Deal," *Wall Street Journal*, November 28, 2014, http://blogs.wsj.com/korearealtime/2014/11/28/friedhoff-dont-sweat-u-s-south-korea-nuclear-deal.

12. Shin, *One Alliance, Two Lenses*, fig. 4.2, 89.

13. 진지하고 책임감 있는 미국 학자들조차도 한국의 주장을 단순히 반복해왔다. 이를테면 "한국의 소식통들에 따르면 … 김영삼은 빌 클린턴에게 말해 (북한에 대한 폭격)을 취소하도록 했다고 한다." Andrew J. Bacevich, *American Empire: The Realities and Consequences of U.S. Diplomacy* (Cambridge: Harvard University Press, 2002), 273의 각주에는 출처가 Agence-France Press, "South Korea Stopped U.S. Strike on North Korea: Former President," May 24, 2000으로 적혀 있다.

14. Meredith Woo-Cumings, "Unilateralism and Its Discontents: The Passing of the Cold War Alliance and Changing Public Opinion in the Republic of Korea," in David I. Steinberg, ed., *Korean Attitudes Toward the United States: Changing Dynamics* (Armonk, NY: M.E. Sharpe, 2005), 57, 62.

15. 같은 책, 77.

16. Gi-Wook Shin and Hilary Jan Izatt, "Anti-American and Anti-Alliance Sentiments in South Korea," *Asian Survey* 51, no. 6 (November/December 2011), 1115—1116.

17. *Ambassadors' Memoir: U.S.–Korea Relations Through the Eyes of the Ambassadors* (Washington, DC: Korea Economic Institute, 2009), 186: 한미경제연구소 엮음, 최경은 옮김, 매일경제 국제부 감수, 『대사관 순간의 기록』, 매일경제신문사, 2010.

18. Gallup.chol.com, December 12, 2002, cited in Woo-Cumings, "Unilateralism and Its Discontents," 56.

19. 「디어 아메리카(Dear America)」라는 이 노래는 다음과 같은 가사를 담고 있다. "이라크 포로를 고문해 댄 씨발양년놈들과 고문하라고 시킨 개 씨발 양년놈들에 딸래미 애미 며느리 애비 코쟁이 모두 죽여 아주 천천히 죽여 고통스럽게 죽여." Kate Stanton, "Did Gangnam Style's Psy Once Rap 'Kill Those f***ing Yankees?'," UPI blog, December 7, 2012, http://www.upi.com/blog/2012/12/07/Did-Gangnam-Styles-Psy-once-rap-Kill-those-fing-Yankees/9411354903037.

20. Sheila Marikar, "Psy 'Forever Sorry' for Anti-American Song," December 7, 2012, http://abcnews.go.com/blogs/entertainment/2012/12/psy-forever-sorry-for-anti-american-song/.

21. 『뉴욕타임스』는 2003년 3월 7일 자에 다음과 같이 보도했다. "최근의 반미 시위가 미군이 고국으로 복귀하든지 눈에 덜 띄기를 원하는 한국인들의 바람을 입증했다고 간주하고, 미국의 군사 전략가들은 주한 미군을 후방으로 배치하거나 상당수를 완전히 철수시키는 계획들을 입안하여왔다." Don Kirk, "South Korea, in Surprise, Demands U.S. Forces Stay in Place," *New York Times*, March 7, 2003, http://www.nytimes.com/2003/03/07/international/asia/08CND-KORE.html.

22. Yōichi Funabashi, *The Peninsula Question: A Chronicle of the Second Korean Nuclear Crisis* (Washington, DC: Brookings Institution Press, 2007), 246.

23. *Ambassadors' Memoir*, 186.

24. Kim Yon-se, "34 Percent of Army Cadets Regard U.S. as Main Enemy," *Korea Times*, April 6, 2008, https://www.koreatimes.co.kr/www/common/printpreview.asp?categoryCode=116&newsIdx=22029.

25. 이메일, 앨 오닐, 2014년 8월 24일. 오닐은 마닐라의 미국 대사관에서 정치 관련 고문으로 1997년부터 2000년까지 일했다.

26. Howard W. French, "Threats and Responses: Allies; South Korea's Next Leader Reassures U.S.," *New York Times*, January 16, 2003, http://www.nytimes.com/2003/01/16/world/threats-and-responses-allies-south-

korea-s-next-leader-reassures-us.html.

27. Yoon Won-sup, "Sending Troops to Iraq Was Historical Error: President," *Korea Times*, November 11, 2007, http://www.koreatimes.co.kr/www/news/nation/2007/11/116_13507.html.

28. 저자에게 보낸 이메일, 에번스 J. R. 리비어, 2012년 8월 6일.

29. David Straub, "U.S. and ROK Strategic Doctrines and the U.S.–ROK Alliance," in *Dynamic Forces on the Korean Peninsula: Strategic and Economic Implications* (Washington, DC: Korea Economic Institute of America, 2007), 167, http://keia.org/sites/default/files/publications/13.Straub.pdf.

30. Research Service, U.S. Department of Agriculture, "Statistics and Information," http://www.ers.usda.gov/topics/animal-products/cattle-beef/statistics-information.aspx#.U_uwLrywL8s.

31. 예를 들어 Lim Dong-won, *Peacemaker: Twenty Years of Inter-Korean Relations and the North Korean Nuclear Issue* (Stanford: Shorenstein Asia-Pacific Research Center, 2012)와 Chung-in Moon, *The Sunshine Policy: In Defense of Engagement as a Path to Peace in Korea* (Seoul: Yonsei University Press, 2012), 그리고 한국어로 나온 노무현 대통령의 북한 문제 관련 주요 참모였던 이종석, 『칼날 위의 평화』(서울: 개마고원, 2014)를 참조하라.

32. Admiral Dennis C. Blair, "History's Long Shadow over Asia," keynote address delivered at the Heritage Foundation, Washington, DC, August 19, 2014.

33. 당시 라이스 장관과 반기문 장관은 "다음과 같이 양국 정부의 합의를 확인했다. 대한민국은 동맹으로서 미국의 글로벌 군사전략 변화의 근거를 온전히 이해하며 대한민국 내 미군의 전략적 유연성의 필요성을 존중한다. 전략적 유연성을 적용하는 데 미국은 한국인의 의지에 반하여 동북아의 역내 분쟁에 관여해서는 안 된다는 대한민국의 입장을 존중한다." "United States and the Republic of Korea Launch Strategic Consultation for Allied Partnership," January 19, 2006, http://2001-2009.state.gov/r/pa/prs/ps/2006/59447.htm.

34. "Pathways to Reconciliation: A Track II Dialogue on Wartime History Issues in Asia: Final Report," Walter H. Shorenstein Asia-Pacific Research Center, Stanford University, May 12–13, 2014, http://aparc.fsi.stanford.edu/sites/default/files/pathways_to_reconciliation.pdf. 특히 18페이지의 추천 사항들을 읽어볼 것.

35. 조지 W. 부시: "만일 우리가 오만한 나라라면 그들은 우리에게 분노할 것입니다. 만일

우리가 겸손한 나라라면 그들은 우리를 환영할 것입니다. 그리고 우리나라는 힘의 측면에서 세계에서 홀로 서 있는 나라입니다. 이것이 우리가 겸손해야 할 이유이자 자유를 증진하는 방향으로 힘을 구사해야 하는 이유입니다." 조지 W. 부시 주지사 대 앨 고어 부통령의 대선 후보 토론회 내용 일부, *PBS Newshour*, October 12, 2000, http://www.pbs.org/newshour/bb/politics-july-dec00-for-policy_10-12/.

더 읽어볼 책

한국사

Bruce Cumings, *Korea's Place in the Sun: A Modern History* (New York: W.W. Norton, updated ed., 2005): 브루스 커밍스, 이교선·한기욱·김동노·이진준 옮김, 『브루스 커밍스의 한국현대사』, 창비, 2001.
한국이 서구에 문호를 개방한 이후부터 현대까지를 서술한 한국사. 한국의 진보 세력이 자국을 어떻게 보는지, 그리고 미국과의 관계를 어떻게 보고 있는지를 이해하는 데 필수적인 저작.

한국에서 반미주의의 역사

Kim Hakjoon, "A Brief History of the U.S.-ROK Alliance and Anti-Americanism in South Korea," Shorenstein Asia-Pacific Research Center Occasional Paper 31, no. 1, Stanford University, May 2010, http://iis-db. stanford.edu/pubs/22961/Kim-Hakjoon_FINAL_May_2010.pdf.
한국 반미주의의 기원에서부터 2008년 노무현 정부의 임기 종료 때까지 반미주의가 어떻게 발달하는지를 한국의 대표적인 보수 언론인이 쓴 간결한 논문.

Young Ick Lew, Byong-kie Song, Ho-min Yang, and Hy-sop Lim, *Korean Perceptions of the United States: A History of Their Origins and Formation*, trans. Michael Finch (Seoul: Jimoondang, 2006).
한국과 미국이 처음 수교한 이래 1980년대까지 이루어진 교류를 네 명의 한국 학자가 분석했다. 한국의 반미주의에 대한 값진 역사 연구서.

최근 한국에서의 반미주의

Eric V. Larson, Norman D. Levin, Seonhae Baik, and Bogdan Savych, *Ambivalent Allies? A Study of South Korean Attitudes Toward the U.S.* (Santa Monica: Rand Corporation, 2004), http://www.rand.org/content/dam/

rand/pubs/technical_reports/2005/RAND_TR141.pdf.
한국에 대한 랜드 연구소의 논문 시리즈 중 하나. 2000년대 초반 한국을 다루고
있으며 방대한 양의 여론조사 데이터에 대한 분석도 담고 있다.

Derek J. Mitchell, ed., *Strategy and Sentiment: South Korean Views of the
United States and the U.S.-ROK Alliance* (Washington, DC: Center for
Strategic and International Studies, June 2004), http://csis.org/files/
media/csis/pubs/0406mitchell.pdf.
한국과 미국의 학자들이 1990년대 말과 2000년대 초 반미주의의 다양한 양상
들을 분석했다.

ROK Drop: Korea from North to South, http://www.rokdrop.net.
한국에서 복무했던 예비역 미군이 운영하고 있는 한국과 미군에 관한 블로그.
지난 수십 년 동안 한국에서 있었던 반미주의적 사건에 대해 상세한 비평적 분
석과 개인적 논평을 담고 있다.

David I. Steinberg, ed., *Korean Attitudes Toward the United States: Changing
Dynamics* (Armonk, NY: M.E. Sharpe, 2005).
한국, 일본, 유럽, 미국의 저명한 전문가들이 특히 2000년대 초반 한국의 반미주
의를 집중적으로 조명한 필독서.

Joshua Stanton and Daniel Bielefeld, *One Free Korea*, http://freekorea.us.
이 블로그는 주로 북한을 다루고 있지만 주요 필자인 조슈아 스탠턴은 1998년
부터 2002년까지 주한 미군 법무관으로 복무했다. 또한 2000년대 초반 한국의
반미주의에 대해 상당한 분량의 논평을 담고 있다.

광주 항쟁
William H. Gleysteen Jr., *Massive Entanglement, Marginal Influence: Carter
and Korea in Crisis* (Washington, DC: Brookings Institution Press, 1999):
윌리엄 글라이스틴, 황정일 옮김, 『알려지지 않은 역사』, 중앙M&B, 1999.
1980년 광주 항쟁이 발발했을 당시 주한 미 대사의 회고록. 이 시기는 한국의
386세대가 미국을 바라보는 관점에 중대한 영향을 미쳤다.

Gi-Wook Shin and Kyung Moon Jang, eds., *Contentious Kwangju: The May 18 Uprising in Korea's Past and Present* (Lanham, MD: Rowman & Littlefield, 2003).
1980년 광주에서 발생한 사건들의 팩트와 중요성을 분석한 책들 중 단 하나를 꼽으라면 바로 이 책.

"Backgrounder: United States Government Statement on the Events in Kwangju, Republic of Korea, in May 1980," June 19, 1989, http://seoul. usembassy.gov/backgrounder.html.
1980년 광주에서 일어난 사건들에 대한 미국 정부의 뒤늦은 보고서. 당시 미 정부가 어떤 역할을 했는지, 그리고 당시 사건들에 대한 관점을 담고 있다.

John A. Wickham, Jr., *Korea on the Brink: A Memoir of Political Intrigue and Military Crisis* (Washington, DC: Brassey's, 2000): 존 위컴, 김영희 옮김, 『12·12와 미국의 딜레마』, 중앙M&B, 1999.
저자는 전두환이 권력의 핵심으로 부상하던 시절과 광주 항쟁 당시 주한 미군 사령관이었다. 앞에서 언급한 글라이스틴 대사의 회고록과 반드시 같이 읽을 것.

한국의 반미주의에 대한 이론과 분석

Gi-Wook Shin, *Ethnic Nationalism in Korea: Genealogy, Politics, and Legacy* (Stanford: Stanford University Press, 2006): 신기욱, 이진준 옮김, 『한국 민족주의의 계보와 정치』, 창비, 2009.
한국 민족주의에 관한 저명한 사회학자의 통찰력 넘치는 분석. 한국의 반미주의를 이해하는 데 한국 민족주의에 대한 지식은 필수적이다.

Gi-Wook Shin, "Marxism, Anti-Americanism, and Democracy in South Korea: An Examination of Nationalist Intellectual Discourse," *Positions 3*, no. 2 (Fall 1995), 510—536.
마르크스주의가 한국 반미주의적 사고방식의 형성에 작지만 중요한 역할을 했음을 이해하는 데 중요한 연구.

Gi-Wook Shin, "South Korean Anti-Americanism: A Comparative

Perspective," *Asian Survey* 36, no. 8 (August 1996), 787—803.
한국 반미주의와 한미 동맹에 대한 반대는 서로 다른 것이며 혼동되어서는 안 된다고 주장한다.

Gi-Wook Shin and Hilary Jan Izatt, "Anti-American and Anti-Alliance Sentiments in South Korea," *Asian Survey* 51, no. 6 (November/December 2011).

Gi-Wook Shin, *One Alliance, Two Lenses: U.S.- Korea Relations in a New Era* (Stanford: Stanford University Press, 2010): 신기욱, 송승하 옮김, 『하나의 동맹 두 개의 렌즈』, 한국과미국(올리브), 2010.
한국과 미국의 주요 신문의 보도와 논평을 양적·질적으로 분석하여 1992년부터 2003년까지 한국 반미주의를 고찰한다.

미디어와 한미 관계
Donald A. L. Macintyre, Daniel C. Sneider, and Gi-Wook Shin, eds., *First Drafts of Korea: The U.S. Media and Perceptions of the Last Cold War Frontier* (Stanford: Walter H. Shorenstein Asia-Pacific Research Center, 2009): 도널드 A. L. 매킨타이어·대니얼 C. 스나이더·신기욱, 동아일보 국제부 옮김, 『두 개의 코리아: 서울 주재 외국특파원들이 본』, 한국과미국(올리브), 2010.
서구 매체가 뉴스에서 한국을 다루는 것에 대한 문제들과 한미 관계에서 언론의 역할을 미국 언론인들이 썼다.

노근리
Robert L. Bateman, *No Gun Ri: A Military History of the Korean War Incident* (Mechanicsburg, PA: Stackpole Books, 2002).
AP의 노근리 사건 보도에 대한 비평적이고 때때로 공격적인 분석.

Committee for the Review and Restoration of Honor for the No Gun Ri Victims, *No Gun Ri Incident Victim Review Report* (Seoul, 2009).
노근리 사건에 대한 한국 정부의 공식 결론.

Department of the Army Inspector General, "No Gun Ri Review Report," January 2001, http://en.wikisource.org/wiki/U.S._Department_ of_the_Army_No_Gun_Ri_Review_Report.
노근리 사건에 대한 미 정부의 공식 연구.

Charles J. Hanley, Sang-Hun Choe, and Martha Mendoza, *The Bridge at No Gun Ri: A Hidden Nightmare from the Korean War* (New York: Holt, 2002): 최상훈·찰스 핸리·마사 멘도자, 남원준 옮김, 『노근리 다리: 한국전쟁의 숨겨진 악몽』, 잉걸, 2003.
AP의 노근리 사건 보도의 단행본.

Sahr Conway-Lanz, "Beyond No Gun Ri: Refugees and the United States Military in the Korean War," *Diplomatic History* 29, no. 1 January 2005, 49—81.
노근리 사건과 그에 대한 법적 문제를 상세히 분석.

주둔군지위협정(SOFA)

United States Forces Korea, http://www.usfk.mil/usfk/sofa.
한미 주둔군지위협정의 전문.

Joseph Dallao, "The Republic of Korea-United States Status of Forces Agreement (SOFA): The Influencing Factors on the Perception of the Korean Public, 2002-2012," Ph.D. thesis, Graduate School of International Studies, Department of International Cooperation, Yonsei University, Seoul, 2012.
주한 미군의 SOFA 전문가였던 로버트 J. 마운츠의 학생이 쓴 탁월한 분석.

북한 관련서

Mike Chinoy, *Meltdown: The Inside Story of the North Korean Nuclear Crisis* (New York: St. Martin's, 2008): 마이크 치노이, 박성준·홍성준 옮김, 『북핵 롤러코스터』, 시사IN북, 2010.
전직 CNN 기자가 쓴 2000년대 북핵 위기에 관한 책. 한미 고위 관계자들을 비롯한 수백 명의 인터뷰에 기반했다.

Lim Dong-won, *Peacemaker: Twenty Years of Inter-Korean Relations and the North Korean Nuclear Issue* (Stanford: Shorenstein Asia-Pacific Research Center, 2012): 임동원, 『피스메이커: 남북 관계와 북핵 문제 25년』(개정증보판), 창비, 2015.
김대중 정부의 대북 정책의 수립과 실행에 가장 큰 역할을 했던 임동원 전 통일부 장관의 회고록. 미국의 정책에 대해 상당히 비판적이다.

Charles L. Pritchard, *Failed Diplomacy: The Tragic Story of How North Korea Got the Bomb* (Washington, DC: Brookings Institution Press, 2007): 찰스 프리처드, 김연철·서보혁 옮김, 『실패한 외교: 부시, 네오콘 그리고 북핵 위기』, 사계절, 2008.
조지 W. 부시 행정부의 첫 번째 임기 당시 미국의 대북 정책 실패에 대해 전직 국무부 고위 관료가 쓴 진솔한 비판.

Don Oberdorfer and Robert Carlin, *The Two Koreas: A Contemporary History* (New York: Basic Books, rvsd. and updated, 3rd ed., 2014): 돈 오버도퍼·로버트 칼린, 이종길 옮김, 『두 개의 한국』(개정판), 길산, 2014.
전 『워싱턴포스트』 국제부 기자가 한국전쟁 이후 한국사와 한미 관계를 저널리즘적 관점에서 쓴 책. 전직 국무부 분석관이었던 공저자는 북한이 김정일이 사망할 때까지 어떻게 변화했는지 등을 덧붙였다.

그것은 반미주의였다

박태균·서울대 국제대학원 교수

1

어느 날 학교의 옆 연구실에 새로운 분이 들어오셨다. 미국 국무
부의 한국 담당 책임자로 있었다고 했다. 『반미주의로 보는 한국 현
대사(원서명 *Anti-Americanism in Democratizing South Korea*)』의 저자인 데
이비드 스트라우브였다. 한미관계사를 전공으로 하는 연구자로서는
너무나 반가운 일이 아닐 수 없었다. 그러나 정신없이 지내는 동안
정작 스트라우브 씨를 만나 얘기할 기회는 거의 없었다. 후에 스탠퍼
드 대학에 가서 그를 만나면서 아쉬움을 달래야 했고, 그렇기에 그
의 책을 보면서 기쁨을 숨길 수 없었다.

저자의 표현처럼 1999년부터 2002년까지는 격동의 시기였다. 많
은 사람들에게는 한국 역사상 첫 평화적 정권 교체 직후의 이 시기
가 금강산 관광과 남북정상회담, 그리고 한일 월드컵으로 이어지는
황금시대로 기억되고 있다. 1987년 민주화 이후 처음으로 민주화의
수혜를 듬뿍 받을 수 있는 시기였다. 물론 1997년 금융위기 이후 국

가적 위기를 극복했다고 하지만, 삶은 더 빡빡해지기 시작했고, 남북 관계에 해빙이 있었지만 동시에 두 차례에 걸친 서해교전이 있었던 시기이기도 했다.

이 책은 이러한 사건들 이외에도 1999년부터 2002년까지 스트라우브가 주한 미국 대사관에 정치과장으로 있는 동안 한미 간에 수많은 일이 있었음을 다시 한번 상기시키고 있다. 1999년 9월 29일 한국 언론이 아닌 AP 통신에 의해서 한국전쟁 기간 중에 있었던 노근리에서의 민간인 학살 사건이 폭로됐고, 그로부터 두 달 후 고엽제 피해자들이 미국의 고엽제 제조사를 상대로 소송을 진행했으며, 주한 미군이 베트남에서뿐만 아니라 비무장지대에서도 고엽제를 사용했다는 보도가 있었다.

이듬해 5월 서해안에 있는 주한 미 공군의 매향리 사격장에서 민간인이 피해를 입었다는 신문 보도가 있었고, 한 달 후에는 서울의 주한 미군 기지에서 포름알데히드를 상수원에 방류하는 '만행'이 발생했다고 한국의 한 환경 단체가 폭로했다. 환경문제에 대한 폭로는 주둔군지위협정SOFA이 다시 논의되는 데 중요한 계기가 됐다.

이때까지의 한미 관계에서 나타난 사건들은 대부분 한국으로부터 촉발된 사건이었다면, 2001년 부시 행정부가 수립되면서는 미국으로부터의 변화가 한미 관계에 긴장을 만들어냈다. 아니 어쩌면 1990년을 전후한 탈냉전 시기부터 2000년까지 계속된 대북 포용 정책의 공조를 바탕으로 한 한미 관계의 예외적 시기가 끝났다고 하는 편이 더 정확한 표현일 수도 있을 것이다. 김대중 정부의 햇볕정책과 부시 행정부의 강경책이 부딪친 것이다.

이듬해 초 부시 대통령은 북한을 이란, 리비아, 쿠바와 함께 '악의 축'으로 규정했으며, 한국의 전 국민들을 흥분하게 한 솔트레이크시티 동계올림픽에서의 쇼트트랙 사건이 발생했다. 판정에 불만을 품은 한국 사회에서는 반미 분위기가 팽배했다. 2002년 월드컵이 한창 개최 중일 때 미선이 효순이 사건이 발생했고, 이 사건은 한국 사회에 처음으로 촛불 시위가 시작되는 계기가 됐다.

이렇게 1999년부터 2002년까지는 한미 관계가 요동쳤던 시기였다. 김대중 정부와 클린턴 행정부의 공조 관계하에서도 한국 사회에서 미국에 대한 비판이 고조됐고, 부시 행정부가 들어서면서 그러한 비판적 분위기가 더 고조됐다. 저자는 이러한 한국 사회의 반미 감정에 대해 질문을 던진다. 그것은 특정한 시기에 있었던 특수한 현상이었는가? 아니면 한국 사회에 내재해 있는 오래된 감정이 진보 정부하에서 터져 나온 것인가? 한국 사회의 반미 감정은 단지 지나간 문제가 아니라 미래에도 다시 나타날 수 있는 가능성이 있는가?

2

저자는 한국 사회를 너무나 잘 간파하고 있다. 그래서 한국 사회의 반미 감정에 대한 한국 사람들의 견해를 잘 이해하고 있다. 한국의 반미 감정에 대한 미국 전문가들의 질문에 한국 사람들은 일반적으로 다음과 같이 얘기한다. '한국의 젊은이들은 미국의 정책에 비판적이며, 반미 시위에 적극적으로 참여하고 있지만, 미국으로 유학 가고 싶어 하며, 한미 동맹의 중요성을 너무나 잘 알고 있다.'

한국에 대한 저작을 쓴 연구자들도 반미주의라는 단어 자체가 한국에서의 현상을 잘못 이해한 것이며, 특정 시기에 미국에 대한 불만을 쏟아낸 것에 불과하다고 평가한다. 반미주의라는 단어를 과도하게 남용해서도 안 되며, 사실을 오도하고 있다는 것이다. 그러나 저자의 평가는 다르다. 그것은 심각한 반미주의다. 저자는 선언한다. "미국 또는 미국 시민이 한 것과 하지 않은 것에 대한 편견과 오해를 상당 부분 기반으로 한, 미국 전체에 대한 적의의 표출을 표현하는 데 반미주의라는 단어보다 더 적합한 단어가 있을까?"(294쪽)

저자는 한국에서의 반미 감정을 왜 이렇게 심각하게 받아들이고 있는가? 여기에는 다음과 같은 고질적인 문제들이 자리잡고 있다. 첫째로 "미국인들이 한국에 대해 아는 것보다 한국인들이 미국에 대해 아는 게 훨씬 많음에도 불구하고 미국에 대해 대부분의 한국인들이 잘 모르거나 이해하지 못하는 것이 많아 심각한 오해를 낳을 수 있다."(276쪽)

왜 이러한 오해가 나타나는가? 바로 언론 때문이다. 한국인들은 사회적으로 가장 영향력이 큰 보수 언론은 더 친미적이며, 반미적인 내용은 주로 『한겨레』와 『경향신문』 같은 진보 언론에 의해 고무되고 있다고 생각하지만, 저자에 의하면 실상은 그렇지 않다. 1999년부터 2002년까지 한국 언론의 태도를 보면 보수와 진보라는 정치적 견해와 관계없이 반미적인 기사들을 쏟아냈다. 그리고 그 어떤 신문도 진실을 보려고 하지 않았고, 미국의 입장을 이해하려고 하지 않았다.

저자에 의하면 이 시기에 발생한 사건들에 대한 한국 언론의 보도도 사건의 진실에 조금도 다가서지 못했다. 자신들의 정치적 입장만을 쏟아내고 있었다. 그나마 미군 측의 잘못을 있는 그대로 인정할 수 있는 포름알데히드 방류 사건마저도 한국 기업들의 유해물질 방류에 비할 때 인체에 해를 미치지 않을 터무니없이 작은 양이었음에도 불구하고 반미주의라는 현상에 의해 지나치게 언론의 주목을 받았다는 것이다.

둘째로 "한국의 희생양 내러티브는 역사적·이념적·지역적, 그리고 세대적 측면을 포함한 여러 가지 측면을 갖고 있"기 때문이었다.(278쪽) 저자에 의하면 "희생양의 렌즈를 갖고 사물을 보는 한국 언론은 이러한 문제들을 단순한 도덕적 문제로 돌리고는 한국은 모두 옳고 상대방은 모두 잘못 됐다고 묘사하곤 했다"는 것이다.(279쪽)

이러한 현상은 어쩌면 관심의 비대칭성에 의해서 나타나는 것이기도 하다. 안톤 오노 사건을 제외하고는 미국 언론은 이 시기에 발생한 한미 간의 사건을 거의 주목하지 않았다. 이로 인해서 한국 사회는 해당 사건에 대해 미국이 어떻게 해석하고 받아들이고 있는가를 참고할 수 있는 기회가 없었고, 단지 역사적으로 한국 사회에 형성되어 있는 특수한 '눈'을 통해 모든 사태를 해석할 수밖에 없었다는 것이다.

가장 주목되는 부분은 반미주의가 나타났던 마지막 이유에 대한 저자의 분석이다. 바로 '한국 진보 세력의 발흥'이다. 보수적인 정부가 있을 때에는 심각하지 않았던 반미주의가 유독 김대중 정부와 노무현 정부에서 심각하게 고조됐다는 것이다. 여기에는 진보 세력에 기반하고 있었던 정권의 정치적 이해관계가 깊이 개입될 수밖에 없었다는 것이 저자의 진단이다. 정권의 트레이드 마크였던 햇볕정책에 반대하는 부시 행정부의 대북 정책에 대한 충격, 그리고 미선이 효순이 사건의 와중에서 대통령에 당선된 노무현 대통령으로서는 반미주의를 심각하게 받아들일 수 없었고, 오히려 그로 인해 정치적으로 많은 이득을 볼 수 있었다는 것이 저자의 견해다.

물론 저자는 문민정부 이후 성립된 진보 정부가 들어서야 미국에 비판적인 견해를 갖고 있는 시민사회의 조직들에 대한 언론 보도가 가능하게 됐다는 점, 그리고 한국 사람들에게 독재 정권을 지탱하는 힘의 뒤에는 미국이 있는 것처럼 보일 수밖에 없었던 한국의 상황도 함께 언급하고 있다. 그러나 저자에게 더 중요한 점은 진보 정권의 이해관계와 한국 사회의 반미주의가 서로 조응했다는 것이고, 시기적으로 볼 때 충분히 개연성이 있는 것처럼 보일 수도 있다.

3

한미 관계와 관련된 자료를 보면서 가장 많이 주목하게 되는 것은 주한 미국 대사관의 전문들이다. 이 전문들은 주로 한국의 상황을 본국에 보고하거나 본국 정부가 현지에 지시한 정책을 담고 있다. 이러한 전문들을 보다 보면 한미 관계의 최전선에 있는 주한 미국 대사관 관계자들의 관찰은 한미 관계에 매우 중요한 영향을 미친다는 사실을 알 수 있다. 내가 한미 관계에 대한 글을 쓸 때 베트남 전쟁 시기에 한국에 부임했던 포터 대사(1967~1971)와 하비브 대사(1961~1974)의 전문을 자주 인용하는 것도 그 때문이다.

이런 관점에서 볼 때 주한 미국 대사관에서 근무했던 인사들의 회고록이나 미국의 대통령 도서관에 있는 구술사 자료, 그리고 그들이 근무했던 경험을 바탕으로 한 연구 성과는 한미 관계를 이해하는 데 매우 중요한 자료가 된다. 도널드 맥도널드의 『한미 관계 20년 사: 1945~1965』와 그레고리 헨더슨의 『소용돌이의 정치』, 그리고 윌리엄 글라이스틴의 『알려지지 않은 역사』는 비록 공개되지 않은 자료와 본인의 경험에 근거하여 쓴 책이기 때문에 직접 인용하기 위해서는 일정한 사료 검토가 필요함에도 불구하고 1950년대와 1960년대를 연구하는 데에는 필수적인 자료가 된다.

『반미주의로 보는 한국 현대사』 역시 1999년부터 2002년 사이 한미 관계를 연구하는 데 있어서 필독서라고 할 수 있다. 많이 만나지는 못 했지만, 스트라우브 씨는 주관적 관점을 과도하게 내세우거나 과장을 하지 않는 외교관이라는 인상을 주었다. 그는 항상 냉정을 잃지 않으며, 어떤 상황에서도 객관적이고 중립적인 입장을 견지하고 있었다. 저자는 이 책의 머리말에서 "전직 미국 외교관이 쓴 이 책이 얼마나 유용할지에 대해 의구심이 들 수도 있다"(6쪽)고 했지만, 실상 그를 아는 사람들은 누구도 그런 의구심을 갖지 않을 것이다. 그가 쓴 것처럼 이 책을 통해서 한국 사회의 반미 감정이 연속적으로 표출되고 있었던 시기에 '미국의 관료들이 어떻게 생각하고 있었는가'에 대한 내부 정보를 알 수 있는 중요한 내용들을 확인할 수 있다. 이 책은 아직 이 시기에 대한 자료들이 공개되지 않은 채 21세기로 넘어가는 전환점에서 한미 관계에 대한 미국 정부의 생각을 객관적으로 알 수 있도록 안내해주고 있다.

다른 한편으로는 한국 사회를 이해하기 위해서도 이 책은 매우 중요하다. 저자는 미국 사람들을 향해서 '한국 사회를 잘 이해하기 위한 지침서'로 이 책을 소개했지만, 이 책의 해제를 쓰고 있는 나도 한국 사람들을 향해 똑같은 얘기를 하고 싶다. 한국인들이 한국 사회를 가장 잘 안다고 하지만, 그들은 한 걸음 떨어져서 스스로를 보지 못한다. 물론 이건 비단 한국인들에게만 적용되는 것은 아니다. 미국인들에게도 동일하게 적용할 수 있다. 40년을 넘게 한국에 관한 일을 해왔고, 한국에 근무하면서 한국 사회를 관찰할 수 있었으며, 한국인 여성과 가정을 꾸리고 있는 저자만큼 한국 사회를 객관적으로 이해할 수 있는 사람이 있을까?

특히 주목되는 점은 저자의 한국 언론에 대한 분석이다. 스트라우브 씨는 한국의 반미주의에 가장 큰 영향을 미치는 요인으로 한국 언론의 태도를 꼽았으며, 이 책에서 각각의 사건에 대한 한국 언론의 보도를 자세하게 분석하고 있다. 이 점에 대해서는 한국인들 또한 매우 공감하는 것이며, 이 정도로 한국 언론을 분석하고 있는 저자의 식견이 매우 놀랍다. 어떤 부분에서는 한국인들이 갖고 있는 한국 언론에 대한 선입견이 잘못됐다는 것을 깨달을 수 있는 자료도 제공하고 있다.

1990년대 중반의 주사파 논쟁을 이해하기 위해서는 언론의 무책임한 보도를 이해해야 하는 것처럼 저자도 SOFA 개정과 관련된 부분에서 흥미로운 사실을 인용하고 있다. 어느 날 지하철에서 발생한 주한 미군과 한국 시민 간의 난투극에 대한 부분이다. 미군이 지하철 안에서 한국 여성을 성추행하는 장면을 발견한 한국 시민은 이를 참지 못했다. 이 사건은 언론에 대대적으로 보도됐는데, 실상 그 여자는 미군의 아내였다는 것이다.

4

이 책의 백미는 1999년부터 2002년 사이에 있었던 경험을 통해서 얻을 수 있는 교훈에 대한 저자의 결론이다. 그 당시의 고조된 반미주의는 일회성 사건이었는가? 아니면 머지않은 미래에 한국 사회에서 반미주의는 또 고조될 가능성이 있는가? 만약 또 다시 고조된다면, 그것을 어떻게 조정할 수 있을까?

저자는 또한 미국 사회와 미국 정부의 정책에 대해 잘못 이해하고 있는 한국의 언론과 그에 영향을 받은 한국 시민사회를 분석하는 데 책의 대부분을 할애하고 있지만, 한미 관계에서 발생하고 있는 미국 정부의 실수에 대해서도 언급하고 있다. 예컨대 SOFA 문제와 관련해서 한편으로는 한국의 문제 제기가 불공정한 것이라고 지적하고 있지만, 일본 정부와의 SOFA 개정이 한국 사회에 미친 영향에 대해서도 주목하고 있다. 오노 사건에 대한 미국 사회의 지나친 반응 역시 흥미로운 지적이라고 할 수 있다.

물론 저자의 지적에 많은 반론이 제기될 수 있을 것이다. 이 책에서도 몇 차례 언급되고 있지만, 미국 국방장관이었던 도널드 럼스펠드가 주한 미군 철수와 한국의 반미주의를 연결시켰던 사실에서 드러나듯이 미국의 정책 결정자들은 저자만큼 모두 객관적이고 중립적이지는 않았다. 부시 행정부의 외교정책에 실망한 저자가 2006년 국무부에서 조기 퇴직한 것도 그 때문이었을까? 아울러 저자도 인정하고 있듯이 한국 사회만이 편견이나 오해에 빠져 있는 것이 아니라 미국 사회 역시 그렇다는 점이다.

이러한 한계에도 불구하고 저자는 해당 시기의 역사를 잘 복원하고 있다. 저자는 아직 1980년대 연구에서 헤매고 있는 나에게 빨리 2000년을 전후한 시기로 연구의 지평을 확대하라고 유혹하고 있다.

　마지막으로 이 책을 읽으면서 한 가지 질문을 던져본다. 역사적인 장면이 계속되고 있는 2016년 12월 3일, 촛불집회에서 오후 7시에 '1분 소등' 순간에 주한 미국 대사관이 함께 불을 끄는 장면이 TV 화면에 포착됐다. 어떤 방송에서는 소등을 한 것이 아니라 밖의 불빛이 반사되어 소등하는 것같이 비추어졌다고 분석하기도 했다. 동시에 2016년의 촛불 시위가 진행되고 있는 시점에서 주한 미국 대사는 한국 사회의 움직임에 공감한다고 말하기도 했다. 지금 주한 미국 대사관에서 근무하고 있는 또 다른 외교관이 15년 후 이 시기의 상황을 어떻게 묘사할까? 심히 궁금해진다.

찾아보기

반미주의로 보는 한국 현대사
주한 미국 외교관이 바라본 한국의 반미 현상

지은이 데이비드 스트라우브
옮긴이 김수빈
해 제 박태균
펴낸이 윤양미
펴낸곳 도서출판 산처럼

등 록 2002년 1월 10일 제1-2979
주 소 서울시 종로구 사직로8길 34 경희궁의 아침 3단지 오피스텔 412호
전 화 02) 725-7414
팩 스 02) 725-7404
이메일 sanbooks@hanmail.net
홈페이지 www.sanbooks.com

제1판 제1쇄 2017년 2월 25일

값 20,000원
ISBN 978-89-90062-72-7 03911

* 잘못된 책은 바꾸어드립니다.